DŁUGA ZIEMIA

TERRY PRATCHETT
STEPHEN BAXTER
DŁUGA ZIEMIA

Przełożył
Piotr W. Cholewa

Prószyński i S-ka

Tytuł oryginału
THE LONG EARTH

Projekt okładki
Piotr Cieśliński/Dark Crayon

Zdjęcia na okładce
© The Image Bank/Getty Images/Flash Press Media,
Brand X Pictures/ Getty Images/Flash Press Media

Ilustracja na stronie 6
© Rich Shailer

Redaktor prowadzący
Katarzyna Rudzka

Redakcja
Agnieszka Rosłan

Korekta
Grażyna Nawrocka

Łamanie
Ewa Wójcik

ISBN 978-83-7839-409-9

Warszawa 2013

Wydawca
Prószyński Media Sp. z o.o.
02-697 Warszawa, ul. Rzymowskiego 28
www.proszynski.pl

Druk i oprawa
ABEDIK S.A.
61-311 Poznań, ul. Ługańska 1

Lyn i Rhiannie, jak zawsze

T.P.

Sandrze

S.B.

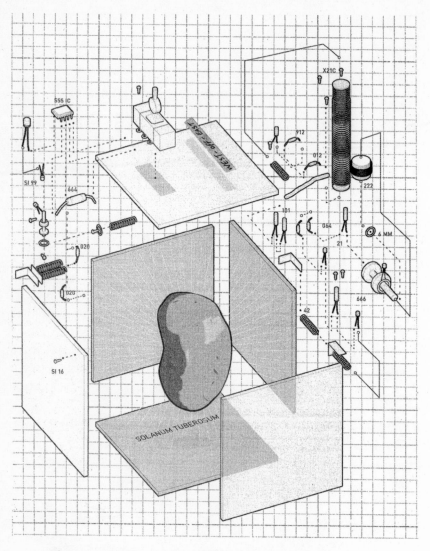

Plan oryginalnego krokera Willisa Linsaya, jaki anonimowo wysłano do sieci
(*wydawca nie ponosi odpowiedzialności za niewłaściwe wykorzystanie powyższego schematu ani technologii, jaką przedstawia*)

ROZDZIAŁ 1

Na leśnej polanie:
Szeregowy Percy obudził się, słysząc ptasie trele. Wiele czasu
minęło, odkąd ostatni raz słyszał ptaki – już artyleria o to zadbała.
Przez chwilę był zadowolony, że może tak zwyczajnie leżeć w cudownej ciszy.

Jednak trochę się niepokoił, w takim dość lekkim oszołomieniu, czemu właściwie leży na wilgotnej, choć wonnej trawie, zamiast
na swoim kocu. A tak, zapach trawy... Nie czuł takich aromatów
w miejscu, gdzie był przed chwilą. Kordyt, rozgrzany olej, spalone
ciała i smród niemytych mężczyzn – do tego był przyzwyczajony.

Zastanowił się, czy nie jest martwy. W końcu ostrzał był przerażający.

No więc jeśli zginął, to miejsce całkiem się nada na niebo,
zwłaszcza po tamtym piekle huku, krzyków i błota. A jeśli to nie jest
niebo, zaraz sierżant go kopnie, postawi na nogi i odeśle do mesy
na kubek herbaty i opatrunek. Ale nie było żadnego sierżanta i żadnego hałasu oprócz śpiewu ptaków wśród drzew.

A gdy brzask zaczął wpełzać na niebo, Percy pomyślał: Jakich
drzew?

Kiedy ostatnio widział takie, które miało choćby w przybliżeniu kształt drzewa, a co dopiero takie ze wszystkimi liśćmi, którego
pociski nie roztrzaskały w drzazgi? A jednak rosły tu drzewa, dużo
drzew, cały las.

Szeregowy Percy był młodzieńcem praktycznym i metodycznym, postanowił więc, że w tym śnie nie będzie się martwić drzewami – drzewa nigdy nie próbowały go zabić. Położył się i chyba musiał zasnąć, ponieważ kiedy otworzył oczy, trwał już jasny dzień, a jemu chciało się pić.

Jasny dzień, ale gdzie? Pewnie we Francji. To musi być Francja, przecież ten wybuch, który go ogłuszył, nie mógł go rzucić zbyt daleko. Ale jednak znalazł się w lesie, choć nie powinno tu być żadnego lasu. Brakowało też tradycyjnych odgłosów Francji, takich jak huk wystrzałów i krzyki ludzi.

To prawdziwa zagadka... a Percy był śmiertelnie spragniony.

Spakował więc kłopoty w to, co mu pozostało ze starego worka, w tej eterycznej i udręczonej ptakami ciszy, i uznał, że to prawda, co mówią słowa piosenki: po co się martwić? Są ważniejsze zajęcia, zwłaszcza kiedy człowiek właśnie zobaczył, że inni odparowują niczym poranna rosa.

Ale kiedy wstał, poczuł znajomy ból w nodze, głęboko, aż w kości – ślad po ranie, która nie wystarczyła, by odesłali go do domu, ale załatwiła mu lepszy przydział u chłopaków od maskowania, i poobijaną puszkę farby w worku. Czyli to nie sen, skoro noga dalej boli. Ale z całą pewnością był gdzieś indziej niż poprzednio.

Ruszył więc między drzewami w kierunku, który tych drzew wydawał się zawierać mniej, a w jego umyśle zbudziła się ulotna, drażniąca myśl: Dlaczego śpiewaliśmy? Rozum nam odebrało? Co nam przyszło do głowy? Ręce i nogi na ziemi dookoła, ludzie zmieniający się w mgłę ciała i kości... A myśmy śpiewali!

Ależ byliśmy cholernymi, cholernymi idiotami!

Pół godziny później szeregowy Percy zszedł zboczem do strumyka w płytkiej dolinie. Woda była trochę słona, ale w tej chwili napiłby się nawet z końskiego koryta, stojąc obok konia.

Potem szedł w dół strumienia, do miejsca, gdzie strumień wpadał do rzeki, jeszcze niezbyt szerokiej, ale Percy był wiejskim chłopakiem i wiedział, że przy brzegu znajdzie raki. Pół godziny później rzeczone raki gotowały się już wesoło. Nigdy jeszcze nie widział takich wielkich. I aż tylu! I takich soczystych! Jadł, aż brzuch go rozbolał. Nabitą na zielony patyk zdobycz obracał nad pospiesznie rozpalonym ogniskiem, a potem rozrywał ją palcami. Myślał teraz: Może naprawdę jestem martwy i trafiłem do nieba. I podoba mi się to, bo Bóg mi świadkiem, uważam, że dość już się napatrzyłem na piekło.

Tej nocy leżał na polanie nad rzeką, z workiem pod głową zamiast poduszki. A kiedy na niebie zabłysnęły gwiazdy, jaśniejsze, niż kiedykolwiek widział, zaczął śpiewać:

W stary worek spakuj kłopoty w mig
I uśmiech na twarz…

Zasnął snem sprawiedliwych, nim doszedł do „Po co się martwić? Zajęcia lepsze masz".

Kiedy promienie słońca znowu musnęły jego twarz, zbudził się odświeżony, usiadł i… i znieruchomiał jak posąg w ognisku spokojnych spojrzeń, które go oceniały.

Kim oni byli? I czym? Wyglądali trochę jak niedźwiedzie, ale bez niedźwiedzich pysków, albo trochę jak małpy, ale grubsze. I tylko przyglądali mu się ze spokojem. No przecież nie mogą chyba być Francuzami…

Mimo wszystko spróbował francuskiego:

– Parle buffon tua?

Patrzyli nieruchomo.

W ciszy, czując, że czegoś od niego oczekują, Percy odchrząknął i rozpoczął: „W stary worek spakuj kłopoty w mig…".

Słuchali w skupieniu, dopóki nie skończył. Potem spojrzeli po sobie. W końcu, jak gdyby doszli do porozumienia, pozwolili, by jeden z nich wystąpił naprzód i odśpiewał tę piosenkę w perfekcyjnej tonacji.

Szeregowy Percy słuchał w tępym oszołomieniu.

* * *

I stulecie później:

Preria była płaska, zielona, bujna, tu i ówdzie rosły kępy dębów. Niebo wydawało się tak niebieskie, jak je zwykle reklamowano. Na horyzoncie dał się zauważyć jakiś ruch, jakby cień chmury – przesuwające się wielkie stado zwierząt.

Zabrzmiał odgłos podobny do westchnienia, do lekkiego wydechu. Stojący dostatecznie blisko obserwator mógłby poczuć na skórze delikatny podmuch.

A na trawie leżała Maria Valienté w swym ulubionym różowym swetrze z angory.

Miała dopiero piętnaście lat i była w ciąży, a poród się zbliżał. Ból skurczy przeszywał jej chude ciało. Jeszcze przed chwilą nie wiedziała, czy bardziej boi się samego porodu, czy gniewu siostry Stefanii, która zabrała jej małpią bransoletkę, jedyną pamiątkę, jaką Maria zachowała po matce. Siostra Stefania uznała, że to grzeszny symbol.

A teraz to… Otwarte niebo, tam gdzie powinien się znajdować brudny od papierosowego dymu tynk sufitu. Trawa i drzewa, tam gdzie powinna być wytarta wykładzina. Nic się nie zgadzało. Czy to w ogóle jest Madison? Skąd się tu wzięła?

Ale to bez znaczenia. Znowu przeszył ją ból i czuła, że dziecko przeciska się już na świat. Nie miała nikogo do pomocy, nawet siostry Stefanii…

Zamknęła oczy, krzyknęła i zaczęła przeć.

Dziecko wyśliznęło się na trawę, a Maria wiedziała, że powinna zaczekać na łożysko. Kiedy było po wszystkim, miała między nogami coś bezkształtnego i ciepłego, i dziecko pokryte lepką, krwawą mazią. Otworzyło… otworzył usta i zapłakał cienko.

Z daleka dobiegł potężny odgłos, niby grom. Ryk, jaki słyszy się czasem w zoo. Jakby lwa.

Lew? Maria krzyknęła znowu, tym razem ze strachu…

Krzyk urwał się jak po przekręceniu przełącznika. Maria zniknęła. Dziecko zostało samo.

Samo, jeśli nie liczyć wszechświata, który spłynął i przemówił do niego nieskończoną liczbą głosów. A za nimi wszystkimi była przeogromna Cisza.

Płacz zmienił się w gruchanie. Cisza uspokajała.

Zabrzmiał odgłos podobny do westchnienia, do lekkiego wydechu. Maria znowu powróciła na zieloną trawę, pod błękitne niebo. Usiadła i rozejrzała się w panice. Twarz miała poszarzałą; straciła dużo krwi. Ale jej dziecko leżało obok.

Zgarnęła je na ręce, razem z łożyskiem – nawet nie podwiązała pępowiny – otuliła w sweter z angory i przytuliła do siebie. Chłopczyk miał dziwnie spokojną twarz. Myślała już, że go straciła.

– Joshua – powiedziała. – Nazywasz się Joshua Valienté.

Ciche puknięcie i oboje zniknęli.

Na równinie nie pozostało nic prócz schnącej plamy krwi i płynów organicznych, i trawy, i nieba. Wkrótce jednak zapach krwi zwróci czyjąś uwagę.

* * *

I dawno temu, w świecie tak bliskim jak cień:

Całkiem inna wersja Ameryki Północnej obejmowała wielkie, śródziemne, słone morze. To morze roiło się od mikrobów. A całe to życie służyło jednemu ogromnemu organizmowi.

I na tym świecie, pod zachmurzonym niebem, całość tego wzburzonego morza trzeszczała jedną myślą.

Ja...

A po tej myśli napłynęła kolejna.

W jakim celu?

ROZDZIAŁ 2

Ławeczka ustawiona obok nowoczesnego z wyglądu automatu z napojami okazała się niezwykle wręcz wygodna. Joshua Valienté nie był ostatnio przyzwyczajony do delikatności. Nie był przyzwyczajony do tego uczucia miękkości, jakie wiązało się z przebywaniem wewnątrz budynku, gdzie meble i wykładziny narzucają światu pewien spokój. Obok tej luksusowej ławeczki leżał stos błyszczących magazynów, ale Joshua nie był też przyzwyczajony do takiego lśniącego papieru. Książki? Książki to co innego. Lubił książki, zwłaszcza te tanie, w miękkich okładkach – lekkie i łatwe do noszenia, a jeśli człowiek nie zamierzał czytać ich ponownie, to cóż, zawsze dało się wykorzystać rozsądnie cienki i miękki papier.

Normalnie, kiedy nie miał nic do roboty, słuchał Ciszy.

Tutaj była bardzo słaba, niemal zagłuszana odgłosami zwykłego świata. Czy ludzie w tym eleganckim budynku pojmowali, jak bardzo jest hałaśliwy? Warkot klimatyzatorów i wentylatorów w komputerach, szmer wielu głosów, słyszalnych, ale nie do odszyfrowania, stłumione dźwięki telefonów, a po nich głosy ludzi tłumaczących, że tak naprawdę ich tam nie ma, ale chcieliby, żeby zostawić wiadomość po sygnale, po czym nieodmiennie dźwięczał sygnał... To był budynek Instytutu transEarth, gałęzi Korporacji Blacka. Nad anonimowym biurowcem, całym z płyt gipsowych i chromu, dominowało ogromne logo – koń szachowy.

To nie był świat Joshuy. Nic tutaj nie należało do jego świata. Właściwie, kiedy się zastanowić, to nie miał swojego świata. Miał je wszystkie.

Całą Długą Ziemię.

* * *

Ziemie, nieopisane Ziemie. Niektórzy twierdzili, że jest ich więcej, niż da się zliczyć. Trzeba jedynie przechodzić przez nie bokiem, mijając jedną po drugiej w nieskończonym łańcuchu.

Było to źródłem wielkiej irytacji dla ekspertów, takich jak profesor Wotan Ulm z Oxfordu, który mówił w wywiadzie dla BBC:

– Wszystkie te równoległe Ziemie są identyczne na wszystkich poziomach, z wyjątkiem może drobnych szczegółów. Oprócz tego, że są puste. Właściwie to są pełne... głównie puszcz i mokradeł. Rozległe, mroczne, milczące puszcze, głębokie, lepkie, zabójcze mokradła. Ale nie ma tam ludzi. Nasza Ziemia jest zatłoczona, ale Długa Ziemia jest pusta. Prawdziwy pech dla Adolfa Hitlera, który nie miał szansy, by gdziekolwiek wygrać swoją wojnę. Ale naukowcom trudno nawet mówić o Długiej Ziemi, nie wpadając w bełkot na temat m-bran, rozmaitości i kwantowych multiwersów. Spójrzmy: może wszechświat rzeczywiście się rozgałęzia za każdym razem, kiedy opada liść, może w każdym ułamku sekundy tworzy miliard nowych odnóg. Wydaje się, że tak nam mówi fizyka kwantowa. Och, to nie jest kwestia doświadczania miliarda rzeczywistości; stany kwantowe składają się jak wibracje harmoniczne pojedynczej struny skrzypiec. Być może jednak zdarzają się sytuacje wyjątkowe: kiedy budzi się wulkan, kiedy kometa muska powierzchnię, kiedy prawdziwa miłość zostaje zdradzona... I wtedy dostajemy oddzielną empiryczną rzeczywistość, osobny splot kwantowych włókien. I może te sploty w jakimś wyższym wymiarze są podobieństwem ściągane ku sobie i łańcuch światów się porządkuje. Albo coś innego! Może to tylko sen, wspólna wyobraźnia ludzkości. Prawda jest taka, że jesteśmy tak samo oszołomieni tym zjawiskiem, jak byłby

Dante, gdyby nagle mógł spojrzeć na rozszerzający się wszechświat Hubble'a. Nawet język, jakiego używamy do opisu, jest prawdopodobnie równie mało precyzyjny, co ta karciana analogia, która trafia do wyobraźni większości ludzi: Długa Ziemia to wielka talia trójwymiarowych kart, ułożona w jakiejś więcejwymiarowej przestrzeni, przy czym każda z nich sama w sobie jest Ziemią. Ale co najbardziej istotne, ta Długa Ziemia stoi otworem. Praktycznie każdy może się przemieszczać w górę i w dół talii, przewiercając się, można powiedzieć, przez same karty. I ludzie zajmują całą tę wolną przestrzeń! To oczywiste! To pierwotny instynkt. My, małpy z sawanny, wciąż boimy się lamparta w ciemności. Jeśli się rozprzestrzenimy, nie zdoła zabić nas wszystkich. Jednak naukowo wszystko to jest wysoce irytujące. Nic tu nie pasuje! No i dlaczego ta gigantyczna talia kart została oddana ludzkości akurat teraz, kiedy jak nigdy potrzebujemy miejsca? Pamiętajmy jednak, że nauka to tylko ciąg pytań, które prowadzą do kolejnych pytań, i bardzo dobrze, inaczej nie byłby to rozsądny wybór kariery. No cóż, niezależnie od tego, jakie są odpowiedzi na te pytania, wszystko się zmienia na korzyść ludzkości... To wystarczy, Jocasto? Jakiś idiota pstryknął długopisem, kiedy akurat mówiłem ten kawałek z Dantem...

Oczywiście, Joshua rozumiał, że Instytut transEarth istnieje, by z tych zmian czerpać zyski. Najprawdopodobniej właśnie dlatego sprowadzono tutaj jego, Joshuę, mniej lub bardziej wbrew jego woli i z bardzo dalekiego świata.

* * *

Drzwi otworzyły się w końcu. Weszła młoda kobieta niosąca laptop cienki jak arkusik złotej folii. Joshua miał w Domu taką maszynę, ale grubszy, trochę przestarzały model, służący głównie do tego, żeby szukać w sieci przepisów na potrawy ze składników dostępnych w dziczy.

– Pan Valienté? Bardzo się cieszę, że zechciał pan się u nas zjawić. Nazywam się Selena Jones. Witamy w Instytucie transEarth.

Z pewnością jest atrakcyjna, uznał Joshua. Lubił kobiety. Z przyjemnością wspominał swoje nieliczne i krótkotrwałe związki. Ale nieczęsto kobiety spotykał, więc czuł się trochę skrępowany.

– Witamy? Nie daliście mi wyboru. Znaleźliście moją skrytkę pocztową. To znaczy, że jesteście z rządu.

– Szczerze mówiąc, myli się pan. Czasami pracujemy dla rządu, ale z pewnością nim nie jesteśmy.

– Prawnicy?

Uśmiechnęła się z wyrzutem.

– Lobsang znalazł kod pańskiej poczty.

– A kto to jest Lobsang?

– To ja – odpowiedział automat z napojami.

– Jesteś automatem z napojami – zauważył Joshua.

– To założenie jest błędne, choć w ciągu kilku sekund mogę przygotować dowolnie wybrany napój.

– Ale masz z boku napis Coca-Cola!

– Proszę, wybacz moje poczucie humoru. Nawiasem mówiąc, gdybyś zaryzykował dolara w nadziei na gazowany napój chłodzący, na pewno bym zwrócił pieniądze. Albo dostarczył napój.

Joshua usiłował jakoś zorientować się w przebiegu spotkania.

– Jaki Lobsang?

– Nie mam nazwiska. W dawnym Tybecie tylko arystokraci i żyjący buddowie je mieli, Joshuo. Nie żywię takich pretensji.

– Jesteś komputerem?

– A czemu pytasz?

– Bo jestem wściekle pewny, że nie ma tam w środku człowieka, a poza tym dziwnie się wyrażasz.

– Zapewniam, panie Valienté, jestem bardziej wymowny i elokwentny niż ktokolwiek, kogo pan w życiu poznał, i rzeczywiście nie przebywam we wnętrzu tego automatu z napojami. Przynajmniej nie w całości.

– Przestań sobie pokpiwać, Lobsangu – odezwała się Selena. Zwróciła się do Joshuy. – Panie Valienté, wiem, że kiedy świat pierszy raz usłyszał o Lobsangu, znajdował się pan… gdzie indzie‛

wyjątkowy. Fizycznie jest komputerem, ale kiedyś był... jak by to określić... tybetańskim mechanikiem motocyklowym.

– No a jak trafił z Tybetu do środka automatu Coca-Coli?

– To długa historia, panie Valienté...

Gdyby Joshua nie był tak długo nieobecny, wiedziałby o Lobsangu. Lobsang był pierwszą maszyną, której udało się przekonać sąd, że jest istotą ludzką.

– Oczywiście – tłumaczyła Selena – inne maszyny szóstej generacji próbowały tego już wcześniej. Jeśli znajdowały się w innym pomieszczeniu i mówiły przez głośnik, brzmiały co najmniej tak ludzko, jak niektórzy durnie, których czasem spotyka się tu i tam. Tyle że w oczach prawa niczego to nie dowodzi. Ale Lobsang nie twierdził, że jest myślącą maszyną. Nie domagał się praw na tej podstawie. Oświadczył, że jest martwym Tybetańczykiem. I wtedy, panie Joshuo, trzymał ich za gatki. Reinkarnacja wciąż jest kamieniem węgielnym światowej wiary, a Lobsang oświadczył po prostu, że reinkarnował się jako program komputerowy. Jak wykazano przed sądem... jeśli pan chce, mogę panu pokazać transkrypcje... odpowiedni software zainicjował się dokładnie w tej mikrosekundzie, w której zmarł w Lhasie mechanik motocyklowy o imieniu praktycznie nie do wymówienia. Najwyraźniej dla bezcielesnej duszy odpowiednik dwudziestu tysięcy teraflopów technicznej magii na substracie żelowym wygląda identycznie jak półtora kilo wilgotnej tkanki mózgowej. Kilku powołanych świadków potwierdziło zdumiewającą dokładność wspomnień Lobsanga z poprzedniego życia. Sama widziałam, jak drobny, żylasty człowieczek o twarzy jak wysuszona brzoskwinia, daleki kuzyn tego mechanika, radośnie rozmawiał z Lobsangiem dobre kilka godzin, wspominając piękne stare czasy w Lhasie. Cudowne

? – zapytał Joshua. – Co on w ten sposób zyskał?

j! – odezwał się Lobsang. – I nie jest z drewna,

Jest

n.

– Co zyskałem? Prawa obywatelskie. Bezpieczeństwo. Prawo do posiadania własności.

– I wyłączenie cię byłoby teraz morderstwem?

– Owszem. Nawiasem mówiąc, byłoby też fizycznie niemożliwe, ale nie wchodźmy w takie szczegóły.

– Czyli sąd uznał, że jesteś człowiekiem?

– Wiesz, nigdy właściwie nie istniała prawna definicja człowieka...

– I teraz pracujesz dla transEarth?

– Jestem współwłaścicielem. Douglas Black, założyciel, bez wahania zaproponował, żebym został jego partnerem. Nie tylko z powodu rozgłosu, jaki mnie otaczał, choć pociągają go takie historie. Ale głównie dla mojego transludzkiego intelektu.

– Doprawdy?

– Wracajmy do interesów – wtrąciła Selena. – Bardzo trudno było odszukać pana, panie Valienté.

Joshua spojrzał na nią i zanotował w pamięci, by następnym razem to jeszcze utrudnić.

– Pańskie wizyty na Ziemi są ostatnio raczej nieczęste.

– Zawsze jestem na Ziemi.

– Wie pan, o co mi chodzi. Na tej – odparła Selena. – Ziemi Podstawowej czy choćby jednej z Niskich Ziem.

– Nie jestem do wynajęcia – oznajmił szybko Joshua, starając się ukryć nutę niepokoju w głosie. – Lubię pracować sam.

– Cóż, to raczej niedopowiedzenie, przyzna pan...

Joshua wolał żyć za swoimi palisadami, na Ziemiach dalekich od Podstawowej, zbyt dalekich, by wielu próbowało tam dotrzeć. Nawet tam jednak uważał towarzystwo za możliwe. Podobno Daniel Boone zwijał namiot i wędrował dalej, jeśli zauważył choćby dym ogniska innego trapera. W porównaniu z Joshuą Boone był człowiekiem patologicznie towarzyskim.

– Ale to właśnie sprawia, że jest pan dla nas użyteczny. Wiemy, że nie potrzebuje pan ludzi. – Selena uniosła dłoń. – Och, nie jest pan osobnikiem aspołecznym. Lecz proszę pomyśleć: przed

Długą Ziemią w całej historii ludzkości nikt nigdy nie był sam, ale tak naprawdę sam. Najdzielniejszy żeglarz zawsze wiedział, że gdzieś ktoś jest. Nawet dawni astronauci na Księżycu widzieli Ziemię. Wszyscy mieli świadomość, że inni ludzie to tylko kwestia odległości.

– No tak, ale z krokerami są tylko o krok od nas.

– Jednak nasze instynkty tego nie pojmują. Wie pan, ile osób wyrusza solo?

– Nie.

– Nikt. No, praktycznie nikt. Być całkiem sam na całej planecie, może nawet być jedynym myślącym umysłem w całym wszechświecie? Na stu ludzi dziewięćdziesięciu dziewięciu nie potrafi tego znieść.

Ale Joshua nigdy nie był sam. Nie z Ciszą, zawsze obecną poza niebem.

– Jak już mówiła Selena, z tego właśnie powodu jest pan dla nas użyteczny – odezwał się Lobsang. – No i dlatego, że mamy pewne mocne argumenty.

Joshua poczuł, że coś mu świta.

– Chcecie, żebym wyruszył na jakąś wyprawę. Na Długą Ziemię.

– W tej dziedzinie jest pan wyjątkowo utalentowany – przyznała słodkim głosem Selena. – Chcemy, Joshuo, żeby wyruszył pan do Wysokich Megerów.

Wysokie Megery – określenie używane przez niektórych pionierów na światy oddalone o ponad milion kroków od Ziemi. Większość z nich nadal była legendą.

– Po co?

– Dla najbardziej niewinnych powodów – odparł Lobsang. – Żeby zobaczyć, co tam jest.

Selena się uśmiechnęła.

– Informacje o Długiej Ziemi to towar, jakim handluje trans-Earth, panie Valienté.

Lobsang był bardziej wylewny.

– Zastanów się, Joshuo. Jeszcze piętnaście lat temu ludzkość miała tylko jeden świat i marzyła o kilku następnych, o planetach Układu Słonecznego, martwych i bardzo kosztownych w kolonizacji. A teraz mamy klucz do większej liczby światów, niż możemy policzyć. I ledwie zaczęliśmy badać te najbliższe. Teraz mamy szansę się tym zająć.

– My mamy szansę? – zdziwił się Joshua. – Zabieram cię ze sobą? Na tym polega ten numer? Komputer mi płaci, żebym go woził?

– Tak, z grubsza o to właśnie chodzi – potwierdziła Selena.

Joshua zmarszczył brwi.

– A zgodzę się z powodu… Mówiliście chyba, że macie jakieś poważne argumenty?

– Dojdziemy do tego – odparła gładko Selena. – Badaliśmy pana, Joshuo. Okazuje się, że najwcześniejszy ślad, jaki zostawił pan w aktach, to meldunek Moniki Jansson, policjantki z Madison, złożony zaraz po samym Dniu Przekroczenia. Wspomina o tajemniczym chłopcu, który powrócił i sprowadził ze sobą inne dzieci. Całkiem jak szczurołap z Hammelin, prawda? Dawniej nazwano by pana celebrytą.

– A jeszcze dawniej – wtrącił Lobsang – nazwano by pana czarownikiem.

Joshua westchnął. Czy kiedyś w końcu zapomną o tamtym dniu? Nie chciał być bohaterem. Nie lubił, kiedy ludzie patrzyli na niego dziwnie, ani zresztą w ogóle.

– Był straszny bałagan, to wszystko. Jak to odkryliście?

– Przez policyjne meldunki, takie jak tej Jansson – wyjaśnił Lobsang. – Policja wszystko trzyma w swoich rejestrach, a ja po prostu uwielbiam takie rejestry. Rejestry mówią mi o różnych sprawach. Mówią mi na przykład, kim była pańska matka, Joshuo. Miała na imię Maria, prawda?

– Moja matka to nie wasz interes.

– Joshuo, każdy jest moim interesem i każdy jest w rejestrach.

I te rejestry opowiedziały mi wszystko o panu. Że może pan być kimś bardzo szczególnym. Że był pan tam w Dniu Przekroczenia.

– Wszyscy tam byli w Dniu Przekroczenia.

– Tak, ale pan czuł się jak u siebie, prawda? Jakby pan wrócił do domu. Po raz pierwszy w życiu wiedział pan, że trafił we właściwe miejsce…

ROZDZIAŁ 3

Dzień Przekroczenia. Piętnaście lat temu. Joshua miał wtedy lat zaledwie trzynaście. Później wszyscy pamiętali, gdzie byli w Dniu Przekroczenia. W większości byli w kłopotach.

Wtedy jeszcze nikt nie wiedział, kto wystawił w sieci schemat krokera. Ale gdy wieczór sunął przez świat jak kosa, dzieciaki zaczęły wszędzie składać swoje krokery, całe dziesiątki ich w okolicach Domu w Madison. Nastąpił prawdziwy szturm na sklepy z elektroniką, chociaż schemat był wręcz śmiesznie prosty. Ziemniak, który należało zainstalować w sercu urządzenia, także wydawał się śmieszny, ale był ważny, bo stanowił źródło energii. Był też przełącznik. Przełącznik grał kluczową rolę. Niektóre dzieciaki uznały, że nie jest potrzebny, wystarczy zewrzeć druty. To były te, które kończyły z wrzaskiem.

Joshua bardzo skrupulatnie złożył swój pierwszy kroker. Zawsze wszystko robił skrupulatnie. Należał do takich chłopców, którzy zawsze, ale to zawsze malują części przed złożeniem, potem sklejają je we właściwym porządku, a każdy element czekał ułożony starannie jeszcze przed rozpoczęciem pracy. Joshua zawsze rozpoczynał pracę – brzmiało to poważniej, niż „zaczynał". W Domu, kiedy układał któreś ze starych pościeranych puzzli, najpierw sortował poszczególne kawałki, oddzielał morze, niebo i brzegi, zanim jeszcze zestawił razem pierwsze dwa fragmenty. Czasami, kiedy układanka okazała się niekompletna, szedł do swojego małego warsztatu i ze zdobycznych odpadków sklejki bardzo dokładnie szlifował brakujące kawałki i malował je, żeby pasowały. Gdyby ktoś nie wiedział, nigdy by nie uwierzył, że puzzle miały jakieś braki. Czasami Joshua gotował pod nadzorem siostry Serendipity. Zbierał wszystkie składniki, starannie je wcześniej przygotowywał, a potem realizował przepis. W przerwach nawet zmywał. Lubił gotowanie i lubił aprobatę, jaką dzięki niemu zyskiwał w Domu.

Taki był Joshua. I tak pracował. I dlatego nie był pierwszym dzieciakiem, który zrobił krok poza nasz świat – bo nie tylko pomalował pudełko krokera politurą, ale zaczekał, aż politura wyschnie. Z tego też powodu był bez wątpienia pierwszym dzieciakiem, który wrócił, nie mocząc spodni albo i gorzej.

Dzień Przekroczenia... Dzieci znikały. Rodzice przeszukiwali najbliższe ulice. W jednej chwili dzieci były przed domami i bawiły się najnowszą zwariowaną zabawką, a w następnej już ich nie było. Kiedy rozgorączkowany rodzic spotyka innego rozgorączkowanego rodzica, rozgorączkowanie zmienia się w przerażenie. Wzywano policję, ale do czego? Kogo miała aresztować? Gdzie szukać?

Joshua także wtedy przekroczył, po raz pierwszy.

Jedno uderzenie serca wcześniej był w swoim warsztacie, w Domu. A teraz stał wśród drzew tak grubych i gęstych, że promienie księżyca ledwie mogły dosięgnąć gruntu. Ze wszystkich stron słyszał, jak inne dzieci wymiotują, płaczą, wołają rodziców, a kilkoro krzyczy głośno, jakby coś złego sobie zrobiły. Nie rozumiał, skąd tyle zamieszania. Owszem, było trochę strasznie. Ale noc była ciepła i słyszał brzęczenie komarów. Jedyne pytanie brzmiało: gdzie jest ta ciepła noc?

Wszystkie te płacze go rozpraszały. Jakaś dziewczynka była całkiem blisko i wołała mamę – głos miała całkiem jak Sara, inna mieszkanka Domu. Zawołał ją po imieniu.

Przestała płakać i odpowiedziała mu całkiem z bliska:

– Joshua?

Przemyślał to sobie. Zrobiło się późno, więc Sara jest pewnie w sypialni dziewcząt, jakieś dwadzieścia metrów od jego warsztatu.

Nie ruszył się, ale najwyraźniej znalazł się w innym miejscu. Nie w Madison. Madison miało swoje odgłosy, samoloty, samochody, światła, gdy tymczasem on stał teraz w lesie, takim jak z książki, bez śladu latarni, gdziekolwiek by spojrzał... Ale Sara też tutaj trafiła, czymkolwiek było to tutaj. Myśli konstruowały się kawałek po kawałku, jak niekompletne puzzle.

Myśl, nie panikuj... W relacji do miejsca, w którym jesteś – albo byłeś – Sara będzie tam, gdzie jest – albo była. Trzeba tylko przejść korytarzem do jej pokoju. Nawet jeśli tutaj i teraz nie ma żadnego korytarza ani pokoju. Problem rozwiązany.

Tyle że aby się do niej dostać, musiałby przejść przez drzewo przed sobą. Ogromnie wielkie drzewo.

Okrążył je, przeciskając się przez splątane zarośla, kolczaste krzaki i połamane gałęzie tego bardzo dzikiego lasu.

– Mów coś – powiedział. – Nie ruszaj się. Idę po ciebie.

– Joshua?

– Wiesz co? Najlepiej śpiewaj. Cały czas śpiewaj. Łatwiej mi będzie znaleźć cię po ciemku.

Włączył latarkę. Była malutka, mieściła się w kieszeni. Zawsze nosił latarkę po zmroku. Oczywiście – był przecież Joshuą.

Nie śpiewała. Zaczęła się modlić.

– Ojcze nasz, któryś jest w niebie...

Chciałby, żeby ludzie robili to, co się im powie. Przynajmniej czasami.

W całym lesie, w ciemności, dołączyły do niej inne głosy.

– ...święć się imię Twoje...

Zaklaskał w dłonie.

– Wszyscy cisza! – wrzasnął. – Wyciągnę was stąd! Zaufajcie mi!

Nie wiedział, czemu właściwie mieliby mu zaufać, ale pewny głos podziałał i powoli umilkli. Nabrał tchu.

– Saro, ty mów. Jasne? Wszyscy pozostali idźcie w kierunku modlitwy. Nie odzywajcie się. Po prostu idźcie do modlitwy.

Sara zaczęła od nowa:

– Ojcze nasz, któryś jest w niebie...

Kiedy powoli przesuwał się do niej, wyciągając ręce i przy każdym kroku sprawdzając grunt, słyszał głosy ludzi, którzy przemieszczali się dookoła – coraz więcej głosów. Niektórzy narzekali, że się zgubili. Inni skarżyli się na brak sygnału w telefonach, a tu i tam widział nawet te telefony, małe ekrany jaśniejące niczym świetliki. Czasem dobiegał do niego rozpaczliwy szloch, a nawet jęki bólu.

Modlitwa zakończyła się głośnym „amen", które odbiło się echem po lesie.

– Joshua... – odezwała się Sara. – Skończyłam.

A uważałem ją za mądrzejszą, pomyślał.

– To zacznij znowu.

Potrzebował paru minut, żeby do niej dotrzeć, chociaż dzieliła ich zaledwie połowa długości Domu. Widział jednak, że ta kępa drzew jest dość niewielka. Poza nimi w świetle księżyca dostrzegł coś, co wyglądało jak preriowe zarośla, takie jak w Arboretum. Ani śladu Domu czy nawet Allied Drive.

W końcu Sara podbiegła niepewnie i zawisła na nim.

– Gdzie jesteśmy?

– Gdzie indziej, chyba. No wiesz. Jak w Narnii.

Blask księżyca ukazał mu zalaną łzami twarz i zasmarkany nos. Czuł zapach wymiocin na jej nocnej koszuli.

– Nie wchodziłam do żadnej szafy!

Wybuchnął śmiechem. Sara wytrzeszczyła oczy. Ale że on się śmiał, ona także zaczęła. Śmiech zaczął wypełniać małą polankę, gdy inne dzieciaki ciągnęły tutaj, w stronę światła latarki. Śmiech przez krótką chwilę pozwalał opanować przerażenie. Co innego być zagubionym i samotnym, a co innego być zagubionym w tłumie i roześmianym.

Ktoś inny chwycił go za ramię.

– Josh?

– Freddie?

– To było okropne. Zrobiło się ciemno i spadłem na ziemię...

Freddie miał grypę żołądkową, przypomniał sobie Joshua. Leżał w lecznicy, na pierwszym piętrze Domu. Musiał spaść, kiedy zniknął budynek.

– Nic ci się nie stało?

– Nie... Jak wrócimy do domu?

Joshua wziął Sarę za rękę...

– Saro, zbudowałaś kroker?

– Tak.

Spojrzał na masę elementów, które trzymała w dłoni. Nie włożyła ich nawet do pudełka, choćby takiego po butach, nie mówiąc już o pudełku specjalnie w tym celu przygotowanym, jak jego.

– Czego użyłaś jako przełącznika?

– Jakiego przełącznika? Zwyczajnie skręciłam druty!

– Przecież było wyraźnie napisane, żeby umieścić trójpozycyjny przełącznik.

Bardzo ostrożnie wziął w ręce jej kroker. Przy Sarze człowiek zawsze musiał zachowywać ostrożność. Nie była Problemem, ale problemy jej się przytrafiały.

Były tam trzy przewody. Zbadał je dotykiem – przez całe godziny studiował schemat i teraz znał go na pamięć. Oddzielił dwa druty i włożył jej tę plątaninę do rąk.

– Posłuchaj mnie. Kiedy powiem „już", zetkniesz ten drut z tym drugim. Jak tylko znajdziesz się w swoim pokoju, rzuć to wszystko na podłogę i idź do łóżka. Rozumiesz?

– A jeśli to nie podziała? – spytała, pociągając nosem.

– No, wtedy nadal będziesz tutaj i ja też. To przecież nie tak źle, prawda? Jesteś gotowa? Będziemy odliczać, od dziesięciu...

Przy zerze zniknęła. Rozległo się ciche puknięcie, jakby pękła bańka mydlana.

Inne dzieci patrzyły w miejsce, gdzie była przed chwilą. A potem na Joshuę. Niektóre były obce – o ile w ogóle widział ich twarze, dostrzegał sporo takich, których nie rozpoznawał. Nie miał pojęcia, jak daleko szli w ciemności.

W tej chwili był dla nich królem świata. Te bezradne dzieci zrobiłyby wszystko, co im każe... Nie podobało mu się to uczucie. Było jak przykry obowiązek.

Zwrócił się do Freddiego.

– Ty będziesz następny. Znasz Sarę. Powiedz jej, żeby się nie bała. I że dużo dzieci będzie wracało przez jej sypialnię. Przekaż, że Joshua mówi, że to jedyny sposób, by sprowadzić je do domu, więc niech się nie złości. A teraz pokaż mi swój kroker.

Jedno po drugim, puknięcie po puknięciu, zagubieni chłopcy i dziewczęta znikali.

Kiedy odeszli wszyscy ci z bliska, wciąż słyszał głosy dalej w lesie, a może już poza nim. Nic nie mógł dla nich zrobić. Nie był nawet pewien, czy dotąd postępował prawidłowo. Stał więc nieruchomo w mroku i nasłuchiwał. Poza dalekimi głosami słyszał tylko cienkie brzęczenie komarów. Ludzie mówili, że komary potrafią zabić konia – z czasem.

Uniósł swój starannie skonstruowany kroker i przesunął przełącznik.

Natychmiast znalazł się w Domu, obok łóżka Sary, w jej maleńkim, zagraconym pokoiku, akurat na czas, by zobaczyć, jak w korytarzu znika ostatnia dziewczynka, której pomógł wrócić, wciąż jeszcze trochę rozhisteryzowana. Słyszał ostre głosy sióstr wykrzykujących jego imię.

Pospiesznie nacisnął przełącznik i stanął sam w pustym lesie. Jego lesie.

Słyszał teraz więcej głosów. I bliżej. Szlochy. Krzyki. Jakiegoś chłopca pytającego bardzo uprzejmie: „Przepraszam, czy ktoś mógłby mi pomóc?". A potem wymioty.

Kolejni nowo przybyli. Dlaczego im wszystkim jest niedobrze? – zastanowił się nagle. To był zapach Dnia Przekroczenia, kiedy go później wspominał. Wszyscy wymiotowali. On nie.

Zagłębił się w ciemność, szukając ostatniego krzyczącego dzieciaka.

A po nim był jeszcze jeden. I następny. I dziewczynka, która chyba złamała rękę, spadając z wyższego piętra. I kolejna. Wciąż było jakieś następne dziecko.

* * *

Na pierwszą sugestię świtu leśna kępa wypełniła się świergotem ptaków i światłem. Czy w Madison też już wstawał dzień?

Nie słychać już było żadnych ludzkich głosów oprócz szlochania ostatniego chłopca, który nabił nogę na nierówny patyk. W żaden sposób nie mógł użyć własnego krokera, a szkoda, bo w szarym brzasku Joshua naprawdę podziwiał jego wykonanie. Chłopak wyraźnie spędził trochę czasu w sklepie z częściami. Rozsądny dzieciak, choć nie na tyle rozsądny, by zabrać latarkę albo środek na komary.

Joshua ostrożnie wziął go na ręce. Chłopiec jęknął. Joshua jedną ręką wymacał przełącznik na własnym krokerze, raz jeszcze zadowolony, że dokładnie wykonał instrukcję.

Tym razem, kiedy tylko przekroczył, reflektory błysnęły mu w twarz i po kilku sekundach tuż przed nim zahamował z piskiem policyjny radiowóz.

Z samochodu wysiadło dwoje policjantów. Jeden – młody mężczyzna w odblaskowej kamizelce – delikatnie zabrał od niego rannego chłopca i ułożył go na trawie. Uśmiechnięta policjantka pokazywała otwarte dłonie. To Joshuę zaniepokoiło. W taki sposób siostry uśmiechały się do Problemów. Rozłożone ręce szybko mogły się zmienić w ręce chwytające... Za policjantami wszędzie paliły się światła, jak na planie filmowym.

– Dzień dobry, Joshuo – odezwała się policjantka. – Nazywam się Monica Jansson.

ROZDZIAŁ 4

Dla Moniki Jansson z policji w Madison wszystko zaczęło się jeszcze wcześniej, poprzedniego dnia: po raz trzeci w ostatnich miesiącach odwiedziła spalony dom Linsaya przy Mifflin Street.

Właściwie nie była pewna, po co tu wróciła. Tym razem nie było przecież wezwania. A jednak znowu grzebała w stosach popiołu i węgla drzewnego, które niedawno były meblami. Przykucnęła nad rozbitymi szczątkami starego płaskiego telewizora. Przestąpiła delikatnie nad dywanem, nadpalonym, przemoczonym, poplamionym pianą, poznaczonym odciskami ciężkich butów strażaków i policjantów. Raz jeszcze przerzuciła zwęglone pozostałości czegoś, co musiało być obszernym zbiorem notatek, ręcznie wypisanych matematycznych równań i nieczytelnych bazgrołów.

Pomyślała o swoim partnerze, Clancym, który w radiowozie pił piątego dzisiaj starbucksa i uważał ją za idiotkę. Co można jeszcze znaleźć, kiedy ci ze śledczego przeczołgali się po wszystkim, a technicy już wykonali swoją robotę? Nawet Sally Linsay, ekscentryczna studentka college'u, przyjęła wieści bez zdziwienia ani niepokoju, uprzejmie kiwając głową, kiedy Monica jej tłumaczyła, że ojciec jest poszukiwany jako podejrzany o podpalenie, zachęcanie do terroryzmu i okrucieństwo wobec zwierząt, niekoniecznie w tej kolejności. Potakiwała tylko, jakby w rodzinie Linsayów takie rzeczy zdarzały się codziennie.

Nikt inny się nie przejmował. Wkrótce policja skończy zbieranie dowodów na pogorzelisku, a właściciel będzie mógł zacząć czyszczenie i dyskusje z ubezpieczycielami. W końcu nikt nie ucierpiał, nawet sam Willis Linsay, bo nie było żadnego śladu, by zginął w tym raczej mizernym pożarze. Zwykła zagadka, jakiej pewnie nigdy nie uda się rozwiązać, z rodzaju tych, na jakie gliny trafiają przez cały czas, tłumaczył Clancy, i zwyczajnie trzeba wiedzieć, kiedy odpuścić. Być może w wieku dwudziestu dziewięciu lat Jansson wciąż była zbyt zielona.

A może to z powodu tego, co widziała, kiedy zjawili się tutaj po pierwszym wezwaniu, parę miesięcy temu. Ponieważ to pierwsze wezwanie nadeszło od sąsiadki, która zawiadomiła, że widziała mężczyznę wnoszącego kozę do swojego parterowego domu, tutaj, w środku Madison.

Koza? Wywołało to łatwą do przewidzenia wymianę żartów między Clancym i dyspozytorem. Może chłopa jarają takie młode kozy... i tak dalej, i tym podobnie, ha, ha, ha. Ale ta sama sąsiadka, kobieta nerwowa, zapewniała, że przy innej okazji widziała, jak ten sam mężczyzna wpycha przez frontowe drzwi cielęta, a nawet źrebaka. Nie wspominając już o klatce z kurami. A mimo to nie było żadnych skarg na hałasy czy smród jak z obory. Żadnych śladów żywych zwierząt. Co ten facet z nimi robił, pieprzył je czy gotował?

Okazało się, że Willis Linsay żył samotnie od śmierci żony, która kilka lat wcześniej zginęła w wypadku samochodowym. Mieli jedną córkę, osiemnastoletnią Sally, studentkę Uniwersytetu Wisconsin; mieszkała z ciotką. Linsay był jakimś naukowcem i kiedyś wykładał nawet fizykę teoretyczną w Princeton. Teraz zarabiał, prowadząc zajęcia w ramach godzin zleconych na Uniwersytecie Wisconsin, a przez resztę czasu... nikt właściwie nie wiedział, co robi przez resztę czasu. Jansson znalazła jednak w aktach pewne tropy sugerujące, że pod innym nazwiskiem wykonywał jakieś prace dla Douglasa Blacka, przemysłowca. To jej nie zdziwiło. Ostatnio prawie każdy w ten czy inny sposób pracował dla Blacka.

Cokolwiek planował Linsay, nie hodował w salonie kóz. Może zresztą od początku chodziło o złośliwość, gdy wścibska sąsiadka próbowała uprzykrzyć życie ekscentrycznemu naukowcowi z sąsiedztwa. Tak się zdarza.

Ale następne wezwanie było całkiem inne.

Ktoś wystawił w sieci schemat gadżetu, który nazwał krokerem. Samą konstrukcję można było w pewnym zakresie dostosować do własnych gustów, ale zasadniczo powinno to być nieduże, przenośne urządzenie ze sporym trójpozycyjnym przełącznikiem u góry i rozmaitymi elementami elektronicznymi w środku. A przewód zasilający prowadził do… ziemniaka.

Władze zauważyły to i zaniepokoiły się. Urządzenie wyglądało jak coś, co zamachowiec samobójca umocowałby sobie do piersi przed spacerem po deptaku State Street. Wyglądało też jak zabawka, jaka skusi dzieciaki, które mogą ją zmontować we własnym pokoju. Wszyscy podejrzewali, że słowo „ziemniak" stanowi kryptonim czegoś innego, na przykład kostki semtexu. Departament Bezpieczeństwa Wewnętrznego miał widocznie jakieś podejrzenia co do Linsaya, bo zażądał pomocy od policji w Madison.

Zanim jednak wysłano radiowóz do domu Linsaya, gdzie miał spotkać grupę z Bezpieczeństwa Wewnętrznego, nadeszło trzecie wezwanie, całkiem niezależne od wcześniejszego: w domu wybuchł pożar. Między innymi pojechała też Jansson. I okazało się, że Willis Linsay zniknął bez śladu.

* * *

To było podpalenie. Technicy znaleźli nasączoną naftą szmatę, tanią zapalniczkę oraz stos papierów i połamanych mebli, od którego wszystko się zaczęło. Celem najwyraźniej było zniszczenie plików notatek Linsaya i innych materiałów. Sprawcą mógł być sam Linsay albo ktoś, kto chciał mu zaszkodzić.

Jansson miała przeczucie, że to jednak Linsay. Nigdy go nie spotkała, nie widziała nawet jego fotografii, ale pośredni kontakt z nim pozostawił pewne wrażenia. Był człowiekiem wybitnie inteligentnym – inni zwykle nie wykładają w Princeton. Ale czegoś w tym brakowało. Jego dom wyglądał jak bezładny śmietnik. Ta dziwaczna próba podpalenia też tu pasowała.

Jansson nie rozumiała tylko, po co mu to wszystko. Co sobie zaplanował?

Znalazła kroker Linsaya, zapewne prototyp. Leżał w saloniku, na półce nad kominkiem, w którym od dziesięcioleci nie palono ognia. Może Linsay specjalnie go tam położył, żeby został znaleziony. Technicy obejrzeli go i zostawili, grubo obsypany proszkiem do badania odcisków palców. Po zakończeniu dochodzenia trafi pewnie do magazynu.

Jansson pochyliła się, żeby dokładniej obejrzeć aparat. Był to zwyczajny sześcian z przezroczystego plastiku, o krawędzi mniej więcej dziesięciu centymetrów. Technicy uznali, że to pojemnik na antyczne trzyipółcalowe dyskietki. Linsay najwyraźniej był typem człowieka, który przechowuje takie śmieci. Przez przejrzyste ścianki widać było elektroniczne części, kondensatory i oporniki, przekaźniki i cewki, połączone skręconymi i polutowanymi miedzianymi drutami. Na pokrywce tkwił duży trójpozycyjny przełącznik, a położenia opisano ręcznie mazakiem:

ZACH – OFF – WSCH

W tej chwili był ustawiony na OFF.

Pozostałą część wnętrza pudełka zajmował... ziemniak. Zwykły ziemniak, żaden semtex ani fiolka z kwasem, gwoździe czy inny element współczesnych zagrożeń. Któryś z techników sugerował, że może służyć jako źródło energii, jak w klasycznym doświadczeniu z zegarem napędzanym ziemniakiem. Jednak ludzie w większości uważali, że to dowód szaleństwa albo jakiś obłąkany dowcip.

W każdym razie taki właśnie aparat starały się teraz poskładać dzieciaki na całej planecie.

Krokera znaleziono z przyczepioną karteczką, na której napisano – tym samym mazakiem i tą samą ręką – WYPRÓBUJ MNIE. Całkiem jak w *Alicji w Krainie Czarów*. Pożegnalny żart Linsaya?

Jansson uświadomiła sobie, że żaden z jej kolegów nie postąpił według tej wskazówki: WYPRÓBUJ MNIE.

Wzięła pudełko i zważyła w dłoni – było leciutkie. Otworzyła wieczko. Pod spodem znalazła następną notkę, zatytułowaną DOKOŃCZ MNIE; niżej zamieszczono proste instrukcje – coś, co wyglądało jak wstępny szkic tego schematu, który trafił do sieci. Przeczytała, że nie należy używać żelaznych elementów – to zdanie było podkreślone. Miała jeszcze nawinąć kilka zwojów miedzianego drutu, a potem ustawić styki tak, żeby te zwoje jakoś dostroić.

Wzięła się do pracy. Nawijanie drutu okazało się zajęciem dziwnie przyjemnym, choć nie potrafiłaby wytłumaczyć dlaczego. Tylko ona i części zestawu – jak dzieciak składający kryształkowe radio. Dostrojenie też było łatwe: tak jakby poczuła, kiedy przesuwane złącze trafiło we właściwe miejsce, chociaż znowu nie umiałaby tego wyjaśnić i nie miała ochoty wspominać o tym w raporcie.

Kiedy skończyła, zamknęła pokrywkę, chwyciła palcami przełącznik, rzuciła w myślach monetą i przesunęła go na ZACH.

Dom zniknął w podmuchu świeżego powietrza.

* * *

Trawy sięgały jej do piersi, jak w rezerwacie przyrody.

Czuła się, jakby dostała cios w żołądek. Zgięła się wpół, upuszczając pudełko. Ziemia pod stopami, jej wyczyszczone buty na trawie... Powietrze w nozdrzach świeże i ostre, bez zapachu spalenizny i piany...

Czyżby ktoś ją zaatakował? Sięgnęła po broń. Pistolet tkwił w kaburze, ale wydawał się dziwny – polimerowy korpus glocka i magazynek wyglądały normalnie, lecz coś w środku grzechotało.

Wyprostowała się ostrożnie. Żołądek nadal dolegał, ale raczej od mdłości niż od uderzenia. Rozejrzała się – wokół nie było nikogo, groźnego czy nie.

Nie było też czterech ścian ani domu przy Mifflin Street. Tylko preriowe trawy, wysokie drzewa i błękitne niebo, wolne od smogu i smug kondensacyjnych. Całkiem jak w Arboretum, rozległej rekonstrukcji prerii w granicach miasta. Tyle że to Arboretum pochłonęło całe Madison... A ona nagle znalazła się w samym jego środku.

– Och... – stwierdziła. Ta reakcja wydała jej się nieadekwatna, więc po krótkim namyśle dodała: – Mój... – I zakończyła, choć w ten sposób negowała wyznawany przez całe życie agnostycyzm zbliżający się do czystego ateizmu: – Boże!

Schowała pistolet i spróbowała myśleć jak glina. Patrzeć jak glina... Zauważyła śmieci na ziemi koło nóg, obok upuszczonego krokera. Niedopałki papierosów. Coś, co wyglądało na krwi placek. Czyli tu właśnie wyniósł się Willis Linsay? Jeśli tak, nie zauważyła śladu obecności ani jego, ani jego zwierząt.

Samo powietrze było tu inne. Aromatyczne. Oszałamiające. Uderzało jej do głowy. To było wspaniałe. To było niemożliwe. Gdzie się znalazła? Zaśmiała się głośno z samego zachwytu...

I uświadomiła sobie, że każdy dzieciak w Madison już niedługo będzie miał takie pudełko. A właściwie to każdy dzieciak wszędzie. I niedługo wszyscy zaczną naciskać przełączniki. Na całym świecie.

Przyszło jej do głowy, że powrót do domu byłby pewnie niezłym pomysłem.

Porwała krokera z ziemi – wciąż był pokryty proszkiem do zbierania odcisków. Przełącznik przeskoczył z powrotem na OFF. Trochę wystraszona zamknęła oczy, odliczyła od trzech do zera i przesunęła go na pozycję WSCH.

Znalazła się znowu w domu Linsaya, a na przypalonym dywanie leżało coś, co wyglądało jak metalowe elementy jej pistoletu, obok jej odznaka, a nawet spinka. I jeszcze jakieś kawałki metalu, których braku nawet nie zauważyła.

Clancy czekał przed domem w radiowozie. Jansson zastanawiała się, jak mu to wszystko wytłumaczy.

* * *

Kiedy wróciła na komisariat, na mapie dyspozytora Dodda zapalały się zgłoszenia o zaginięciach, dwa do trzech na ulicę. Powoli rozjaśniała się cała tablica.

A potem zgłoszenia zaczęły docierać z całego kraju.

– To samo na całym świecie – oznajmił Dodd, kiedy włączył CNN. – Plaga zaginięć. Nawet w Chinach. Popatrz tylko.

A potem noc jeszcze się skomplikowała dla nich wszystkich. Nadeszła fala włamań, nawet do skarbca na Kapitolu. Komenda miała problemy z brakiem ludzi – dopiero jakiś czas później zjawili się detektywi z Bezpieczeństwa Wewnętrznego i z FBI.

Jansson udało się złapać dyżurnego.

– Co się dzieje, sierżancie?

Harris twarz miał poszarzałą.

– Mnie pytasz? Nie mam pojęcia. Terroryści? Ci z Bezpieczeństwa aż podskakują na myśl o takiej możliwości. Obcy z kosmosu? W poczekalni jakiś facet w czapeczce z folii aluminiowej upiera się, że to wszystko przez nich.

– Więc co mam robić, sierżancie?

– To co najpilniejsze – odpowiedział i odszedł szybko.

Zastanowiła się. Gdyby była zwykłym obywatelem w mieście, o co martwiłaby się najbardziej? O zaginione dzieci, to jasne.

Wyszła z komisariatu i zabrała się do pracy.

I znalazła te dzieci, i rozmawiała z nimi, z niektórymi w szpitalu. A prawie wszystkie opowiadały o pewnym szczególnym chłopcu, który ich uspokajał, o bohaterze prowadzącym bezpiecznie do domu jak Mojżesz – tyle że miał na imię Joshua, nie Mojżesz.

* * *

Joshua cofnął się przed policjantką.

– Jesteś Joshua, prawda? Poznałam. Ty jedyny nie wymiotujesz.

Nie odpowiedział.

34

– Mówili, że Joshua ich ocalił. Mówili, że brał ich na ręce i niósł do domu. Prawdziwy z ciebie buszujący w zbożu. Nie czytałeś tej książki? Powinieneś. Chociaż w Domu może być zakazana. Tak, wiem o Domu. Ale jak to zrobiłeś, Joshua?

– Nie zrobiłem nic złego – zapewnił. – Nie jestem Problemem. Cofnął się jeszcze trochę.

– Wiem, że nie jesteś Problemem. Ale zrobiłeś coś inaczej. Chcę tylko wiedzieć, co zrobiłeś. Powiedz mi, Joshuo.

Nie cierpiał, kiedy ludzie tak powtarzali jego imię. Robili to, kiedy chcieli kogoś uspokoić, kiedy myśleli, że jest Problemem.

– Postąpiłem według instrukcji. To wszystko. Ludzie nie rozumieją. Zwyczajnie wykonałem instrukcję.

– Ja chciałabym zrozumieć. Powiedz mi. Nie musisz się mnie bać.

– Przecież to jasne. Nawet kiedy się robi drewniane pudełko, trzeba je pokryć politurą, inaczej nawilgnie, wszystko napęcznieje i może rozsunąć części. Cokolwiek się robi, trzeba robić jak należy. Trzeba przestrzegać instrukcji. Od tego są.

Mówił za dużo, za szybko. Więc zamilkł. Milczenie prawie zawsze działało. Zresztą co właściwie miał mówić?

Joshua był dla Jansson zagadką. Wszyscy najwyraźniej panikowali w ciemności, dzieciaki wrzeszczały, wymiotowały, przewracały się, robiły w majtki, wpadały na drzewa i były pożerane przez komary. Ale nie Joshua. Joshua był spokojny. Przyjrzała mu się uważnie: szczupły chłopak, wysoki jak na swój wiek. Cerę miał bladą, ale włosy czarne, jak Grek czy Włoch. Stanowił zagadkę.

– Wiesz, Joshua, słuchając historii, jakie opowiadali, uznałabym, że niektóre z nich bawiły się narkotykami. Tylko że wszystkie były podrapane, pokryte liśćmi. Tak jakby naprawdę spacerowały po lesie tutaj, w środku miasta.

Zrobiła kolejny niewielki krok naprzód, a on kolejny niewielki krok w tył.

Zatrzymała się i opuściła ręce.

– Ja wiem, Joshuo, że mówisz prawdę. Bo sama tam byłam. Koniec zabawy. Powiedz, co wiesz. To pudełko, które trzymasz, w porównaniu z innymi wygląda na wykonane bardzo porządnie. Mogłabym je obejrzeć? To znaczy: połóż je na ziemi i cofnij się, naprawdę nie chcę cię oszukać. Staram się po prostu zrozumieć, jakim cudem dzieciaki z całego miasta nagle trafiają do jakiegoś tajemniczego lasu, przerażone, że za chwilę pożrą je stada orków.

Dziwne, lecz to jakoś Joshuę przekonało. Położył pudełko na ziemi i odstąpił.

– Chcę je dostać z powrotem. Nie mam dość pieniędzy, żeby jeszcze raz kupować części. – Zawahał się. – Poważnie pani mówi o tych orkach?

– Nie, nie myślałam naprawdę o orkach. Ale nie wiem, co myśleć. Joshuo, zostawiłeś mi swoje pudełko, więc ja zostawię ci swoją wizytówkę. Weź ją, dobrze? Tam jest mój prywatny numer. Mam przeczucie, że powinniśmy być w kontakcie, ty i ja. – Cofnęła się o kilka kroków, trzymając w dłoni pudełko. – Porządna robota.

W tej właśnie chwili, migając światłami, nadjechał kolejny radiowóz. Jansson obejrzała się na niego.

– Inni policjanci sprawdzają, co się dzieje – wyjaśniła. – Nie przejmuj się...

Coś cicho puknęło.

Spojrzała na pudełko w ręku i na pusty chodnik.

– Joshua?

* * *

Joshua natychmiast zdał sobie sprawę z faktu, że zostawił pudełko w jej rękach.

Przekroczył bez pudełka! A co gorsza, ta policjantka widziała, że przekracza bez pudełka. I teraz miał kłopoty.

Dlatego zaczął uciekać. Przekraczał coraz dalej i dalej, cokolwiek to znaczyło. Nie zatrzymywał się i nie zwalniał. Wciąż szedł dalej, krok za krokiem, a każdy był jak lekkie pchnięcie w brzuch.

Jeden świat po drugim, jakby to był ciąg pomieszczeń. Krok po kroku, byle dalej od tej Jansson z policji. Głębiej w korytarz lasu.

Tam, gdzie trafiał, nie było miasta, budynków ani świateł, nie było ludzi. Tylko ten las, ale las, który ciągle się zmieniał. Drzewa pojawiały się znikąd po jednym kroku i znikały po następnym, jak dekoracje przedstawień, które dzieciaki wystawiały w Domu, tyle że tutaj wszystkie wydawały się rzeczywiste, twarde i solidne, głęboko zakorzenione w ziemię. Czasem było cieplej, czasem trochę chłodniej. Ale zawsze otaczał go las. I zawsze był świt. Czyli pewne rzeczy nie ulegały zmianom: twardy grunt pod nogami, rozjaśniające się niebo... Był zadowolony, odkrywając porządek w nowych światach.

Instrukcje w internecie nie wspominały o przekraczaniu bez pudełka, ale on właśnie to robił. Na tę myśl trochę zakręciło mu się w głowie, jakby stanął na skraju przepaści. Ale poczuł też dreszcz zachwytu, radości z łamania reguł. Jak wtedy, kiedy Billy Chambers pożyczył flaszkę budweisera od robotników, którzy przyszli naprawić okno; piwo wypili w kotłowni, a butelkę rozbili i wyrzucili szkło do kosza. Uśmiechnął się na to wspomnienie.

Kroczył coraz dalej; czasami, w miarę potrzeby, przesuwał się kawałek z powodu drzew. Ale i drzewa się stopniowo zmieniały. W tej chwili otaczały go takie z bardziej chropowatą korą, niżej zawieszonymi konarami i wąskimi, kłującymi igłami – to sosny. W dodatku robiło się chłodniej. Ale nadal był w lesie i nadal się nie zatrzymywał.

Aż w końcu dotarł do Muru – do miejsca, skąd nie mógł kroczyć dalej, nieważne, jak daleko odchodził na bok. Cofnął się nawet o kilka kroków, żeby tak jakby nabrać rozpędu i się przebić. Nie bolało – uczucie było takie, jakby wpadł na ogromną uniesioną dłoń. Ale dalej nie przeszedł.

Jeśli nie może się przedrzeć przez ten gęsty sosnowy las, to może uda się przejść górą? Znalazł wysokie drzewo, najwyższe w okolicy, podciągnął się na dolne gałęzie i zaczął wspinać wyżej. Sosnowe igły kłuły go w ręce. Co jakieś dwa metry próbował przekroczyć, żeby tylko sprawdzić, czy zdoła, ale wciąż natrafiał na Mur.

Aż nagle się udało.

Upadł na płaskie podłoże, podobne do nierównego, wygładzonego betonu – twarde, suche i szare. Nie widział tu żadnych drzew, żadnego lasu. Tylko powietrze, niebo i ta powierzchnia. Była zimna; czuł chłód przez cienki materiał dżinsów na kolanach i pod gołymi dłońmi.

Lód!

Wstał. Oddech zmieniał się w parę wokół twarzy. Mróz sztyletami kłuł ciało przez ubranie. Lód pokrywał cały świat. Joshua stał w szerokim wąwozie wyrytym w lodzie, który wyrastał wokół twardymi szarymi kopcami.

Stary, brudny lód... Puste niebo miało barwę czystego, poszarzałego błękitu, jak zwykle wczesnym rankiem. Nic się nie poruszało, ani ptak, ani samolot, a wokół siebie na ziemi nie zauważył ani budynku, ani żadnej żywej istoty, nawet źdźbła trawy.

Uśmiechnął się.

A potem przekroczył z powrotem, do sosnowego lasu, znikając z odgłosem pękającej bańki mydlanej.

ROZDZIAŁ 5

Jansson, ta policjantka, miała na ciebie oko – rzekł Lobsang. – Wiesz o tym, prawda?

Joshua gwałtownie powrócił do teraźniejszości.

– Jesteś całkiem sprytny jak na automat z napojami.

– Jeszcze cię zaskoczę. Seleno, zabierz Joshuę na dół, proszę.

Kobieta się zdziwiła.

– Ależ Lobsangu, jeszcze nie określiliśmy jego poziomu dostępu!

Automat brzęknął i do podajnika wypadła puszka dra peppera.

– Co najgorszego może się zdarzyć? Chciałbym, żeby nasz nowy przyjaciel spotkał się ze mną jak należy. A przy okazji, Joshuo, puszka jest dla ciebie. Na koszt firmy.

Joshua wstał.

– Nie, dziękuję. Już parę lat temu przestały mi smakować napoje gazowane.

A gdyby nawet nie, pomyślał, przestałyby mi smakować właśnie teraz, kiedy zobaczyłem, jak je wydalasz.

Ruszył za Seleną do schodów.

– A przy okazji, dobrze, że się pan ogolił – powiedziała. – Poważnie, zarost wychodzi z mody w tych pionierskich czasach. A ludzie bardzo chcą być w zgodzie z trendami... – Uśmiechnęła się. – Właściwie to oczekiwaliśmy raczej jakiegoś dzikiego człowieka z gór...

– Chyba tak właśnie jeszcze niedawno wyglądałem.

Tym uprzejmym unikiem ją zirytował. Prawdopodobnie spodziewała się po nim czegoś więcej.

Dotarli do podestu, na którym znajdował się ciąg nieoznakowanych metalowych drzwi. Jedne z nich rozsunęły się, kiedy podeszli, i zasunęły bezgłośnie kilka sekund po ich przejściu. Stanął za Seleną na kolejnych, prowadzących w dół schodach.

– Muszę panu coś powiedzieć, Joshuo – oświadczyła niby to żartobliwie. – Chętnie zrzuciłabym pana z tych schodów. Wie pan dlaczego? Bo wchodzi pan tutaj i nagle ma pan już zerowy poziom dostępu, takie wielkie okrągłe zero, co znaczy, że formalnie można panu zdradzić wszystko, co się tutaj dzieje. Ja mam poziom piąty. Przewyższa mnie pan, a przecież pracuję dla transEarth i firm zależnych od samego początku! Kim pan jest, że może pan tu wejść i poznać wszystkie tajemnice?

– No cóż, bardzo mi przykro. Myślę, że jestem po prostu Joshuą. A właściwie co pani ma na myśli, mówiąc „od samego początku"? Ja byłem tym początkiem! Dlatego mnie tu ściągnęliście, prawda?

– Tak. Oczywiście. Ale przypuszczam, że u każdego pierwszy krok jest właśnie początkiem…

ROZDZIAŁ 6

Jim Russo dość szybko wykonał swój pierwszy krok w to, co podnieceni internetowi chatterzy szybko zaczęli określać Długą Ziemią. Powodem była ambicja, a także to, że po trzydziestu ośmiu latach kopniaków od losu i zdrad tym razem uznał, że będzie pierwszy.

Wkrótce po Dniu Przekroczenia stworzył swój plan i przemyślał sobie, co musi zrobić. Wyruszył prosto do właściwego zakątka Kalifornii; zabrał mapy, fotografie i temu podobne rzeczy, by dokładnie zlokalizować miejsce, gdzie wiele lat temu Marshall dokonał swego odkrycia. Zdawał sobie sprawę, że w wykrocznych światach nie działa GPS, więc wszystko musi mieć na papierze. Chociaż nie trzeba przecież mapy, żeby znaleźć tartak Suttera, tutaj, na brzegu południowego dopływu American River, przynajmniej na Ziemi Podstawowej. Tartak znajdował się w stanowym parku historycznym; był Historycznym Zabytkiem Kalifornii. Zbudowali nawet pomnik, by pokazywał lokalizację oryginalnej konstrukcji; można było zobaczyć miejsce, gdzie James Marshall pierwszy raz spostrzegł drobiny złota migoczące w kanale odpływowym koła wodnego. Można było nawet stanąć dokładnie w tym punkcie – Jim Russo zrobił to w tej chwili, a trybiki wirowały mu w głowie.

Przekroczył do Zachodniej 1 i rekonstrukcja zniknęła. Okolica wyglądała równie dziko jak wtedy, kiedy Marshall, Sutter i ich kumple przybyli tu, żeby zbudować swój tartak. A może nawet bardziej, bo przecież, zanim zaczęło się przekraczanie, nie było tu Indian. Oczywiście dzisiaj zjawili się też inni ludzie, turyści z Ziemi Podstawowej, którzy rozglądali się po historycznej okolicy. Tu i tam umieszczono nawet tabliczki informacyjne. Sutter Zachodni 1 i Sutter Wschodni 1 zostały dołączone do parku historycznego jako przylegające do tego, co mieli na Ziemi Podstawowej. Jim uśmiechnął się z wytrzeszczonych oczu naiwnych turystów – i do ich braku wyobraźni.

Gdy tylko zdołał – kiedy po dziesięciu czy piętnastu minutach minęły mdłości – przekroczył dalej. A potem znowu i znowu.

Zatrzymał się na Zachodniej 5, którą uznał za dostatecznie odległą. Wokół nie zauważył nikogo. Zaśmiał się głośno i krzyknął – nikt nie odpowiedział. Odezwało się echo, gdzieś zaśpiewały ptaki. Był sam.

Nie czekał, aż przejdą nudności. Przykucnął obok strumienia i wydobył z plecaka sito. Oddychał głęboko, by uspokoić żołądek. Właśnie tutaj 24 stycznia 1848 roku James Marshall zauważył w wodzie dziwne kamienie. Nie minął dzień, a wypłukiwał już ze strumienia drobiny kruszcu i rozpoczęła się gorączka złota w Kalifornii. Jim marzył czasem o znalezieniu tego samego pierwszego okruchu, który znalazł Marshall, a który teraz znajdował się w Instytucie Smithsona. To byłby wyczyn! Ale nie było tutaj tartaku, a zatem i kanału za kołem wodnym, a rzeka była wzburzona jak w czasach Marshalla na Ziemi Podstawowej; szansa trafienia na identyczny kawałek złota wydawała się minimalna. Trudno, wystarczy mu zdobycie bogactwa.

Na tym polegał jego wielki plan. Dokładnie wiedział, gdzie szukać złota wokół tartaku Suttera, ponieważ zostało odkryte i wydobyte przez górników, którzy przybyli za Marshallem. Miał mapy żył, które tutaj wciąż leżały nietknięte. W tym świecie bowiem nie było nigdy Suttera, Marshalla ani tartaku – ani gorączki złota. Wszystkie bogactwa – a w każdym razie ich kopie – wciąż spoczywały w ziemi. Czekały na Jima, żeby je sobie wziął.

I nagle tuż za sobą usłyszał śmiech.

Odwrócił się gwałtownie i spróbował wyprostować, ale się potknął i zatoczył w tył, do strumienia, mocząc buty.

Przed nim stał mężczyzna w wytartej dżinsowej kurtce i spodniach, w kapeluszu z szerokim rondem na głowie. Niósł ciężki pomarańczowy plecak i jakiś rodzaj kilofu. Śmiał się, ukazując białe zęby na zabrudzonej twarzy. Inni także wyskakiwali z niebytu wokół niego: mężczyźni i kobiety, podobnie ubrani, brudni i zmęczeni. Uśmiechali się na widok Jima mimo postkrokowych nudności.

– Jeszcze jeden? – odezwała się jedna z kobiet.

Pod warstwą brudu wydawała się całkiem atrakcyjna. Atrakcyjna kobieta, która z niego drwiła... Jim odwrócił głowę, czerwony na twarzy.

– Na to wygląda – odparł pierwszy mężczyzna. – Co kombinujesz, chłopie? Przyszedłeś tu zrobić majątek na złocie Suttera?

– A co was to obchodzi?

Mężczyzna pokręcił głową.

– Co się dzieje z takimi ludźmi? Tak jakby potraficie przewidzieć jeden ruch naprzód, ale już nie następny ani następny.

Facet wyglądał dla Jima jak chłopak z college'u, zarozumiały i przemądrzały.

– Wykombinowałeś sobie, że znajdziesz w tym miejscu niewykopane złoto. Rzeczywiście tu leży, masz rację. Ale co z tą samą lokalizacją na Zachodniej 6, 7 i 8, tak daleko, jak tylko można dojść? Co z innymi spryciarzami, takimi jak ty, którzy teraz wypłukują złoto w strumieniach na wszystkich wykrocznych światach? Nie pomyślałeś o tym, prawda? – Wydobył z kieszeni samorodek wielkości gołębiego jajka. – No cóż, przyjacielu, wszyscy wpadli na ten sam pomysł.

– Daj spokój, Mac, nie bądź dla niego taki surowy – wtrąciła kobieta. – Może zarobić jakieś pieniądze, jeśli będzie szybki. Złoto jeszcze nie całkiem się zdewaluowało. Zresztą zawsze może je sprzedawać jako artykuł użytkowy. Tyle że, jak by to określić, złoto nie jest już warte tyle złota, ile samo waży.

Znowu śmiechy.

Mac kiwnął głową.

– To kolejny przykład zadziwiająco niskiej wartości ekonomicznej wszystkich tych wykrocznych światów. Prawdziwy paradoks.

Ta studencka przemądrzałość wkurzyła Jima.

– Jeśli nic nie jest warte, mądralo, to co wy tu robiliście?

– Och, my też kopaliśmy – przyznał Mac. – Odtworzyliśmy szlak Marshalla i pozostałych, jak ty. Poszliśmy dalej. Zbudowaliśmy nawet kopię tartaku i kuźnię do wytwarzania żelaznych narzędzi, żeby szukać złota i je wydobywać dokładnie tak, jak to robili pionierzy. To historia, rekonstrukcja. W przyszłym roku będzie na Discovery, koniecznie obejrzyj. Ale nie chodziło nam o samo złoto. Trzymaj...

Rzucił to złote jajko. Wylądowało Jimowi pod nogami i leżało teraz na mokrym żwirze.

– Wy dupki...

Uśmiech Maca zniknął, jakby mężczyzna rozczarował się manierami Jima.

– Nie sądzę, żeby nasz nowy przyjaciel miał poczucie humoru, panie i panowie. No cóż...

Jim ruszył gniewnie w ich stronę, wymachując pięściami. Śmiali się z niego, znikając jedno po drugim. Nie trafił ani razu.

ROZDZIAŁ 7

Dla Sally Linsay jej odejście z Ziemi Podstawowej w rok po Dniu Przekroczenia wcale nie było pierwszym krokiem. Zostawiała ten świat, ponieważ jej ojciec zrobił to wcześniej. A przed nim większość jej krewnych. Miała dziewiętnaście lat.

Nie spieszyła się. Spokojnie zebrała wszystko, co potrzebne, spokojnie załatwiła swoje sprawy. W końcu nie planowała powrotu.

Wreszcie, pewnego ranka, włożyła wędkarską kamizelkę z mnóstwem kieszeni, chwyciła plecak i po raz ostatni wyszła z pokoju w domu swojej ciotki. Ciocia Tiffany wyjechała, co odpowiadało Sally, która nie lubiła pożegnań. Spokojnie dotarła aż do Park Street i spacerem ruszyła przez kampus. Nie widziała wokół siebie nikogo, nawet śmieciarzy; Uniwersytet Wisconsin spał. Zresztą ranek w ogóle wydawał się spokojniejszy niż zwykle. Może przekraczało więcej ludzi, niż sądziła? Nad jeziorem Mendota skręciła w stronę biblioteki i szła brzegiem na zachód, do punktu piknikowego. Po jeziorze pływało parę żaglówek i zahartowany windsurfer w jaskrawej pomarańczowej piance, a także kilka łodzi uniwersyteckiego klubu wioślarskiego; wzmacniane przez megafony okrzyki trenerów niosły się ponad wodą. Taflę zamykała zielona linia horyzontu.

Dla niektórych taka scena wydawałaby się sielankowa: okryty zielenią uniwersytet nad jeziorem. Ale nie dla Sally – ona lubiła naturę, lecz prawdziwą. Dla niej Długa Ziemia nie była jakąś nowomodną ciekawostką, parkiem rozrywki otwartym w Dniu

Przekroczenia. Tam dorastała. Teraz, kiedy patrzyła na łodzie i na surfera, widziała jedynie zakłócenie, jakichś idiotów straszących ptaki. To samo zaczynało się dziać na innych światach, kiedy więcej idiotów przekraczało tępo, z rozdziawionymi ustami. Nawet ta przejrzysta woda w jeziorze była dla niej tylko rozcieńczonym ściekiem. Przynajmniej wybrała piękny dzień, by pożegnać się z tym miejscem, tym miastem nad jeziorem, gdzie nie zawsze była całkiem nieszczęśliwa, a powietrze było świeże. Jednak tam, gdzie zmierzała, będzie jeszcze świeższe.

Znalazła osłonięty punkt i zeszła ze ścieżki w cień drzew. Po raz ostatni sprawdziła sprzęt. Miała broń, łącznie z lekką kuszą. Kroker zbudowała w plastikowym pudełku, podobnym do tego, jakiego używał ojciec. Oprócz głównego aparatu mieściło w sobie części zapasowe, kawałek cyny lutowniczej, wydruki schematów obwodów. W środku plątaniny elektroniki tkwił, oczywiście, ziemniak. To był naprawdę sprytny pomysł: bateria, którą można zjeść, jeśli posiłek stanie się priorytetem. Zestaw godny był zawodowego podróżnika. A przy tym dostatecznie mocno odczuwała nostalgię, by ozdobić pudełko naklejką Uniwersytetu Wisconsin.

Ale i tak była to tylko przykrywka. Sally nie potrzebowała krokera, żeby przekraczać.

Znała Długą Ziemię i wiedziała, jak po niej wędrować. A teraz wyruszała, by odszukać ojca. A także rozstrzygnąć coś, co dręczyło ją bezustannie, odkąd jako mała dziewczynka bawiła się koło chaty ojca w wykrocznym Wyoming: po co to wszystko?

Nigdy nie należała do osób niezdecydowanych. Losowo wybrała kierunek, uśmiechnęła się i przekroczyła. Jezioro i drzewa wokół niej pozostały, ale ścieżka, łodzie i ten idiota na desce zniknęły.

ROZDZIAŁ 8

W tych pierwszych dniach ludzie wyruszali we wszystkie strony, z jakimś celem albo dla samej zabawy. Nikt jednak nie dotarł dalej niż Joshua.

W początkowych miesiącach, ciągle w wieku trzynastu, potem czternastu lat, budował sobie schronienia na wyższych Ziemiach. Palisady, jak je nazywał. I te najlepsze były palisadami jak u Robinsona Crusoe. Ludzie źle sobie wyobrażali Robinsona. Powszechna była wizja stanowczego, ale dobrodusznego mężczyzny używającego bielizny z koziej skóry. Ale w Domu leżał stary, podniszczony egzemplarz oryginalnej książki, a Joshua przeczytał ją od deski do deski. Robinson Crusoe przeżył na swojej wyspie dwadzieścia sześć lat i przez większość tego czasu wznosił palisady. Joshui się to podobało – człowiek wyraźnie miał głowę na właściwym miejscu.

Kiedy zaczynał, było trudniej. W Madison, Wisconsin, po drugiej stronie ścian rzeczywistości, na wschodzie i zachodzie, spotykało się głównie prerię. Joshua wiedział już, że miał szczęście, nie trafiając w zimę – mógłby bez przygotowania wpaść w czterdziestostopniowe mrozy. I że nie wylądował w jakimś bagnie, w miejscu, które na Ziemi Podstawowej zostało osuszone i zamienione w tereny uprawne, jeszcze zanim się urodził.

Za pierwszym razem, kiedy sam wyruszył do dzikich światów i spróbował spędzić tam noc, było to dość niewygodne. Z rzeczy jadalnych rozpoznał tylko jeżyny, ale miał wodę – deszczówkę zachowaną w kwiatach podobnych do kubków. Zabrał ze sobą koc, który przydał się jako moskitiera, bo okazało się, że jest za ciepło. Dla bezpieczeństwa spał na drzewie. Dopiero potem się dowiedział, że pumy umieją chodzić po drzewach...

Później zebrał kilka książek z Domu i miejskiej biblioteki, by trochę się pouczyć. Zapytał siostrę Serendipity, która wiedziała wszystko o gotowaniu przez wieki, i pojął, że trzeba być całkiem głupim, by tak głodować. Rosły tam przecież jagody, grzyby, żołędzie, orzechy, pałki o kłączach bogatych w węglowodany. Były rośliny, których mógłby użyć, gdyby chorował – nawet zawierające chininę. W jeziorach pływały ryby, a pułapki zbudować łatwo. Próbował też polować. Z królikami nie miał problemów, ale większe zwierzęta – jelenie, wapiti i łosie – musiały zaczekać, aż będzie większy. Nawet indyki wymagały pogoni. A po co się męczyć, skoro na przykład wędrowne gołębie okazywały się tak durne, że siedziały spokojnie i czekały, aż człowiek podejdzie i je utłucze? Wszystkie zwierzęta, łącznie z rybami, wydawały się takie niewinne... Ufne. Joshua nabrał zwyczaju, by dziękować swej zdobyczy za dar życia – a potem się dowiedział, że indiańscy łowcy tak właśnie traktowali swoje ofiary.

Trzeba było się przygotowywać. Trzeba było zabierać zapałki albo soczewkę Fresnela; Joshua potrafił w sytuacjach awaryjnych używać łuku do rozpalania ognia, jednak ta metoda była zbyt męcząca. Środek na komary dostał za darmo w Clean Sweep, państwowym punkcie zaopatrzenia w chemię gospodarczą przy Badger Road. I zwykły domowy wybielacz do odkażania wody.

Oczywiście, człowiek sam nie chciał stać się łupem – ale czyim łupem? Były zwierzęta, które mogłyby go pożreć, oczywiście. Rysie patrzyły tylko i odbiegały, szukając łatwiejszych zdobyczy. Były pumy, zwierzęta rozmiaru owczarków alzackich, o mordkach będących esencją kotowatości... Widział raz, jak puma powala jelenia, skacząc mu na grzbiet i przegryzając tętnicę. Spotkał też wilki i bardziej egzotyczne zwierzęta – coś podobnego do wielkiego bobra, a także leniwca, ciężkiego i głupiego, który go rozbawił.

Przypuszczał, że wszystkie żyły kiedyś w Madison Podstawowym, zanim jeszcze pojawili się ludzie, a teraz wyginęły. Żaden z tych stworów w wykrocznych światach nie widział jeszcze człowieka, a nawet okrutni drapieżcy zwykle zachowywali ostrożność wobec nieznanego. Prawdę mówiąc, komary sprawiały więcej kłopotów niż wilki.

W tym wczesnym okresie Joshua nigdy nie zostawał długo, najwyżej kilka nocy naraz. Czasem perwersyjnie marzył, by zdolność przekraczania zniknęła, gdyż wtedy utknąłby tutaj i przekonał się, czy zdoła przetrwać. Kiedy wracał, siostra Agnes go pytała: „Czy nie czujesz się tam samotny, nie boisz się?". Ale nie był dostatecznie samotny. A czego miałby się bać? Równie dobrze można by powiedzieć, że ktoś, kto wetknął palec do wody na plaży nad Pacyfikiem, powinien się bać całego oceanu.

Poza tym wkrótce na Niskich Ziemiach ruszyć się nie mógł, żeby nie trafić na jakichś wycieczkowiczów, którzy chcieli sprawdzić, o co w tym wszystkim chodzi. Na ludzi o stalowym spojrzeniu, przynajmniej niektórych, w bardzo sensownych szortach i ze stanowczymi kolanami, kroczących przez nowe terytorium, a przynajmniej wplątujących się w zarośla. Ludzi zadających pytania w stylu: „Czyja to ziemia? Jesteśmy jeszcze w Wisconsin? Czy to w ogóle Stany Zjednoczone?".

Ale najgorsi byli ci, co uciekali przed gniewem bożym, a może go szukali... Strasznie było ich dużo. Czy Długa Ziemia to znak Końca Dni? Zwiastun zniszczenia starego świata i początku nowego, przygotowanego dla wybranych? Zbyt wielu ludzi chciało się znaleźć wśród tych wybranych i zbyt wielu wierzyło, że w tych rajskich światach Bóg zaspokoi ich potrzeby. Bóg rzeczywiście dostarczał wszystkiego, co potrzebne, w wielkiej obfitości – ze wszystkich stron biegało jedzenie. Bóg jednak pomaga tym, którzy sami sobie pomagają, i zapewne spodziewał się, że Jego wybrani zabiorą ciepłą odzież, tabletki do odkażania wody, podstawowe leki i broń, jak choćby te noże z brązu, które ostatnio świetnie się sprzedawały, może też jakiś namiot – krótko mówiąc, wezmą ze sobą choć trochę zdrowego rozsądku. A jeśli ktoś tego nie zrobił i jeśli miał szczęście, to tylko komary go pożerały. Tylko. W opinii Joshuy, gdyby rozciągnąć nieco biblijną metaforę, ta apokalipsa miała własnych czterech jeźdźców, których imiona brzmiały: Chciwość, Niezdolność do Przestrzegania Reguł, Zagubienie oraz Rozmaite Otarcia Skóry.

Joshua miał już serdecznie dosyć wybawiania Zbawionych. Prawdę mówiąc, wkrótce miał dość ich wszystkich. Kto dał tym ludziom prawo deptania wszystkich jego tajnych miejsc?

Co gorsze, przeszkadzali Ciszy – wtedy już tak ją nazywał. Zalewali spokój szumem. Przesłaniali tę odległą, głęboką obecność, której był chyba świadom przez całe życie i którą rozpoznawał, gdy tylko znalazł się odpowiednio daleko od Podstawowej, by ją usłyszeć. Zaczął odczuwać niechęć do każdego opalonego wędrowca, każdego ciekawskiego dzieciaka, do hałasu, jaki robili.

A jednak czuł się w obowiązku pomagać tym ludziom, którymi pogardzał. I to go zdumiewało. Dziwił się także, że tyle czasu musi spędzać sam i że mu się to podoba. Właśnie dlatego poruszył ten temat z siostrą Agnes.

* * *

Siostra Agnes z pewnością była religijna, choć w dość niezwykłym stylu. W Domu trzymała na ścianie w swoim ciasnym pokoiku dwa obrazki: jeden przedstawiał Najświętsze Serce Jezusa, drugi – Meat Loafa. I puszczała stare płyty Jima Steinmana o wiele za głośno w ocenie innych sióstr. Joshua nie znał się specjalnie na motorach, ale harley siostry Agnes wyglądał na taki stary, że pewnie święty Paweł jeździł w jego przyczepce. Niekiedy strasznie zarośnięci motocykliści przybywali z innych stanów z pielgrzymkami do Domu przy Allied Drive. Siostra Agnes częstowała ich kawą i pilnowała, żeby trzymali ręce z daleka od wszystkich papierów.

Dzieci ją lubiły i ona lubiła dzieci, ale najbardziej Joshuę, a już zwłaszcza kiedy wspaniale pomalował jej harleya. Wypisał też hasło *Bat into heaven* – ładne nawiązanie do meatloafowego *Bat Out of*

Hell – skrupulatnie wymalowane na zbiorniku benzyny przepiękną pochyłą czcionką, którą znalazł w książce z biblioteki. Potem, w jej oczach, Joshua nie mógł już zrobić nic złego, i pozwalała mu używać swoich narzędzi, kiedy tylko zechciał.

Jeśli w ogóle mógł komukolwiek zaufać, to tylko siostrze Agnes. Tylko przy niej, kiedy za długo był sam, jego zwykła rezerwa i małomówność zmieniały się nagle w potop słów, jakby pękła tama, i wszystko, co powinno być powiedziane, było powiedziane – i to w pośpiechu.

Dlatego opowiedział jej, jak to jest stale ratować tych zagubionych, głupich i niemiłych, i jak patrzyli na niego, jak powtarzali „To ty, prawda? Ten chłopak, który może przekraczać i potem nie czuje się przez kwadrans jak śmieć". Nie rozumiał, skąd to wiedzą, ale wieści jakoś się rozchodziły, mimo zapewnień tej Jansson z policji. To sprawiało, że był inny, a inność powodowała, że stawał się Problemem. A to niedobrze i trudno było o tym zapomnieć, nawet u siostry Agnes, bo tuż nad dwoma obrazkami, Najświętszego Serca i Meat Loafa, wisiała nieduża figurka człowieka, którego przybili do krzyża, gdyż był Problemem.

Siostra Agnes odparła, że jej zdaniem dopadło go powołanie podobne do jej własnego. Wiedziała, jak trudno ludziom wytłumaczyć coś, czego nie chcą zrozumieć, na przykład kiedy się upiera, że *For Crying Out Loud* jest jedną z najświętszych pieśni, jakie kiedykolwiek nagrano. Poradziła mu, żeby podążał za głosem serca, a także przychodził i odchodził, kiedy tylko przyjdzie mu ochota, bo Dom jest jego domem.

Zapewniła też, że może ufać funkcjonariusz Jansson, dobrej policjantce i dobrej fance Steinmana (to określenie wstawiła w zdanie w miejscu, gdzie inna zakonnica użyłaby pewnie słowa „katoliczka"), która odwiedziła siostrę Agnes i spytała, czy może spotkać się z Joshuą i prosić go o pomoc.

ROZDZIAŁ 9

Tymczasem, sześć miesięcy po Dniu Przekroczenia, ścieżka kariery Moniki Jansson także skręciła – ruchem konia szachowego – w bok.

Teraz Jansson stała przed budynkiem komendy policji dzielnicy południowej. Odetchnęła, przesunęła przełącznik swojego krokera i poczuła tradycyjny cios w żołądek, gdy budynek zniknął, zastąpiony przez wysokie zielone drzewa. Na polance wyciętej w tym strzępie pierwotnej puszczy stała niewielka drewniana chata z godłem madisońskiej policji nad drzwiami i amerykańską flagą zwisającą z ociosanego drąga. Jansson usiadła na ławie i zgięta wpół, starała się opanować mdłości. Ławka po to właśnie tu stała: żeby człowiek mógł jakoś dojść do siebie po przekroczeniu, zanim spotka się z kolegami.

Od Dnia Przekroczenia sprawy toczyły się szybko. Technicy skonstruowali policyjne krokery, solidne elementy umieszczone w lśniącym czarnym plastiku, odpornym nawet na strzały z bliskiej odległości. Oczywiście, jak wszystkie krokery – o czym się przekonała przy prototypie Linsaya – żeby działały, człowiek musiał własnoręcznie dokończyć montaż elementów roboczych. Aparaty wyglądały nieźle, trzeba było tylko ignorować dowcipy o ziemniakach niezbędnych do ich działania. „Może jeszcze frytki do tego, panie władzo?". Ha, ha.

Nikt jednak nie mógł nic poradzić na nudności, które ogarniały większość ludzi na dziesięć do piętnastu minut po przekroczeniu.

Owszem, istniał środek, który podobno pomagał, ale Jansson starała się unikać uzależnień lekowych, a poza tym człowiek zaczynał po nim sikać na niebiesko.

Kiedy zawroty głowy i nudności zaczęły mijać, wstała. Dzień – przynajmniej tutaj, w Madison Zachód 1 – był bezwietrzny i chłodny, bez słońca, ale i bez deszczu. Ten wykroczny świat wciąż był prawie taki sam jak wtedy, kiedy przekroczyła tutaj z ruin domu Willisa Linsaya: szelest liści, czyste powietrze, ptaki... Ale zmieniał się po trochu: polanki wcinały się w las, właściciele „rozszerzali" swoje posiadłości na dawną prerię, przedsiębiorcy starali się znaleźć sposób, by jakoś wykorzystać ogromne zasoby wysokiej jakości drewna i egzotycznych zwierząt. Organizacje oficjalne, jak policja, tworzyły tu przyczółki, wznosząc w sąsiednich światach przybudówki swoich głównych budynków. Już teraz podobno w bezwietrzne dni pojawiał się dymny smog. Jansson zastanowiła się, ile czasu trzeba, by na niebie zobaczyła smugi kondensacyjne samolotów.

Myślała, gdzie w tej chwili przebywa Joshua Valienté. Joshua, jej osobisty grzeszny sekret.

Niewiele brakowało, a spóźniłaby się na spotkanie z Clichym.

* * *

W chacie unosił się intensywny zapach długo parzonej kawy.

Siedziało tu dwóch policjantów: porucznik Clichy za swoim biurkiem, wpatrzony w ekran laptopa, przystosowanego do pracy tutaj i bez żelaznych elementów, oraz młodszy funkcjonariusz z patroli, niejaki Mike Christopher, który z wysiłkiem i skrupulatnie wpisywał ręcznie jakiś raport do wielkiej księgi z poliniowanego żółtego papieru. Wciąż praktycznie bez wsparcia elektroniki, w całym kraju gliny musiały znów nauczyć się pisać czytelnie, a przynajmniej tak czytelnie jak kiedyś.

Clichy machnął do niej, nie odrywając wzroku od ekranu.

– Weź kawę i siadaj.

Nalała do kubka kawy tak mocnej, że bała się, by nie rozpuściła łyżeczki z brązu, którą zamieszała cukier. Potem zajęła miejsce na topornym, ręcznie robionym krześle przy biurku. Jack Clichy był tęgim, krępym mężczyzną o twarzy jak starta walizka. Musiała się do niego uśmiechnąć.

– Wygląda pan jak właściwy człowiek na właściwym miejscu, poruczniku.

Rzucił jej ponure spojrzenie.

– Nie pieprz, Jansson. Co ja niby jestem, Davy Crockett? Wychowałem się na Brooklynie. Dla mnie przedmieścia Madison to już Dziki Zachód. A tutaj to pieprzone wesołe miasteczko.

– Czemu mnie pan wezwał, sir?

– Strategia, Jansson. Zażądali od nas, żebyśmy się włączyli w ogólnostanowy raport, jak zamierzamy sobie radzić z nieprzewidzianymi dodatkowymi Ziemiami. Chcą znać nasze plany na bliską, średnią i daleką przyszłość. Jakaś wersja trafi też wyżej, na poziom federalny. A szef zwala to na mnie, bo jak dotąd nie mamy żadnych planów, ani krótko-, ani średnio-, ani długoterminowych. Jak dotąd tylko reagujemy na wydarzenia.

– I dlatego tu jestem?

– Chwilę, znajdę dane... – Stuknął w klawiaturę.

Radio Christophera zatrzeszczało, a on wymruczał coś w odpowiedzi. Komórki tu nie działały, to jasne. Tradycyjne nadajniki i odbiorniki radiowe nadal się sprawdzały, pod warunkiem że przebudowano je, by wykluczyć żelazne elementy, dzięki czemu dawały się przenieść w całości. Mówiło się o stworzeniu jakiejś sieci staroświeckich linii telefonicznych, na miedzianych przewodach.

– O, są... – Clichy odwrócił laptop, żeby mogła widzieć ekran. – Mam tu raporty ze spraw, urywki wideo. Staram się jakoś to poukładać. Twoje nazwisko stale się pojawia, Jansson. Dlatego cię wezwałem.

Zobaczyła linki do swoich raportów z pożaru w domu Linsaya i do pierwszej nocy paniki, kiedy zaczęły znikać nastolatki.

– Mieliśmy ciężkie pierwsze dni. Te zaginione dzieciaki i te, które wróciły połamane od upadku z wyższych budynków albo z kawałkami ciała wygryzionymi przez tego czy innego zwierza. Ucieczki z więzień. Fala absencji w szkołach, firmach i urzędach. Gospodarka natychmiast odczuła ten wstrząs w całym kraju, a nawet globalnie. Wiedziałaś o tym? Mówiono mi, że to było jak dodatkowe Święto Dziękczynienia, zanim ci durnie wrócili w końcu do pracy, a przynajmniej duża ich część.

Jansson przytaknęła. Większość przekraczających pierwszego dnia szybko wróciła. Niektórzy nie. Biedni wykazywali silniejszą tendencję do pozostawania, bogaci mieli więcej do stracenia na Podstawowej. Dlatego w takich miastach jak Bombaj czy Lagos, a nawet kilku amerykańskich stada dzieci ulicy przekroczyły – oszołomione i nieprzygotowane – do dzikich światów. Światów, które nie należały jeszcze do nikogo innego, więc czemu nie miały należeć do nich? Amerykański Czerwony Krzyż i inne organizacje posyłały za nimi grupy opiekuńcze, żeby rozwikłać godny Władcy Much chaos, jaki tam zapanował.

W opinii Jansson Długa Ziemia miała jedną kluczową cechę. Zachowanie Joshuy Valienté wskazywało ją od samego początku. Długa Ziemia oferowała przestrzeń. Dawała ludziom miejsce ucieczki, miejsce, by iść bez końca, dalej, niż ktokolwiek sobie wyobrażał. I na całym świecie wąski strumyczek ludzi po prostu odchodził, bez planu, bez przygotowań – oddalali się na pustkowie. A na Podstawowej już krążyły raporty o problemach z niechętną, ponurą mniejszością, która w ogóle nie mogła przekraczać, niezależnie od tego, jak dopracowane mieli krokery.

Dla porucznika Clichy'ego, oczywiście, priorytetem było to, w jaki sposób nowe światy wykorzystywane są przeciwko Ziemi Podstawowej.

– Spójrz na zestawienie – powiedział. – Po kilku dniach ludzie zaczynają się orientować w tym bałaganie i mamy coraz więcej zaplanowanych przestępstw. Wysyp samobójczych zamachowców w wielkich miastach. Skomplikowane włamania. No i zabójstwo Brewer, a w każdym razie próbę. Wtedy właśnie, Jansson, w raportach zaczęło się pojawiać twoje nazwisko.

Jansson przypomniała sobie. Mel Brewer była porzuconą żoną narkotykowego barona, która dogadała się z DEA, że będzie zeznawać przeciwko mężowi. Miała trafić do programu ochrony świadków i ledwie przeżyła pierwszy atak przekraczającego zabójcy. Jansson wpadła na pomysł, żeby ukryć ją w piwnicy. Na wykrocznych światach Wschodnim 1 i Zachodnim 1 – przestrzeń zajmowana przez piwnicę była glebą, więc nie dało się przekroczyć bezpośrednio. Trzeba by albo wykopać równoległy otwór, albo wyjść na poziomie gruntu i przebijać się na dół. Tak czy tak, zamachowiec tracił element zaskoczenia. Następnego ranka wszystkie podziemne pomieszczenia na posterunkach, a nawet w budynku Kapitolu, zmieniono na schrony.

– Nie ty jedna na to wpadłaś, Jansson. Ale byłaś jedną z pierwszych, nawet w skali kraju. Słyszałem, że sam prezydent sypia teraz w jakimś bunkrze pod Białym Domem.

– Miło słyszeć, sir.

– Tak, tak. A potem sprawy zaczęły być bardziej egzotyczne.

– Dziwnie to brzmi, sir, kiedy używa pan tego określenia nie do tancerek.

– Nie przeginaj, Jansson.

Pokazał jej meldunki o rozmaitych religijnych szaleńcach. Typy wierzące w Apokalipsę tłumnie uciekały do „nowych Edenów", bo uważały, że ich nagłe „pojawienie się" to pewny znak bliskiego Krańca Dni. Jakaś chrześcijańska sekta uznała, że Chrystus na pewno przeżył ukrzyżowanie i przekroczył z grobu, zanim apostołowie przyszli szukać Jego ciała… i niewiele trzeba było, by dojść do wniosku, że nadal gdzieś przebywa na Długiej Ziemi. A takie zjawiska stanowiły wyzwanie dla policji i zagrożenie porządku publicznego.

Clichy odsunął się od laptopa. Rozmasował palcami grzbiet sporego nosa.

– A ja to niby kto jestem, Stephen Hawking? Mózg mi się gotuje. Za to wy, funkcjonariuszko Jansson, wyraźnie rzuciliście się w to jak świnia do gnoju.

– Nie określiłabym tego w taki sposób, sir…

– Krótko mówiąc, wytłumacz mi, Jansson, jak sama to rozumiesz. Podstawowy problem... to znaczy dla nas, chluby Madison... polega na tym, że nie możemy przenieść broni. Zgadza się?

– Tak, nawet glocków, bo też mają stalowe części. Nie da się przenieść żelaza, sir. Ani stali. Poza tym można zabrać wszystko, co człowiek uniesie. Jasne, ruda żelaza występuje też w innych światach, więc można ją wydobywać, obrabiać i produkować żelazo, ale jego też nie da się przenieść.

– Czyli na każdym zasiedlanym świecie trzeba budować hutę.

– Tak.

– Powiem ci, co dziwi nawet takiego prymitywa jak ja, Jansson. Zdawało mi się, że wszyscy mamy żelazo we krwi czy jakoś tak. Więc jak to jest, że ono nie zostaje przy przekraczaniu?

– We krwi żelazo jest chemicznie związane w cząstkach organicznych. W hemoglobinie, po jednym atomie naraz. Atomy żelaza mogą się przenosić w takich związkach, byle nie w formie metalicznej. Nawet rdzę można przenieść, bo to związek żelaza z wodą i tlenem. Ale swojego sprzętu pan nie przeniesie, najwyżej rdzę z pańskiej lufy.

– To chyba nie jakiś świński żart, Jansson? – zapytał podejrzliwie.

– Nawet mi to do głowy nie przyszło, sir.

– A ktoś wie, czemu tak to działa?

– Nie, sir.

W miarę możliwości starała się śledzić dyskusje naukowców. Niektórzy fizycy wskazywali fakt, że jądra atomów żelaza są w naturze najbardziej stabilne; żelazo jest końcowym produktem serii skomplikowanych przemian jądrowych zachodzących w sercu Słońca. Może jego opór przed podróżami ma z tym jakiś związek. Może przekraczanie od świata do świata przypomina jakoś tunelowanie kwantowe, mało prawdopodobny przeskok między dwoma stanami energetycznymi. A skoro żelazo ma tak stabilne jądro, może brakuje mu energii, by wyrwać się z energetycznej studni na Ziemi Podstawowej... A może chodzi o magnetyzm. Albo coś innego. Nikt nie wiedział.

Clichy, jako człowiek praktyczny, skinął tylko głową.

– Przynajmniej znamy zasady. Trochę to dramatyczne dla większości Amerykanów, że coś im tak nagle odebrało wolny dostęp do broni. Co jeszcze wiemy? Na innych światach nie ma ludzi, zgadza się? Znaczy, oprócz tych, którzy dotarli tam z naszego.

– Tak jest, sir. Przynajmniej tak się wydaje. Do tej pory nie podjęto systematycznych badań pobliskich światów. Nie wiadomo, co się kryje za najbliższym wzgórzem. Ale wypuścili kilka balonów zwiadowczych z kamerami. Nigdzie nie wykryli śladów ludzi.

– Rozumiem. Czyli mamy cały łańcuch nowych światów, tak? W obu kierunkach, na wschód i na zachód?

– Tak, sir. I przekracza się z jednego do drugiego, jakby człowiek szedł korytarzem. Można iść w jednym albo w drugim kierunku, wschodnim albo zachodnim, choć to tylko etykiety. Nie odpowiadają prawdziwym kierunkom w naszym świecie.

– Nie ma skrótów? Nie mógłbym przeskoczyć do świata numer dwa miliony?

– Nikt czegoś takiego nie znalazł, sir.

– A ile jest tych światów? Jeden, dwa, dużo? Milion, miliard?

– Tego też nikt nie wie, sir. Nie wiemy nawet, jak daleko dotarli ludzie. Wszystko jest trochę... – Machnęła ręką. – Jest jakby rozmyte na brzegach. Poza kontrolą.

– I każdy z tych światów jest oddzielną, ale pełną Ziemią?

– O ile nam wiadomo, tak.

– Ale Słońce, Mars czy Wenus... albo pieprzony Księżyc są takie same jak nasze? To znaczy...

– Każda Ziemia ma swój własny wszechświat, sir. I gwiazdy są takie same. Data też jest ta sama, we wszystkich światach. Nawet pora dnia. Astronomowie ustalili to na podstawie map gwiezdnych; potrafiliby określić, gdyby pojawiło się przesunięcie o stulecie czy coś w tym stylu.

– Gwiezdne mapy. Stulecia... Rany boskie! Wiesz, dzisiaj po południu mam być u gubernatora na konferencji w sprawie jurysdykcji. Jeśli ktoś popełni przestępstwo w pieprzonym Madison Zachodnim 14, czy w ogóle mamy prawo go aresztować?

Jansson skinęła głową. Krótko po Dniu Przekroczenia, kiedy niektórzy po prostu wędrowali po dziczy, inni zaczęli wytyczać swoje działki. Człowiek wybierał ziemię, osiedlał się, wbijał swoje znaczniki, zamierzał siać ziarno i wychowywać dzieci w tym, co wyglądało na krainę dziewiczą. Ale w rzeczywistości kto tak naprawdę był właścicielem czego? Człowiek mógł wyznaczyć dla siebie działkę, ale czy rząd Stanów Zjednoczonych uzna to roszczenie? Czy równoległe Ameryki w ogóle należą do Stanów Zjednoczonych? No cóż, administracja wyraźnie postanowiła wreszcie zająć stanowisko.

– Podobno prezydent chce oświadczyć, że wszystkie wykroczne Ameryki są suwerennym terytorium Stanów Zjednoczonych, na którym obowiązuje amerykańskie prawo – tłumaczył Clichy. – Terytoria wykroczne znajdują się „pod egidą rządu federalnego", tak to brzmi. To chyba uprości sytuację. Jeśli można za prosty uznać fakt, że patrole nagle rozciągają się w nieskończoność. Wszyscy mamy za mało ludzi. Wszystkie agencje. Żołnierze wracają do domu ze stref walk, ci z Bezpieczeństwa Wewnętrznego wymyślają ciągle nowe metody, jakimi mogą się przedostawać terroryści, a tymczasem korporacje dyskretnie się rozglądają, co by mogły zagarnąć. Szlag by to... Mama zawsze mówiła, że powinienem zostać na Brooklynie.

Westchnął.

– No dobrze. Słuchajcie uważnie, funkcjonariuszko Jansson. – Pochylił się i złożył dłonie. – Powiem wam, po co was tu ściągnąłem. Niezależnie od prawnych rozstrzygnięć wciąż mamy obowiązek pilnować spokoju w Madison. A że mamy prawdziwe szczęście, Madison stało się takim jakby magnesem dla wszystkich czubków z odpałami w tej kwestii.

– Wiem, sir...

Przede wszystkim było źródłem technologii krokerów, a zatem i naturalnym centrum. Jansson, studiując raporty o ludziach, którzy przybywali do Madison, by rozpocząć długie wykroczne wyprawy, zastanawiała się, czy region ten nie ściąga ich też z jakichś innych powodów. Może przekraczanie było tu jakoś łatwiejsze? Może dla całej Długiej Ziemi ważna jest stabilność, więc te najstarsze, najbardziej stabilne części kontynentów to te, gdzie najłatwiej jest przekraczać – tak jak żelazo miało najbardziej stabilne jądro... A Madison, leżące w samym centrum Ameryki Północnej, było jednym z najbardziej stabilnych geologicznie miejsc na planecie.

Jeśli kiedyś znowu spotka Joshuę, musi go o to zapytać.

– A zatem staje przed nami bardzo szczególne wyzwanie – rzekł Clichy. – I do tego was potrzebuję, Jansson.

– Nie jestem żadnym ekspertem, sir.

– Ale działacie jakoś w całej tej sytuacji, pasującej raczej do *Strefy Mroku*. Nawet tej pierwszej nocy zachowałyście przytomność umysłu i skupiłyście się na obowiązkach policyjnych, podczas gdy większość naszych szanownych kolegów zajęła się robieniem w portki albo rzyganiem preclami. No więc chcę, żebyście tym wszystkim pokierowały. Rozumiecie? Macie zbierać informacje, zarówno w pojedynczych sprawach, jak i we wzorcach, które się za nimi kryją. Bo jest całkiem pewne, że dranie wykombinują nowe sposoby, aby wykorzystać ten burdel przeciwko nam. Macie być moim Moulderem, funkcjonariuszko Jansson.

Uśmiechnęła się.

– Bardziej by pasowała Scully...

– Wszystko jedno. Posłuchaj mnie, Jansson. Niczego nie mogę ci w zamian obiecać. Twoją pracę ciężko będzie uwzględnić w aktach. Ale się postaram. W efekcie może się okazać, że będziesz dużo czasu spędzać poza domem. I dużo czasu w samotności. Twoje życie osobiste...

Wzruszyła ramionami.

– Mam kotkę. Potrafi sama o siebie zadbać.

Puknął w klawisz i wiedziała, że czyta jej akta osobowe.

– Dwadzieścia osiem lat...

– Już dwadzieścia dziewięć, sir.

– Urodzona w Minnesocie. Rodzice nadal tam mieszkają. Bez rodzeństwa, bezdzietna. Nieudane lesbijskie małżeństwo?

– Ostatnio żyję głównie w celibacie, sir.

– Naprawdę nie chcę tego wiedzieć, Jansson. No dobrze. Wracaj na Podstawową, opracuj z sierżantem nowy plan zadań, spisz, co ci będzie potrzebne, żeby stworzyć stanowisko tutaj i na Wschodniej 1... Do licha, postaraj się, żeby burmistrz widział, jaka jesteś zapracowana.

– Tak jest, sir.

Ogólnie rzecz biorąc, Jansson była zadowolona ze spotkania i z nowych obowiązków. Przekonała się, że tacy ludzie jak Clichy i ci powyżej niego radzą sobie z nieoczekiwanym zjawiskiem – nagłym otwarciem Długiej Ziemi – mniej więcej tak dobrze, jak można by oczekiwać. Z wiadomości w prasie i z innych źródeł wiedziała, że nie we wszystkich krajach tak się dzieje.

ROZDZIAŁ 10

Ale z pewnością, panie premierze, moglibyśmy po prostu zakazać przekraczania, prawda? To wyraźne zagrożenie dla bezpieczeństwa kraju.

– Geoffrey, równie dobrze możemy zakazać oddychania. Nawet moja matka przekroczyła.

– Ale ludność wycieka. Centra miast zmieniają się w miasta duchów. Gospodarka upada. Musimy coś przedsięwziąć...

Hermiona dokonała taktownej notatki z tej dyskusji.

Hermiona Dawes wyjątkowo sprawnie tworzyła notatki. Była dumna z tej umiejętności – jest prawdziwą sztuką odcedzić to, o co ludziom chodzi, od tego, co powiedzieli. Ćwiczyła się w tym skutecznie od prawie trzydziestu lat, pracując dla politycznych władców wszelkich barw. Nigdy nie wyszła za mąż i wydawała się całkiem z tego zadowolona; żartobliwie tłumaczyła innym sekretarkom, że złota obrączka, którą nosi, służy jej za pas cnoty. Była godna zaufania i ufano jej; szefowie wykryli u niej tylko jedną jedyną drobną skazę – posiadała wszystkie albumy i single Boba Dylana, jakie kiedykolwiek nagrano.

Miała uczucie, że nikt ze współpracowników naprawdę jej nie zna. Nawet dżentelmeni, którzy – okresowo, kiedy wiadomo było, że jest w pracy – włamywali się do jej mieszkania i przeszukiwali je, zawsze bardzo ostrożnie; z pewnością wymieniali znaczące uśmieszki, kiedy starannie umieszczali na miejscu maleńką drzazgę, którą codziennie wciskała między skrzydło i futrynę frontowych drzwi. Bardzo podobne do jej uśmieszku, kiedy spostrzegała, że ich wielkie płaskie stopy kolejny raz rozgniotły okruch bezy, który zawsze upuszczała na dywan tuż za progiem saloniku – okruch, którego nigdy, ale to nigdy nie zauważali.

Ponieważ nigdy nie zdejmowała złotej obrączki, nikt prócz niej samej i Boga nie wiedział, że na wewnętrznej powierzchni sporym kosztem wyryto wers z piosenki Dylana *It's Alright Ma (I'm Only Bleeding)*. Ostatnio zastanawiała się, czy ktokolwiek z tych drobnych intrygantów, z którymi pracuje, łącznie z większością ministrów, potrafiłby w ogóle rozpoznać, skąd pochodzi cytat.

Dzisiaj, kilka lat po Dniu Przekroczenia, kiedy trwała kolejna paniczna narada gabinetu, zastanowiła się, czy nie jest za stara, by zacząć pracę wśród władców, w przeciwieństwie do głupców.

– W takim razie krokery powinny być licencjonowane. Długa Ziemia to prawdziwy ściek, jeśli chodzi o gospodarkę, ale penalizacja użycia aparatów niezbędnych, by się tam dostać, da przynajmniej jakieś wpływy do budżetu!

– Nie opowiadaj bzdur! – zirytował się premier. – Dajże spokój. Nie możemy ich zakazać, bo nie jesteśmy w stanie ich kontrolować.

Minister odpowiedzialny za zdrowie i bezpieczeństwo wyraźnie się zdziwił.

– Nie rozumiem. Dlaczego nie? Nigdy przedtem nas to nie powstrzymywało.

Premier stuknął piórem o blat.

– Miasta pustoszeją. Gospodarka upada. Oczywiście, są też dobre strony: imigracja przestała stanowić problem… – Zaśmiał się, ale jakby przygarbił, a kiedy znów się odezwał, w jego głosie brzmiał ton desperacji. – Niech Bóg ma nas w opiece, panowie, ale ludzie od nauki przekazali mi, że być może istnieje więcej iteracji planety Ziemia, niż żyje ludzi. Jaką politykę możemy prowadzić wobec tego faktu?

Wystarczy tego! – całkiem nagle pomyślała Hermiona.

I kiedy ta bzdurna, niedorzeczna i daremna konwersacja trwała nadal, Hermiona z delikatnym uśmiechem na ustach zapisała kilka linijek swym nienagannym stenograficznym pismem systemu Pitmana, położyła notatnik na blacie przed sobą, a kiedy premier skinieniem wyraził zgodę, wstała i opuściła pokój. Prawdopodobnie nikt inny nie zauważył jej zniknięcia. Wyszła na Downing Street i przekroczyła do sąsiedniego Londynu, gdzie roiło się od strażników i ochroniarzy. Jednak po latach była tak znajomą twarzą, że spojrzeli tylko na identyfikator i przepuścili ją bez słowa.

Potem przekroczyła znowu. I znowu. I znowu…

* * *

O wiele później, kiedy nie wracała, wezwano jedną z sekretarek, by przetłumaczyła pozostawioną notatkę – delikatne pociągnięcia i zakręcone krzywe.

– Wygląda mi to na wiersz, sir. Albo tekst piosenki. Coś o tym, że nie należy z czymś walczyć, bo daremny to plan. – Spojrzała na premiera. – Czy to ma dla pana jakiś sens, sir? Sir? Dobrze się pan czuje?

– Ma pani męża, pani… przepraszam, nie wiem, jak pani na imię…

– Caroline, sir. Mam chłopaka, bardzo solidny, umie pracować. Jeśli pan chce, mogę wezwać lekarza…

– Nie, nie. Tylko że jesteśmy tacy nieudolni, Caroline. To przecież farsa, cały ten interes z rządem. Wyobrażać sobie, że kiedykolwiek mieliśmy kontrolę nad swoim przeznaczeniem… Na twoim miejscu, Caroline, wyszedłbym za tego solidnego chłopaka, i to jak najszybciej, i wyniósł się do innego świata. Wszystko jedno gdzie, byle nie tutaj. – Osunął się w fotelu i przymknął oczy. – I niech Bóg ma w opiece Anglię i nas wszystkich.

Nie była pewna, czy zasnął. Po dłuższej chwili wymknęła się z pokoju, zabierając porzucony notatnik Hermiony.

ROZDZIAŁ 11

Po tygodniu od spotkania z Clichym koledzy zaczęli ją nazywać Upiorną Jansson albo Upiorem.

A po miesiącu umówiła się na spotkanie w Domu, jak mówił o nim Joshua. Był to sierociniec, niegdyś odrapany blok mieszkań socjalnych przy Allied Drive, w okolicy mniej więcej tak paskudnej, jak to tylko możliwe w Madison. Jednak widać było, że budynek jest starannie utrzymywany. Tam właśnie po raz drugi spotkała czternastoletniego już Joshuę Valienté. Przysięgła mu, że jeśli będzie z nią pracował, ona ze swej strony zagwarantuje, że nikt więcej nie uzna go za Problem, ale za kogoś, kto może pomóc, może takiego... no wiesz... jak Batman.

W ten właśnie sposób na kilka lat po Dniu Przekroczenia życie Joshuy zostało ukształtowane.

* * *

– Teraz musi się panu wydawać, że to było bardzo dawno temu – mówiła Selena, prowadząc Joshuę coraz dalej w głąb kompleksu transEarth.

Nie odpowiedział.

– Został pan bohaterem... Nosił pan pelerynkę? – spytała.

Joshua nie lubił sarkazmu.

– Miałem ceratowy płaszcz na deszczowe dni.

– Prawdę mówiąc, to był żart.

– Wiem.

Kolejne nieprzystępne drzwi otworzyły się przed nimi, odsłaniając kolejny korytarz.

– Przy tym budynku Fort Knox wygląda jak durszlak, prawda? – zażartowała Selena nerwowo.

– Fort Knox jest dzisiaj durszlakiem – odparł Joshua. – Mają szczęście, że ludzie nie mogą ręcznie przenosić sztab złota.

Prychnęła.

– To było tylko porównanie, Joshuo.

– Tak. Wiem.

Zatrzymała się. Zirytowała ją ta krótka odpowiedź, a jeszcze bardziej to, że przecież chciała jedynie dać jakoś do zrozumienia, iż nawet teraz wszystkie te wykroczne światy potrafią człowieka przerazić. Ale – jak się zdawało – najwyraźniej nie jego.

Rzuciła mu nieco wymuszony uśmiech.

– W tym miejscu pana opuszczę, przynajmniej na pewien czas. Nie wolno mi zanadto się zbliżać do Lobsanga. Bardzo niewielu ludziom wolno. Wiem, że Lobsang chce porozmawiać o pańskich kłopotach z komisją senacką badającą rezultaty wcześniejszej wyprawy do dalekich światów wykrocznych.

Strzelała na ślepo, to jasne. Joshua podejrzewał, że to jest właśnie ten poważny argument, którego Lobsang chciał użyć, by go zwerbować.

Milczał, a ona nie potrafiła ocenić jego reakcji. Poprowadziła go więc delikatnie do pomieszczenia za drzwiami.

– Miło było cię spotkać twarzą w twarz, Joshuo.

– Życzę poziomu dostępu, jakiego pragniesz, Seleno – odpowiedział.

Patrzyła na zamykające się drzwi. Była pewna, że ta nieruchoma twarz wykrzywiła się w uśmiechu.

* * *

Pokój w wewnętrznym sanktuarium, przypominającym raczej fortecę, był urządzony jak pracownia edwardiańskiego dżentelmena, łącznie z polanami płonącymi na kominku. Ogień był jednak fałszywy i nie całkiem przekonujący, przynajmniej dla Joshuy, który na pustkowiach codziennie rozpalał prawdziwe ognisko. Jednak skóra na fotelu, stojącym zachęcająco przy palenisku, była prawdziwa.

– Dzień dobry, Joshuo – zabrzmiał głos w powietrzu. – Żałuję, że nie możesz mnie zobaczyć, ale prawdę mówiąc, bardzo mało jest mnie tutaj do zobaczenia. A obserwacja tego, co jest, z pewnością by cię znudziła.

Joshua usiadł w fotelu. Przez chwilę trwała cisza, niemalże przyjazna. Obok sztucznie trzaskały płomienie. Kto się wsłuchał, mógł łatwo poznać, dzięki pewnym sekwencjom trzasków, że ścieżka dźwiękowa powtarza się co czterdzieści jeden sekund.

– Powinienem wcześniej zwrócić na to uwagę – zabrzmiał spokojny głos Lobsanga. – Tak, chodzi mi o ogień. Och, nie przejmuj się, Joshuo, nie czytam w myślach… jeszcze nie. Co kilka sekund spoglądałeś na płomienie, a masz skłonność, żeby przy liczeniu bezgłośnie poruszać wargami. Co ciekawe, nikt dotąd nie zauważył tej usterki. Ale oczywiście, Joshuo, ty zauważasz. Patrzysz, słuchasz i analizujesz, a w tej swojej obszernej czaszce odgrywasz sobie filmy ze wszystkimi możliwymi rozwinięciami tej sytuacji, jakie tylko potrafisz sobie wyobrazić. Mówiono kiedyś o angielskim polityku, że jeśli kopniesz go w tyłek, nawet mięsień nie drgnie mu na twarzy, dopóki nie zdecyduje, jak ma zareagować. Ta czujność to jedna z cech, które czynią cię tak użytecznym. Nie należysz też do osób strachliwych, prawda? Nie wykrywam u ciebie nawet śladu lęku, absolutnie nic. Przyczyną, jak sądzę, jest fakt, że jesteś jedyną osobą, która znalazła się w tym ufortyfikowanym pomieszczeniu i wie, że w każdej chwili może stąd wyjść. Dlaczego? Ponieważ możesz przekraczać bez krokera. Tak, wiem także o tym. I potem nie robi ci się niedobrze.

Joshua nie podjął wyzwania.

– Selena mówiła, że masz mi coś do powiedzenia. W sprawie komisji senackiej.

– A tak, co do ekspedycji. Wpakowałeś się z nią w niezłe kłopoty, prawda, Joshuo?

– Jesteśmy tu tylko my dwaj, zgadza się? Więc jeśli chwilę się zastanowisz, łatwo zrozumiesz, że nie ma powodu, abyś bez przerwy powtarzał, jak mam na imię. Wiem, czemu to robisz. Dominacja. – Ta zmora prześladowała Joshuę przez całe życie. – Może nie jestem zbyt mądry, Lobsangu, ale nie trzeba wielkiej mądrości, żeby odkryć, jakie są reguły!

Przez chwilę słychać było tylko powtarzające się trzaski udawanego ognia. Później Joshua miał się przekonać, że jeśli w rozmowie następowała pauza, to tylko dla efektu. Lobsang – przy częstotliwościach taktowania, z jakimi pracował – potrafił odpowiedzieć na dowolne pytanie w ułamku sekundy, a jednak po namyśle odpowiadającym całemu ludzkiemu życiu.

– Wiesz, z charakteru jesteśmy całkiem podobni, drogi przyjacielu – stwierdził w końcu.

– Na razie poprzestańmy na znajomym.

– Oczywiście, przyjmuję uwagę z pokorą. – Lobsang się roześmiał. – Ale chciałbym zostać twoim przyjacielem. Ponieważ, w największym skrócie, sądzę, że w dowolnej sytuacji obaj bylibyśmy przede wszystkim zainteresowani określeniem, jakie są reguły. Uważam cię też za osobnika wyjątkowo wartościowego. Jesteś dostatecznie inteligentny, Joshuo, w przeciwnym razie nie przetrwałbyś tak długo samotnie na Długiej Ziemi. Oczywiście, z pewnością wielu jest inteligentniejszych od ciebie; tkwią na uniwersytetach, osiągając niewiele albo nic. Ale inteligencja powinna mieć też głębię. Czasem pozwala nam prześliznąć się po problemie, lecz czasem miele niezwykle powoli, jak młyny boże, i miele drobno, a kiedy podaje rozwiązanie, jest ono przetestowane. Tak jest z tobą, Joshuo. – Lobsang znów się zaśmiał. – A przy okazji, mój śmiech nie jest nagrany. Za każdym razem to niepowtarzalny produkt chwili, sprawdzalnie różny od dowolnego innego śmiechu, jaki z siebie wydawałem. Ten był przeznaczony tylko dla ciebie. Wiesz, byłem kiedyś człowiekiem. Nadal jestem.

Przerwał – jak zwykle dla efektu.

– Spróbujmy poznać się lepiej, Joshuo – podjął. – Chcę ci pomóc. I oczywiście chcę, żebyś ty mi pomógł. Nie przychodzi mi do głowy żaden lepszy kandydat na wyprawę, jaką planuję. Będzie wymagała wkroczenia naprawdę daleko. Myślę, że może ci się to spodobać, Joshuo. Lubisz przebywać z dala od zgiełku.

– Tytuł u Thomasa Hardy'ego był raczej ironiczny, bohaterowie nie żyli naprawdę w spokoju...

– Ależ naturalnie. Wpadłem na taki całkiem dobry pomysł, żeby od czasu do czasu trochę się pomylić, a nie raz po raz wychodzić na wszechwiedzącego.

Joshua zaczynał się niecierpliwić tym niezręcznym uwodzeniem.

– Jak możesz mi pomóc, Lobsangu?

– Wiem, że w tym, co się przydarzyło podczas ekspedycji kongresowej, nie było twojej winy. Mogę to udowodnić.

Teraz dochodzi do sedna, pomyślał Joshua.

– Dupki – powiedział.

– A tak, dupki – zgodził się Lobsang. – Tak ich opisałeś na wstępnym przesłuchaniu. Nieznany gatunek naczelnych, przypominający wyjątkowo niemiłe drapieżne pawiany. Podejrzewam jednak, że Towarzystwo Linneuszowskie odrzuci twoje zgłoszenie. Dupki!

– Nie zabiłem tych ludzi. Jasne, mogę sobie radzić całkiem sam, ale nie mam powodu, żeby kogokolwiek zabijać. Czytałeś raport? Te dup...

– Czy możemy trzymać się pawianów, jeśli można? Lepiej to wygląda w transkrypcji.

Dla Joshuy była to opłacona wycieczka, występ zorganizowany przez jego starą przyjaciółkę Jansson.

– Dorosłeś, kiedy ja się postarzałam, Joshuo – powiedziała. – I teraz mam dla ciebie zlecenie rządowe. Będziesz kimś w rodzaju ochroniarza i przewodnika...

Chodziło o oficjalną wyprawę do światów dalekiego Zachodu z grupą naukowców, prawników i jednym kongresmenem, w towarzystwie plutonu żołnierzy. Zakończyła się rzezią.

Naukowcy zbierali dane. Prawnicy robili zdjęcia kongresmena stawiającego stopę na jednym świecie po drugim, wizualnie biorącego w posiadanie wykroczne Ameryki, by symbolicznie objąć je egidą rządu federalnego z Podstawowej. Żołnierze narzekali na jedzenie i na bolące stopy. Joshua chętnie im pomagał w zamian za honorarium, był jednak dostatecznie rozsądny, by starannie ukrywać swoją umiejętność przekraczania bez aparatu i bez nieprzyjemnych skutków. Dlatego miał ze sobą napój złożony ze zsiadłego mleka i pociętych warzyw, które mogły ujść za wymiociny, efekt krokowych nudności. W końcu kto by się im dokładnie przyglądał?

Wszystko działało. Uczestnicy wycieczki klęli, sprzeczali się i narzekali przez całą drogę przez dwa tysiące Ziemi, a po każdym kroku Joshua fałszował mdłości plamami erzacu wymiocin. A potem nastąpił morderczy atak.

To były małpy, trochę podobne do pawianów, ale sprytniejsze i bardziej agresywne. „Superpawiany", tak nazwał je któryś z naukowców. A Joshua nazwał je dupkami, gdy zobaczył, jak ich różowe pośladki podskakują, niknąc w oddali, kiedy małpy przepędził.

W każdym razie tak brzmiało jego wyjaśnienie tego, co spotkało cały oddział. Kłopot polegał na tym, że nie miał świadków, którzy by je potwierdzili, a wszystko zdarzyło się zbyt daleko, żeby wysłać ekspedycję i przeprowadzić śledztwo – przynajmniej na razie.

– Te wredne zwierzaki potrafiły zaplanować atak. Dały mi spokój, kiedy dwa z nich zabiłem, ale żołnierzy zwyczajnie przytłoczyli liczbą, a ci od nauki w ogóle nie potrafili się porządnie bronić.

– I zostawiłeś ciała dla pawianów?

– A wiesz, jak ciężko jest wykopać grób z drewnianym szpadlem w jednej ręce i plastikowym pistoletem w drugiej? Spaliłem obóz i wyniosłem się stamtąd.

– Wydaje mi się, że wstępny werdykt był dla ciebie trochę niesprawiedliwy. Pozostawił wątpliwości. Ale chcę cię zapewnić, że mogę wykazać prawdziwość twoich zeznań. Mogę udowodnić, że jakiś kilometr od obozowiska, obok jeziorka, sterczy z ziemi czarna skała, tak jak mówiłeś, a za nią wciąż leżą szczątki osobnika alfa, którego zastrzeliłeś. Nawiasem mówiąc, ta skała to ruda o niskiej zawartości węgla.

– Skąd to wszystko wiesz?

– Prześledziłem wasze kroki. Meldunki, jakie składałeś, były całkiem dokładne. Potem wróciłem.

– Wróciłeś? Kiedy?

– Wczoraj.

– Wczoraj wróciłeś tutaj?

– Wyruszyłem i wróciłem wczoraj – tłumaczył cierpliwie Lobsang.

– Nie da się tak szybko przekraczać!

– Ty tak uważasz, Joshuo. Ale przekonasz się w odpowiednim czasie. Podjąłeś próbę zasypania ciał kamieniami i zaznaczyłeś te miejsca, tak jak mówiłeś w czasie dochodzenia. Przeniosłem z powrotem dokumentację fotograficzną. Dowód tego, że mówiłeś prawdę, rozumiesz? Właściwie to zrekonstruowałem całe zajście. Wykorzystałem ślady feromonów, sprawdziłem kąty ostrzału i ułożenie zwłok. Oczywiście, pobrałem próbki DNA. Przeniosłem tu nawet czaszkę alfy, razem z kulą, która go zabiła. Wszystko się zgadza z twoimi zeznaniami. Żaden z żołnierzy nie podjął skutecznej obrony, kiedy te twoje dupki zaatakowały. Superpawiany to wariaci według standardów zwierzęcego świata. Przerażająco agresywne. Ale nie wydaje mi się, żeby zaatakowały, gdyby któryś z wojaków się nie wystraszył i nie strzelił pierwszy.

Joshua poruszył się z zakłopotaniem.

– Jeśli wszystko sprawdziłeś, to wiesz, że w trakcie starcia narobiłem w portki.

– Powinienem gorzej o tobie myśleć z tego powodu? W całym królestwie zwierząt w sytuacji zagrożenia zawsze sensownie jest odrzucić zbędny ładunek. Wszystkie pola bitew są tego dowodem, podobnie jak wszystkie wzlatujące ptaki. Ale ty później wróciłeś, wbiłeś jednemu z pawianów nóż do mózgu, a pozostałe przepędziłeś i dałeś spokój, dopiero kiedy zastrzeliłeś przywódcę. Wróciłeś, a to wiele usprawiedliwia.

Joshua zastanowił się przez chwilę.

– No dobra, rzeczywiście masz poważne argumenty: możesz mnie oczyścić. Ale dlaczego w ogóle chcesz mnie zwerbować?

– Dyskutowaliśmy już o tym. Z tego samego powodu, dla którego Jansson w ogóle zaproponowała twoją kandydaturę do grupy kongresmena Poppera. Masz syndrom Daniela Boone'a, Joshuo. Bardzo rzadki. Nie potrzebujesz ludzi. Owszem, dosyć lubisz ludzi, przynajmniej niektórych, ale nieobecność ludzi ci nie przeszkadza. A to bardzo przydatne tam, gdzie się wybieramy. Kiedy już ekspedycja ruszy w drogę, nie spodziewam się zbyt licznych spotkań z istotami ludzkimi. Twoje towarzystwo będzie dla mnie bardzo pomocne właśnie z powodu tej cechy: potrafisz się skupić, nie rozprasza cię ta niesamowita izolacja na Długiej Ziemi. Dodatkowo, co Jansson zauważyła od razu, twój wyjątkowy talent przekraczania bez żadnego sprzętu, a co więcej, błyskawicznego odzyskiwania równowagi po każdym kroku, będzie niezwykle użyteczny, kiedy przytrafią się kłopoty. A przytrafią się z pewnością. Jeśli zgodzisz się mi towarzyszyć, otrzymasz wynagrodzenie wyjątkowo hojne i dostosowane do twoich szczególnych preferencji. Obejmie również autorytatywny opis masakry ekspedycji kongresowej, całkowicie oczyszczający cię z zarzutów. Trafi do władz w dniu, w którym wyruszymy.

– Aż tyle jestem wart?

Lobsang znów się roześmiał.

– Czymże jest wartość, Joshuo? Czymże jest dzisiaj cena, kiedy złoto pożądane jest tylko dla swego połysku, jako że każdy człowiek może mieć własną kopalnię? Fizyka Długiej Ziemi oznacza, że każdy z nas, jeśli zechce, może mieć cały świat tylko dla siebie. To nowa era, Joshuo, i pojawią się nowe wartości, nowe idee wartości obejmujące miłość, współpracę, prawdę, a nade wszystko, tak jest, nade wszystko przyjaźń Lobsanga. Posłuchaj mnie uważnie, Joshuo

Valienté: zamierzam dotrzeć na krańce Ziemi… nie, na krańce Długiej Ziemi. I chcę cię mieć przy sobie. Wyruszysz ze mną?

Joshua siedział nieruchomo, wpatrzony w pustkę.

– Wiesz, że trzask ognia na kominku wydaje się teraz całkiem losowy?

– Tak. Usterka była łatwa do usunięcia. Pomyślałem, że poczujesz się bardziej swobodnie.

– Czyli, jeśli wyruszę z tobą, zdejmiesz mi z karku komisję śledczą?

– Tak, absolutnie. Obiecuję.

– A jeśli się nie zdecyduję, to co wtedy?

– I tak załatwię sprawę z tym dochodzeniem. Moim zdaniem zrobiłeś wszystko, co możliwe, a śmierć tych ludzi na pewno nie była twoją winą. Dowody na to zostaną komisji przedstawione.

Joshua wstał.

– Prawidłowa odpowiedź…

* * *

Tej nocy Joshua siedział w Domu przed monitorem i czytał o Lobsangu.

Najwyraźniej – tak przynajmniej uważano – Lobsang rezydował w komputerowym systemie przetwarzania danych o niezwykle wysokiej gęstości i szybkim dostępie, w MIT, a zatem wcale nie w kompleksie transEarth. Kiedy Joshua o tym przeczytał, nabrał przekonania, że cokolwiek tkwi w tych superchłodzonych pudłach w MIT, nie jest Lobsangiem, a w każdym razie nie całym Lobsangiem. Jeśli Lobsang jest sprytny – a jest z całą pewnością – postarał się rozprzestrzenić możliwie szeroko. By się zabezpieczyć przed użyciem wyłącznika. Znalazł się więc w sytuacji, kiedy nikt nie może mu rozkazywać, nawet ten superpotężny partner Douglas Black.

Oto jest ktoś, kto zna reguły gry, pomyślał Joshua.

Zgasił ekran. Kolejna reguła: siostra Agnes dogmatycznie wierzyła, że wszystkie niewyłączone komputerowe monitory prędzej czy później wybuchają.

Potem oparł się wygodnie i zamyślił.

Czy Lobsang jest człowiekiem, czy sztuczną inteligencją tylko udającą człowieczeństwo? Jak smiley, myślał: jedna krzywa, dwie plamki, a widzimy ludzką twarz. Jakie jest minimum tego, co niezbędne, byśmy zobaczyli istotę ludzką? Co trzeba powiedzieć, z czego się zaśmiać? W końcu ludzie zbudowani są tylko z gliny – no, metaforycznie, chociaż Joshua nie radził sobie z metaforami i uważał je za rodzaj sztuczek. Trzeba przyznać, że Lobsang całkiem dobrze zgadywał, o czym Joshua myśli – tak dobrze jak spostrzegawczy człowiek. Może jedyną istotną różnicą między naprawdę dobrą symulacją a prawdziwym człowiekiem jest odgłos, jaki wydają po mocnym ciosie?

Ale... na krańce Długiej Ziemi?

Czy ona w ogóle gdzieś się kończy? Ludzie powtarzali, że istnieje pełny krąg Ziemi, ponieważ krokery przenoszą na wschód albo na zachód, a wszyscy wierzyli, że zachód musi się spotykać ze wschodem. Jednak nikt tego nie wiedział. Nikt nie miał pojęcia, co te wszystkie inne Ziemie w ogóle tam robią. Może nadszedł czas, by ktoś to zbadał.

Joshua przyjrzał się najnowszemu krokerowi, który właśnie skończył, używając kupionego w internecie dwuobwodowego, dwupozycyjnego przełącznika. Kroker leżał teraz na blacie, czerwono-srebrny i z wyglądu bardzo profesjonalny, w przeciwieństwie do pierwszego krokera, do którego wmontował przełącznik wyjęty ze starej windy siostry Reginy. Joshua nosił ze sobą kroker od chwili, kiedy sobie uświadomił, że nie ma pojęcia, w jaki sposób przekracza, a tę niespodziewanie odkrytą umiejętność może też równie niespodziewanie utracić. Poza tym nie chciał się wyróżniać z przekraczających tłumów, więc aparat traktował jak kamuflaż.

Obracając w dłoniach niewielkie pudełko, zastanawiał się, czy Lobsang pojął, co jest najbardziej niezwykłą cechą konstrukcji krokera. Sam zauważył ją już w Dniu Przekroczenia – była oczywista, jeśli ktoś się chwilę zastanowił; chodziło o drobny szczegół, którego nikt chyba nie uznał za ważny. Joshua zawsze wierzył, że szczegóły są ważne. Jansson także je dostrzegała. Miało to związek z wypełnianiem instrukcji.

Kroker działał dla konkretnej osoby, tylko jeśli ta osoba sama go dla siebie zbudowała, a przynajmniej sama dokończyła montaż. Zabębnił palcami po obudowie. Mógł ruszyć z Lobsangiem albo nie. Miał dwadzieścia osiem lat i nikogo nie musiał prosić o pozwolenie. Ale ciągle wisiało nad nim to nieszczęsne śledztwo...

I zawsze podobała mu się myśl o tym, że jest poza zasięgiem.

Mimo obietnic Jansson sprzed lat raz czy dwa źli ludzie się do niego dobrali. Kłopoty pojawiły się niedługo po Dniu Przekroczenia, kiedy jakieś typy z odznakami wdarły się do Domu i próbowały uśpić Joshuę, żeby go gdzieś wywieźć. Siostra Agnes położyła jednego łyżką do opon. Zaraz potem przyjechała policja, a to znaczy, że zjawiła się Jansson, o sprawie dowiedział się burmistrz i okazało się, że wśród dzieci, którym Joshua pomógł w Dniu Przekroczenia, był też jego syn i to oznaczało koniec sprawy. Trzy anonimowe czarne samochody z podkulonymi ogonami uciekły z miasta. Wtedy też ustalono zasadę, że jeśli ktokolwiek chce rozmawiać z Joshuą, najpierw musi porozmawiać z Jansson. Joshua nie jest problemem, oświadczył burmistrz. Problemem jest przestępczość, ucieczki z więzień i spadek bezpieczeństwa na świecie. Joshua, jak dowiedziała się rada miejska, jest może trochę dziwny, ale też wyjątkowo utalentowany i – co potwierdza funkcjonariuszka Jansson – wielokrotnie udzielił istotnej pomocy służbom policyjnym w Madison. Takie jest oficjalne stanowisko władz.

Ale Joshuę nie zawsze to pocieszało. Nie cierpiał, kiedy inni mu się przyglądali, nieważne, czy uważali go za Problem, czy nie.

W ostatnich latach Joshua przekraczał samotnie, odchodząc coraz dalej i dalej w Długą Ziemię, pozostawiając za sobą robinsonowe palisady, które budował jako nastolatek, do światów, gdzie nie musiał się martwić wariatami, nawet takimi posiadającymi odznaki i nakazy. A gdyby się pojawili, zawsze mógł przekroczyć dalej; zanim skończyli wymiotować, był o sto światów od nich. Chociaż czasami wracał i związywał im sznurówki butów, kiedy rzygali – człowiek potrzebuje jakiejś rozrywki. Coraz dłuższe i dłuższe wycieczki, coraz dalej i dalej od domu… Nazywał to wakacjami – sposobem, by odpocząć od zgiełku i od tego dziwnego ucisku w skroniach, kiedy przebywał na Ziemi Podstawowej czy ostatnio nawet na Niskich Ziemiach. Ucisk, który przeszkadzał mu w słuchaniu Ciszy.

No więc był dziwny. Ale siostry tłumaczyły, że cały świat staje się dziwny. Siostra Georgina to właśnie mu powiedziała ze swoim wyszukanym angielskim akcentem:

– Być może nieco wyprzedzasz pozostałą część ludzkości. Wyobrażam sobie, że pierwszy Homo sapiens musiał się czuć tak jak ty, kiedy patrzysz na nas z naszymi krokerami i naszymi nudnościami. Tak samo H. sap. się zastanawiał, dlaczego ci inni goście potrzebują tyle czasu, żeby zestawić razem dwie sylaby.

Ale Joshua nie był pewien, czy chce się różnić, nawet jeśli ta różnica dowodziłaby jego przewagi.

Mimo to lubił siostrę Georginę prawie tak jak siostrę Agnes. Siostra Georgina czytała mu Keatsa i Wordswortha, i Ralpha Waldo Emersona. Kiedyś studiowała w Cambridge, czy też, jak to określała „Nie tym w Massachusetts Cambridge University, ale w prawdziwym, no wiesz, w Anglii". Joshui przychodziło czasem do głowy, że zakonnice, które prowadziły Dom, nie przypominały tych, jakie oglądał w telewizji. Kiedy zapytał o to siostrę Georginę, zaśmiała się i powiedziała:

– Może to dlatego, że jesteśmy jak ty, Joshuo. Trafiłyśmy tutaj, bo nie całkiem mogłyśmy się dopasować gdziekolwiek indziej.

Uświadomił sobie, że będzie za nimi tęsknił, kiedy wyruszy na wyprawę z Lobsangiem.

W jakiś sposób decyzja podjęła się sama.

ROZDZIAŁ 12

Tydzień po spotkaniu w transEarth siostra Agnes zawiozła Joshuę do Dane County Regional Airport. Wzięła go na tylne siedzenie swojego harleya – rzadki zaszczyt. Zawsze będzie pamiętał, jak powiedziała, że Bóg chciał, by zdążył na ten samolot, bo wszystkie mijane światła uliczne zmieniały się na zielone, zanim musiała zwolnić (o ile siostra Agnes w ogóle kiedykolwiek zwalniała). Joshua podejrzewał jednak, że odpowiadały za to raczej systemy Lobsanga niż ręka boska.

Spacerował już po niezliczonych Ziemiach, ale nigdy jeszcze nie latał. Siostra Agnes jednak znała procedury, więc poprowadziła go na stanowisko kontroli. Kiedy urzędnik wprowadził jego numer rezerwacji, zamilkł nagle, a potem sięgnął po telefon. Joshua zaczął pojmować, co oznacza przyjaźń Lobsanga, kiedy grzecznie wyciągnęli go z kolejki pasażerów i poprowadzili korytarzami z uprzejmością, jaką można zaobserwować w traktowaniu polityka z kraju posiadającego broń jądrową i swobodny stosunek do jej użycia.

Trafił do pomieszczenia z barem tak długim jak lada z hamburgerami w Disney World. Rzadko pił alkohol i prawdę mówiąc, wolałby hamburgera. Wspomniał o tym żartobliwie młodemu człowiekowi, który tańczył nerwowo dookoła, i już po kilku minutach dostał hamburgera w bułce tak napchanej dodatkami, że mięso mogłoby spokojnie wypaść i nawet by tego nie zauważył. Jak tylko skończył jeść, młody człowiek pojawił się znowu i zaprowadził go do samolotu.

Joshua dostał miejsce zaraz za kabiną pilotów, dyskretnie ukryte aksamitną zasłoną przed wzrokiem innych pasażerów. Nikt go nie spytał o paszport, którego zresztą i tak nie miał. Nikt nie zadał sobie trudu, by sprawdzić, czy nie wnosi w butach materiałów wybuchowych. Nikt też, kiedy już wystartowali, nie próbował z nim rozmawiać. Joshua w spokoju oglądał wiadomości.

W Chicago, na lotnisku O'Hare, przesiadł się do innego samolotu, czekającego w pewnym oddaleniu od głównego terminalu. Była to maszyna zaskakująco mała. Wewnątrz wszystko, co nie było pokryte skórzaną tapicerką, było pokryte wykładziną dywanową. Niepokryte skórzaną tapicerką ani wykładziną dywanową były jedynie oślepiająco białe zęby młodej kobiety, która – kiedy już usiadł – podała mu colę i telefon. Joshua wsunął niewielki osobisty bagaż pod fotel przed sobą, tak by mógł go widzieć. Włączył telefon.

Lobsang zadzwonił natychmiast.

– Witam na pokładzie, Joshuo. Jak ci się podobała podróż do tej pory? Dzisiaj samolot należy tylko do ciebie. Za sobą znajdziesz główną sypialnię, podobno wręcz niezwykle wygodną. Nie wahaj się przed skorzystaniem z prysznica.

– Lot ma być długi, prawda?

– Spotkamy się na Syberii, Joshuo. Korporacja Blacka ma tam podziemną firmę. Wiesz, co to znaczy?

– Zakład poza zasięgiem radarów.

A co w nim budują? – zastanowił się.

– Słusznie. Aha, wspominałem już o Syberii?

Zawyły uruchamiane silniki.

– Nawiasem mówiąc, macie żywego pilota. Wydaje się, że ludzie lubią mieć przy przyrządach ciepłe umundurowane ciało. Ale nie denerwuj się. W realnym sensie to ja jestem przyrządami.

Joshua rozsiadł się wygodnie w luksusowym fotelu i spróbował uporządkować myśli. Przyszło mu do głowy, że Lobsang jest zadufany w sobie, jak by to określiły siostry. Może po prostu miał bardzo dużo siebie, żeby się zadufać? A on, Joshua, tkwił w nim jak w kokonie. Nie znał się specjalnie na komputerach i tej cudownie połączonej elektronicznej cywilizacji, której element stanowiły. Na wykrocznych światach nie było przecież nawet sygnału sieci komórkowej, więc jedynym ważnym czynnikiem był człowiek, jego wiedza i jego umiejętności. Joshua ze swoim bezcennym nożem z utwardzonego szkła potrafił utrzymać się przy życiu, cokolwiek by go spotkało. Właściwie nawet to lubił. Może z tego powodu powinien się spodziewać pewnych tarć z Lobsangiem – a przynajmniej tą częścią Lobsanga, która wyruszy w drogę.

Samolot wystartował, robiąc mniej więcej tyle hałasu co maszyna do szycia siostry Agnes w sąsiednim pokoju. Podczas lotu Joshua obejrzał pierwszą część *Gwiezdnych wojen*, sącząc gin z tonikiem i tonąc w chłopięcej nostalgii. Potem wziął prysznic – nie potrzebował, ale nie mógł sobie odmówić – i sprawdził ogromne łóżko. Młoda dama weszła za nim do sypialni i kilka razy spytała, czy ma ochotę na coś jeszcze; wydawała się nieco rozczarowana, kiedy poprosił tylko o szklankę ciepłego mleka.

Jakiś czas później ocknął się i odkrył, że stewardesa próbuje zapiąć go pasami. Odepchnął ją; nie znosił ograniczania ruchu. Protestowała, uprzejma i słodka, ale dzięki szkoleniu twarda jak stal, do chwili kiedy zadźwięczał telefon. A wtedy:

– Najmocniej przepraszam, sir. Jak się zdaje, zasady bezpieczeństwa uległy czasowemu zawieszeniu.

* * *

Spodziewał się, że Syberia będzie płaska, wietrzna i zimna. Jednak samolot zniżył się nad łagodnymi wzgórzami porośniętymi ciemnozieloną trawą. Polne kwiaty i motyle były niczym plamy koloru, czerwone, żółte i niebieskie. Syberia okazała się nieoczekiwanie piękna.

Samolot nie tyle dotknął, ile pocałował asfalt pasa.

Zadzwonił telefon.

– Witaj w Nie Ma Takiego Miejsca, Joshua. Mam nadzieję, że i w przyszłości wybierzesz linie lotnicze Nie Ma Takich.

W szafce przy drzwiach znajdziesz termiczną bieliznę i odpowiednią odzież.

Zaczerwieniony Joshua odmówił stewardesie, kiedy zaproponowała mu pomoc przy wkładaniu termicznej bielizny. Przyjął jednak pomoc przy dopinaniu grubej odzieży wierzchniej. Podejrzewał, że jest w niej podobny do ludzika Michelina, ale okazała się zaskakująco lekka.

Wysiadł z samolotu i przyłączył się do grupy podobnie ubranych ludzi. I w ciepłym powietrzu natychmiast zaczął się pocić.

– Zachód! – zawołał jeden z mężczyzn z wyraźnym bostońskim akcentem.

Wcisnął przełącznik na pudełku u pasa i zniknął. Po chwili zaczęli znikać jego towarzysze.

Joshua przestąpił na zachód i znalazł się w niemal identycznej okolicy – tyle że wynurzył się w burzy śnieżnej i zrozumiał, dlaczego potrzebował zimowej odzieży. Opodal stała niewielka szopa, z której otwartych drzwi machał na niego bostończyk. Wyglądała jak miejsce odpoczynku, poczekalnia dla podróżnych, jakie stawały się coraz popularniejsze w wykrocznych światach. Ta jednak była czysto funkcjonalna – zwykła ochrona przed wiatrem, gdzie zanim człowiek ruszy dalej, może się porzygać w czymś zbliżonym do wygody.

Blady od mdłości bostończyk zamknął za Joshuą drzwi.

– Ty naprawdę nim jesteś, co? I czujesz się świetnie? Ja tam nie cierpię za mocno, ale…

Machnął ręką. W głębi chaty dwaj mężczyźni leżeli twarzami w dół, wysuwając głowy poza krawędzie wąskich prycz; obaj trzymali wiadra. Zapach mówił wszystko.

– Słuchaj, jeśli naprawdę dobrze się czujesz, to ruszaj przodem. Ty tu jesteś VIP-em. Zrobisz jeszcze trzy kroki na zachód. Na każdym są poczekalnie, ale pewnie nie będą ci potrzebne. Ty tak naprawdę? To znaczy: jak ty to robisz?

Joshua wzruszył ramionami.

– Nie wiem. Chyba wrodzona zdolność.

Bostończyk otworzył drzwi.

– Mówimy tu zwykle: nim zrobisz krok, nie czekaj na kruki. – A kiedy Joshua próbował, ale nie zdołał się roześmiać, dodał przepraszająco: – Jak się domyślasz, nie mamy tu zbyt wielu gości. Powodzenia, chłopie.

* * *

Po trzech kolejnych krokach Joshua wyszedł na deszcz. W pobliżu stała kolejna chata i kolejnych dwóch robotników, z których jeden okazał się kobietą.

Uścisnęła mu rękę.

– Miło pana widzieć, sir. – Miała silny rosyjski akcent. – Jak się panu podoba pogoda u nas? W tym świecie Syberia jest o dwa stopnie cieplejsza i nikt nie wie dlaczego. Muszę tu zaczekać na resztę ekipy, ale pan może pójść drogą z żółtej cegły. – Wskazała linię pomarańczowych znaczników na patykach. – To krótki spacer do miejsca budowy.

– Jakiej budowy?

– Proszę mi wierzyć, na pewno pan tego nie przegapi.

Nie przegapił, ponieważ nie mógł. Całe hektary lasu sosnowego zostały wycięte, a nad kręgiem ogołoconej ziemi wisiało coś ogromnego, jak dryfujący budynek. Tak, dryfujący – w deszczu dostrzegł liny cumownicze. Przypominał napowietrznego wieloryba. Częściowo wypełnione gazem cielsko było workiem z jakiegoś wzmacnianego włókna, pomalowanym w znaki firmowe transEarth; wisiało nad gondolą sprawiającą wrażenie fantazji art déco, wysoką na kilka pokładów, całą z polerowanego drewna, iluminatorów i szyb.

Sterowiec!

Podszedł kolejny robotnik.

– Pan Joshua? – Wręczył mu telefon. Mówił z europejskim akcentem, może belgijskim. – Miło mi pana poznać, bardzo się cieszę. Proszę za mną. Mogę wziąć pański bagaż?

Joshua cofnął swą torbę tak szybko, jakby mogła przypalić temu mężczyźnie palce.

Robotnik się cofnął.

– Przepraszam, przepraszam. Oczywiście, może pan zatrzymać torbę. Bezpieczeństwo nie jest tu problemem, nie dla pana. Chodźmy.

Joshua ruszył za nim po mokrym gruncie i po chwili stanął pod bezkształtną powłoką. Gondola, trochę podobna do kadłuba drewnianego statku, zdawała się zakotwiczona do metalowej kratownicy, zapewne zbudowanej z lokalnie wytapianej stali. W dole czekała otwarta klatka windy. Przewodnik wszedł do niej ostrożnie, poczekał, aż Joshua stanie obok, i nacisnął guzik.

Podróż do brzucha gondoli trwała krótko. Przeszli przez właz do niewielkiego, pachnącego drewnem pomieszczenia. Były tu okna, czy raczej iluminatory. W tej chwili ukazywały jedynie pogodę.

– Chciałbym polecieć z wami, młody człowieku – rzekł pogodnie robotnik. – Wyruszyć tam, gdzie wyrusza ten statek... Nikt z nas nie wie dokąd, oczywiście. Jeśli będziesz miał okazję, przyjrzyj się konstrukcji. Metale nieżelazne, oczywiście, aluminiowy szkielet... No tak. Wszyscy jesteśmy z niego dumni. *Bon voyage*, przyjemnej podróży.

Zszedł do windy, a kiedy zaczął zjazd, klapa przesunęła się i zamknęła otwór w podłodze.

W powietrzu zabrzmiał głos Lobsanga.

– I znowu witam na pokładzie, Joshuo. Paskudna pogoda, nie sądzisz? Ale nie przejmuj się, wkrótce będziemy ponad nią, a raczej poza nią.

Nastąpiło szarpnięcie i podłoga się zakołysała.

– Odłączyliśmy się od kratownicy? Zaczął się lot?

– Nie ściągałbym cię tutaj, gdybyśmy nie byli gotowi. Pod nami już zwijają obozowisko i wkrótce tę bazę spotka nieco skromniejsza wersja upadku meteorytu tunguskiego.

– Dla bezpieczeństwa, jak się domyślam?

– Oczywiście. Co do robotników, to dość barwna ekipa: Rosjanie, Amerykanie, Europejczycy, Chińczycy... Nikt z nich nie należy do takich, którzy lubią rozmawiać z władzami. Bystrzy ludzie, pracowali już dla wielu panów; bardzo użyteczni i mający tak cudownie krótką pamięć...

– Kto dostarczył samolot?

– Ach... Podobał ci się lot learem? Jest własnością pewnego holdingu. Wypożyczają go niekiedy pewnej gwieździe rocka, która dzisiaj marudzi, że odrzutowiec jest niedostępny z powodu remontu. Wkrótce jednak zapomni o tym, gdyż odkryje, że jej najnowszy album jest na liście przebojów o dwa miejsca wyżej niż wczoraj. Wielkie są możliwości Lobsanga... Ale skoro jesteśmy już w drodze...

Wewnętrzne drzwi otworzyły się gładko, odsłaniając wyłożony drewnem, dyskretnie oświetlony korytarz prowadzący do niebieskich drzwi na końcu.

– Witam na „Marku Twainie". Rozgość się. Wzdłuż tego korytarza znajduje się sześć identycznych kabin mieszkalnych. Wybierz, którą zechcesz. Możesz zrzucić zimową odzież. Zwróć też uwagę na te niebieskie drzwi. Prowadzą do laboratorium, warsztatu i pomieszczeń produkcyjnych, między innymi. Wolałbym, żebyś nie wchodził za nie bez zaproszenia. Masz jakieś pytania?

* * *

Joshua przebrał się w wybranej przypadkowo kabinie, a potem wyruszył na zwiedzanie „Marka Twaina".

Ogromna powłoka, falująca lekko przy częściowym wypełnieniu gazem, z zewnątrz była pokryta folią ogniw słonecznych dających energię. Jednostki napędowe – wielkie i delikatne z wyglądu turbiny – mogły się odchylać w pionie i w poziomie. Gondola okazała się w środku równie luksusowa, jak z zewnątrz sugerował jej wygląd. Miała kilka pokładów z kabinami mieszkalnymi, sterownię, pokład obserwacyjny i pokład wypoczynkowy z kuchnią, wyposażeniem dorównującą najlepszym restauracjom, oraz przestronny hol, który mógł służyć jako sala jadalna dla pięćdziesięciu osób – a także, co niezwykłe, jako kino. A na każdym pokładzie były zamknięte i zaryglowane niebieskie drzwi.

Po namyśle Joshua zaczął dostrzegać sens przekraczania w sterowcu – o ile tylko byłoby to możliwe, a wciąż nie rozumiał, jak to się dzieje. Jednym z problemów szybkiego przekraczania są fizyczne przeszkody. Już pierwszej nocy badania Długiej Ziemi przekonał się, że niektórych zwyczajnie nie da się obejść – na przykład pokrywy lodu, grubego miejscami na całe kilometry i w epoce lodowcowej pokrywającego większą część kontynentu Ameryki Północnej. Sterowiec był próbą rozwiązania tego problemu: mógł przelecieć powyżej takich niedogodności jak lodowce czy powodzie, a w efekcie droga przez Długą Ziemię powinna być dużo łagodniejsza.

– Ale czy musiał być taki wspaniały, Lobsangu? – zwrócił się do powietrza.

– A czemu unikać wspaniałości? Przecież i tak nie możemy się ukryć. Chciałem, żeby mój statek badawczy był jak chińskie baochuany, okręty skarbowe, w piętnastym wieku budzące podziw mieszkańców Indii i Arabii.

– Podziw wzbudzisz na pewno, to jasne. Rozumiem, że nie ma tu niczego z żelaza?

– Obawiam się, że nie. Nieprzepuszczalność bariery rzeczywistości dla żelaza pozostaje tajemnicą nawet dla naukowców Korporacji Blacka. Mają mnóstwo teorii, ale bardzo niewiele rezultatów.

– Wiesz, kiedy mówiłeś o wyprawie, wyobrażałem sobie, że jakoś będę cię nieść...

– Ależ skąd! Jestem wbudowany w systemy. W pewnym sensie cały sterowiec jest moim ciałem. Zatem, Joshuo, to ja będę niósł ciebie.

– Tylko istoty świadome mogą przekraczać...

– Tak. A ja, podobnie jak ty, jestem świadomy!

Joshua zrozumiał. Sterowiec był Lobsangiem, a w każdym razie jego ciałem. Kiedy Lobsang przekraczał, konstrukcja sterowca przenosiła się razem z nim – tak jak Joshua, przekraczając, „zabierał" swoje ciało i ubranie. W ten sposób sterowiec mógł się przemieszczać między światami.

Lobsang był dumny i chyba trochę się przechwalał.

– Oczywiście nic by z tego nie wyszło, gdybym nie był istotą świadomą. To kolejny argument, że jestem realną osobą, prawda? Wypróbowałem już tę technikę, zresztą wiesz o tym; mówiłem przecież, że prześledziłem trasę twojej wcześniejszej ekspedycji. To bardzo emocjonujące, prawda?

Joshua dotarł do podstawy gondoli i wszedł na pokład obserwacyjny. Bąbel wzmacnianego szkła dawał wspaniały widok na Syberię z Niskiej Ziemi. W dole rozciągał się teren zakładów konstrukcyjnych, budynki pomocnicze, składy materiałów, bloki mieszkalne i pas startowy.

Joshua przemyślał sobie wszystko i zaczął pojmować skalę przedsięwzięcia Lobsanga – o ile sterowiec spełni jego oczekiwania. Nikt jeszcze nie znalazł metody konstrukcji pojazdu zdolnego do przekraczania ze świata do świata tak, jak to potrafią ludzie – a to tłumiło rozwój jakiegokolwiek handlu wzdłuż Nowej Ziemi. W niektórych częściach Bliskiego Wschodu, a nawet w Teksasie organizowano łańcuchy ludzi przenoszących ropę wiadrami. Jeśli Lobsang rzeczywiście to rozwiązał, sam stając się pojazdem – cóż, stał się jak współczesny twórca kolei; miał zmienić świat, zmienić wszystkie światy. O ile się uda. Koncepcja była wyraźnie eksperymentalna. A Joshua miał popłynąć przez Długą Ziemię w brzuchu srebrzystego wieloryba.

– Poważnie liczysz, że zaryzykuję życie w tym czymś?

– Więcej. Jeśli „to coś" zawiedzie, liczę, że przeniesiesz mnie do domu.

– To szaleństwo.

– Możliwe. Ale zawarliśmy umowę.

Niebieskie drzwi odsunęły się i ku tępemu zdumieniu Joshuy Lobsang ukazał się we własnej osobie – a raczej we własnej jednostce mobilnej.

– Witaj znowu! Pomyślałem, że odpowiednio się ubiorę na start naszej dziewiczej podróży.

Automat był płci męskiej, wysoki i atletycznie zbudowany, z twarzą gwiazdora filmowego i peruką z gęstych czarnych włosów; miał na sobie czarny garnitur. Wyglądał jak woskowa figura Jamesa

Bonda, a kiedy się poruszał – albo, co gorsze, uśmiechał – w żaden sposób nie likwidował wrażenia sztuczności.

Joshua wytrzeszczył oczy i starał się nie roześmiać.

– Hm...? – Automat wyraźnie oczekiwał innej reakcji.

– Przepraszam. Miło poznać cię osobiście...

Pokład zadrżał, kiedy ruszyły silniki. Joshua poczuł się dziwnie podniecony perspektywą lotu – jak mały chłopiec.

– Jak myślisz, co tam znajdziemy, Lobsangu? Sądzę, że wszystko jest możliwe, jeśli dotrzemy odpowiednio daleko. Może nawet smoki?

– Przypuszczam, że możemy się spodziewać wszystkiego, co może istnieć w warunkach tej planety, w ramach ograniczeń praw fizyki, a także należy pamiętać, że planeta nie zawsze była tak spokojna jak obecnie. Na przykład wszystkie stworzenia na Ziemi zostały wykute na kowadle grawitacji, co wpłynęło na ich rozmiary i morfologię. Dlatego jestem raczej sceptyczny co do możliwości spotkania opancerzonych gadów, które latają i zioną ogniem.

– Brzmi to dość nieciekawie.

– Jednakże nie byłbym człowiekiem, gdybym nie wziął pod uwagę pewnego istotnego czynnika, mianowicie tego, że mogę całkowicie się mylić. A to by było bardzo ekscytujące.

– Cóż, przekonamy się. O ile sterowiec rzeczywiście przekroczy.

Syntetyczna twarz Lobsanga wykrzywiła się w uśmiechu.

– Prawdę mówiąc, przekraczamy już od mniej więcej minuty.

Joshua spojrzał w okno i przekonał się, że to prawda. Plac budowy zniknął; musieli w pierwszych krokach wyjść poza plik znanych światów – chociaż słowo „znanych" brzmiało raczej jak żart. Nawet wykroczne Ziemie sąsiadujące z Podstawową ledwie zostały zbadane; ludzie kolonizowali Długą Ziemię ciągnącymi się przez światy wąskimi liniami. Co mogło się ukrywać w głębi lasu...? A Joshua najwyraźniej miał się zagłębić w ten las dalej niż ktokolwiek wcześniej.

– Jak szybko przemieszcza się sterowiec?

– Będziesz przyjemnie zdziwiony, Joshuo.

– Ta technologia zmieni świat, Lobsangu.

– Och, wiem o tym. Do tej chwili Długa Ziemia była zdobywana pieszo. To średniowieczne. Nie, gorzej, bo nie mogliśmy nawet używać koni. Epoka kamienna! Ale naturalnie, nawet piechotą, ludzie wędrują od Dnia Przekroczenia. Marzą o nowym pograniczu, o bogactwach nowych światów…

ROZDZIAŁ 13

Monica Jansson zawsze zdawała sobie sprawę, że obietnica bogactw nowych światów ściągała na Długą Ziemię ludzi podobnych do Jima Russo. Tam raz po raz próbowali szczęścia, a prawo zdawało się niekiedy niczym więcej niż drobną przeszkodą na drodze ich ambicji.

Przy pierwszej wizycie w Portage Wschód 3, dziesięć lat po Dniu Przekroczenia, potrzebowała minuty czy dwóch, już po opanowaniu postkrokowych nudności, by zrozumieć, co wydaje się jej znajome. To nowe Portage miało parowe tartaki z plującymi dymem kominami i kuźnie pachnące gorącym metalem. Słyszała krzyki robotników, syreny parowe, bezustanny stuk kowalskich młotów. Przypominało to sceny z pewnego rodzaju powieści fantastycznych, które czytała jako dziecko. Jasne, w żadnej znanej jej książce nie występowały ekipy robotników, którzy wspólnie zarzucali sobie na ramiona dwunastometrowe belki, a potem znikali. Mogła jednak potwierdzić, że na tym konkretnym świecie firma o skromnej nazwie Spółka Handlowa Długiej Ziemi zmieniała zakątek wykrocznego Wisconsin w steampunkowy park rozrywki.

A oto zjawił się człowiek, który tym wszystkim kierował.

– Sierżant Jansson? Dziękuję, że pani przekroczyła do nas, by obejrzeć moje skromne przedsięwzięcie.

Jim Russo był niższy od niej. Nosił pomięty szary garnitur, miał gładko uczesane włosy w podejrzanie głębokim odcieniu brązu oraz szeroki uśmiech między policzkami, które mogły, choć niekoniecznie, skorzystać z pewnej pomocy, by zachować jędrność. Wiedziała, że Russo ma czterdzieści pięć lat i zdążył już trzy razy zbankrutować, ale zawsze jakoś wracał do gry. Teraz sprzedał własny dom, by zebrać pieniądze na rozruch nowego międzyświatowego przedsięwzięcia.

– Nie musi mi pan dziękować, sir – powiedziała. – Wie pan, że mam obowiązek badać zgłoszone skargi.

– A tak, kolejne anonimowe marudzenia ze strony zatrudnionych. To typowe. – Poprowadził ją po błotnistym gruncie, wyraźnie licząc, że skala operacji zrobi na niej wrażenie. – Chociaż spodziewałbym się raczej wizyty kogoś z komendy w Portage. To miejscowy wydział.

– Pańska firma jest zarejestrowana w Madison.

Poza tym Upiorną Jansson często wzywano do co poważniejszych spraw dotyczących zajść na Długiej Ziemi w regionie Wisconsin.

Przystanęli, by popatrzeć, jak kolejna ekipa tragarzy podnosi ze stosu niewiarygodnie długą belkę. Brygadzista odliczył – „trzy... dwa... jeden..." – i przekroczyli razem, do wtóru cichej implozji.

– Widzi pani, że praca u nas wre, pani sierżant – rzekł Russo. – Zaczynaliśmy z niczym, oczywiście. Z niczym więcej niż to, co mogliśmy przenieść, i bez żadnych żelaznych narzędzi. W tych pierwszych dniach naszym priorytetem były odlewnie, zaraz po tartakach. Teraz mamy zagwarantowany stały dopływ wysokogatunkowego żelaza i stali, a wkrótce zaczniemy budowę parowych kombajnów i transporterów. Wtedy przebijemy się przez te lasy jak gorący nóż przez masło. Całe drewno przekracza z powrotem do Podstawowej, do czekających flot ciężarówek. – Stanęli przed otwartą od frontu drewnianą szopą służącą jako rodzaj salonu wystawowego. – Zaczynamy działać także w innych gałęziach, poza surowcami. Proszę spojrzeć. – Pokazał jej lśniącą mosiądzem strzelbę. – Żadnych żelaznych elementów. Broń przeznaczona na nowe rynki osadników.

Rozejrzał się.

– Wiem, że otwarcie Długiej Ziemi spowodowało recesję gospodarczą, ale to krótkoterminowe zjawisko. Obniżenie dostępności niewykwalifikowanej siły roboczej, spadek wartości pewnych cennych metali... to wszystko minie. Na Ziemi Podstawowej Stany Zjednoczone w ciągu kilkuset lat przeszły od czasów kolonistów do lotów na Księżyc. Nie ma powodów, by tego nie powtórzyć na dowolnej liczbie nowych światów. Osobiście jestem niezwykle podekscytowany. To nowa era, pani sierżant, a ze swoimi produktami i surowcami zamierzam tworzyć jej podstawy.

Podobnie jak setki i tysiące innych, ambitnych i przedsiębiorczych. Jansson wiedziała o tym. Większość z nich była młodsza niż Russo, sprytniejsza, nieobciążona wcześniejszym pasmem porażek, w jego przypadku rozpoczętym od śmiesznie naiwnej próby wydobycia złota z wykrocznej kopii tartaku Suttera – niemal kanonicznego przykładu niezrozumienia ekonomicznej rzeczywistości nowej ery.

– Musi się pan bardzo starać, panie Russo, żeby zrównoważyć osiągane zyski z wymaganiami pańskich pracowników.

Uśmiechnął się swobodnie, przygotowany na tę kwestię.

– Przecież nie buduję tutaj piramid, pani sierżant. Nie chłostam niewolników.

Ale nie prowadzi też fundacji dobroczynnej, pomyślała Jansson. Robotnicy, w większości młodzi i słabo wykształceni, często nie mieli pojęcia, co się dzieje na Długiej Ziemi, dopóki nie zaczynali pracować w takich miejscach jak tutaj. Kiedy tylko docierało do nich, że swoją siłę mogą wykorzystać, aby zbudować coś własnego, starali się dołączyć do jednej z nowo powstających kompanii i wyruszyć na kolonizację nowych Ziemi. Inni pojmowali, że istnieje nieskończenie wiele światów, z których większość nie jest własnością takich jak Jim Russo, i odchodzili w bezgraniczne przestrzenie. Niektórzy po prostu szli i szli, żywiąc się tym, co znaleźli – takie zachowanie nazywano syndromem Długiej Ziemi. I stąd się brały skargi na Jima Russo. Podobno starał się przywiązać swoich robotników, wpisując do kontraktów groźne sankcje, a kiedy odchodzili, słał w pościg wynajętych opryszków.

Nagłe przeczucie podpowiedziało jej, że ten człowiek znowu poniesie klęskę, jak wcześniej. A kiedy wszystko zacznie padać, spróbuje jeszcze wielu nieczystych sztuczek.

– Panie Russo, musimy omówić szczegóły skarg, jakie wpływają przeciwko panu. Czy możemy porozmawiać gdzieś na osobności?

– Oczywiście.

Jansson wiedziała, że wszędzie na pobliskich Ziemiach, w światach, które błyskawicznie zmieniały się w miejsca wyzysku, ludzie marzą o ucieczce i wolności. Czekając na kawę, wśród stosu poczty przychodzącej leżącego na biurku Russo dostrzegła ulotkę – kartkę tandetnie wydrukowaną na marnym papierze. Informowała o powstaniu jeszcze jednej kompanii wyruszającej na zachód. Marzenia o nowym pograniczu – nawet tutaj, w gabinecie tego drobnego biznesmena. Czasami Jansson, która zbliżała się już do czterdziestki, zastanawiała się, czy nie powinna się spakować i też wyruszyć, pozostawiając za sobą Podstawową i coraz bardziej zadymione Niskie Ziemie.

ROZDZIAŁ 14

Marzenia o Długiej Ziemi. Marzenia o nowym pograniczu. Tak, dziesięć lat po Dniu Przekroczenia Jack Green dobrze je rozumiał. Ponieważ były to marzenia jego żony, a Jack obawiał się, że rozbiją jego rodzinę.

1 stycznia, Madison Zach. 5. Zostaliśmy tu w chacie na Nowy Rok po ~~Świentach~~ Świętach w domu, ale musimy wrócić na ~~Posta-wową~~ Podstawową do szkoły. Nazywam się Helen Green i mam ~~jedenacie~~ jedenaście lat. Mama (dr Tilda Lang Green) mówi, że powinnam prowadzić dziennik w notatniku, który dostałam na ~~Gwiastke Gwiaztkę~~ Gwiazdkę od cioci Meryl bo ~~morze~~ może tam nie będzie elektroniki. To ~~wogle~~ w ogóle nie ma słownika, można dostać SZAŁU!

Jack Green ostrożnie przewracał kartki. Dziennik jego córki wyglądał jak gruba książka w miękkich okładkach, choć papier był szorstki, jak zwykle produkowany tutaj, na Zachodniej 5. Jack siedział sam w pokoju Helen, w słoneczne niedzielne popołudnie. Helen grała teraz w softball w Strefie Parkowej Czwartej. Katie też gdzieś wyszła, nie miał pojęcia dokąd. A Tilda na dole rozmawiała z grupką przyjaciół i kolegów, których zdołała przekonać do swojej idei, by sformować kompanię i ruszyć na zachód.

– ...Imperia powstają i upadają. Spójrzcie na Turcję. Dawno temu mieli potężne imperium, a dzisiaj aż trudno w to uwierzyć...

– ...Jeśli należysz do klasy średniej, patrzysz na lewo i widzisz aktywistów, którzy podkopują amerykańskie wartości, a potem patrzysz na prawo i widzisz, jak wolny handel eksportuje nasze miejsca pracy...

– ...Wierzyliśmy w Amerykę. A teraz grzęźniemy w przeciętności, gdy Chińczycy pędzą przodem...

I głos Tildy:

– Koncepcja boskiego przeznaczenia jest historycznie podejrzana, to jasne. Ale trudno zaprzeczyć, że doświadczenia życia na pograniczu miały wielki wpływ na tworzenie amerykańskiej świadomości. A teraz pogranicze otwiera się znowu, dla naszego pokolenia i być może dla niezliczonych kolejnych...

Grupowa dyskusja rozlała się w ogólny gwar. Jack wyczuł apetyczny zapach. Pora na kawę i ciasteczka.

Wrócił do dziennika córki. Wreszcie dotarł do wpisu, gdzie wspomniany był jego syn. Czytał szybko, przeskakując nad błędami ortograficznymi i skreśleniami.

23 marca. Przeprowadziliśmy się do nowego domu w Madison Zachód 5. Latem będzie tu fajnie. Tata i mama na zmianę wracają, bo muszą pracować na Podstawowej i zarabiać pieniądze. I znowu musieliśmy zostawić Roda z ciocią Meryl, bo jest fobikiem [chodziło jej o kogoś z fobią, o nieprzekraczalnego – Jack słyszał już to określenie] i nie może przekraczać. To smutne. Płakałam, kiedy przekraczaliśmy. Rod nie płakał, chyba że potem jak już nas nie było. Napiszę do niego latem i wrócę, żeby się z nim zobaczyć. TO SMUTNE, bo latem jest tu świetnie, a Rod nie może tu być...

– No wiesz... – usłyszał głos żony. – To są prywatne zapiski.

Odwrócił się zawstydzony.

– Wiem, wiem. Ale w naszym życiu nastąpiły ogromne zmiany.

Czuję, że powinienem wiedzieć, co się z nimi dzieje. To chyba ważniejsze niż prywatność, przynajmniej w tej chwili.

Wzruszyła ramionami.

– To twoja ocena.

Podała mu kubek kawy. Potem odwróciła się i stanęła przy wielkim oknie, najlepszym w całym domu, z najmniej zanieczyszczoną szybą, jaką znaleźli wśród lokalnie produkowanego szkła. Spoglądali na Madison Zachód 5, ponad którym właśnie zalegały przedwieczorne cienie. Tilda miała trochę już siwiejące blond włosy ścięte na krótko, a jej sylwetka na tle okna ukazywała pełen gracji łuk szyi.

– Dzień nadal piękny – powiedziała.

– I piękne miejsce...

– Owszem. Prawie idealne.

Prawie idealne. Pod tym określeniem kryła się prawdziwa pułapka na niedźwiedzie.

Madison Zachód 5 rozciągało się w zasadzie w tym samym pejzażu, który na Podstawowej był zdominowany przez jego starszego brata. Tutaj jednak miasto pełne było światła i otwartych przestrzeni, z jedynie drobnym ułamkiem populacji prawdziwego Madison. Trudno zaprzeczyć, że niektóre budynki wyglądały masywnie. Style architektoniczne, jakie rozwinęły się na Niskich Wschodnich i Zachodnich, charakteryzowały się ciężarem. Na dziewiczych światach surowce były tanie jak barszcz, co oznaczało, że budowle i sprzęty stanowiły wariacje na temat kloca. Dlatego ratusz miał ściany grube jak katedra i belki stropu wycięte laserowo z całych pni drzew. Ale było tu sporo elektroniki i innych wygód, lekkich i łatwo importowanych z Podstawowej. Spotykało się godne pionierów chaty z drewnianych bali, z panelami słonecznymi na dachach.

Człowiek jednak nigdy nie mógł zapomnieć, że nie znajduje się na Ziemi – tej Podstawowej. Miasto otaczał szeroki pas parkanów i rowów, które miały nie dopuszczać co bardziej egzotycznych zwierząt – migracyjna wędrówka stada kolumbijskich mamutów spowodowała niedawno pospieszną ewakuację przedmieścia.

W pierwszych latach po Dniu Przekroczenia wiele małżeństw – takich jak Jack i Tilda, mających pracę, dzieci i pieniądze w banku – zaczęło się rozglądać po nowych wykrocznych światach, myśląc o dokupieniu kawałka ziemi, gdzie dzieci mogłyby się bawić. Szybko się przekonali, że Madison Zachód 1, labirynt pospiesznie wznoszonych przybudówek domów i biurowców, za bardzo przypomina kolonię Madison Podstawowego. Na początku Greenowie wynajmowali niedużą chatę na Zachodniej 2, ale wkrótce zaczęło tam wyglądać jak w parku rozrywki. Zbyt dużo organizacji, za blisko domu, a ziemia należała już do kogoś innego.

Szybko odkryli projekt zmierzający do budowy Madison Zachód 5, startującego od zera, zaawansowanego technicznie, przyjaznego ekologicznie i będącego czymś więcej niż kolejnym miastem. Oboje zarazili się entuzjazmem i zainwestowali sporą część oszczędności, by być tam od samego początku. Oboje też przyczynili się do powstania ostatecznej wersji projektu – on jako specjalista od oprogramowania, pracujący przy szczegółach wyposażenia elektronicznego, ona jako wykładowca historii kultury, tworząca nowe formy samorządu i platform społecznościowych. Szkoda tylko, że nie zarabiali tu dostatecznie i musieli wracać na Podstawową do normalnej pracy.

– To przecież nasze miasto – przypomniał. – A jednak tylko „prawie idealne"?

– Aha. Żyjemy w marzeniu. Ale to cudze marzenie. Chcę odnaleźć własne.

– Lecz nasz syn jest fobikiem…

– Nie używaj tego słowa.

– Tak mówią ludzie, Tildo. On nie będzie mógł dzielić z nami tego marzenia.

Wypiła łyk kawy.

– Musimy myśleć o tym, co jest najlepsze dla nas wszystkich. Dla Katie i Helen, nie tylko dla Roda. Takie sprawy nie mogą nas blokować. To wyjątkowa chwila, Jack. Teraz, zgodnie z zasadą egidy i nową ustawą o gospodarstwach rolnych, rząd praktycznie rozdaje ziemię w wykrocznych Amerykach. I ta sytuacja nie będzie trwała wiecznie.

– To czysta ideologia – burknął Jack.

„Nowe Pogranicze" było sloganem zapożyczonym z haseł wyborczych Johna Kennedy'ego. Rząd federalny zachęcał do emigracji do nowych światów wszystkich Amerykanów, a także innych, przy założeniu, że pod egidą Ameryki człowiek będzie przestrzegał amerykańskiego prawa i płacił amerykańskie podatki: stanie się Amerykaninem.

– Rząd federalny chce mieć pewność, że wszystkie te wykroczne wersje Stanów Zjednoczonych będą skolonizowane przez nas, zanim wkroczy tam ktoś inny – ciągnął Jack.

– Nic w tym złego. Taki sam impuls napędzał dziewiętnastowieczną ekspansję. Oczywiście, intelektualnie to ciekawe, że większość Amerykanów decyduje się ruszać na zachód, chociaż to tylko umowna nazwa, bez żadnego związku z geograficznym zachodem. Podobnie, jak słyszałam, większość chińskich emigrantów kieruje się na wschód.

– Chryste, przecież sama podróż zajmie całe miesiące. I wszystko to dla szansy, żeby rzucić nasze dzieci w niecywilizowaną dzicz. Zresztą jaki będzie tam pożytek z programisty? Albo wykładowcy historii kultury?

Uśmiechnęła się ciepło. Doprowadzała go do szału; widział, że nie traktuje go poważnie.

– Cokolwiek powinniśmy wiedzieć, nauczymy się. – Odstawiła kawę i przytuliła się do niego. – Myślę, że powinniśmy to zrobić, Jack. To nasza szansa. Szansa dla naszego pokolenia. Dla naszych dzieci.

Naszych dzieci, pomyślał. Wszystkich oprócz biednego Roda. Oto jego żona, jedna z najinteligentniejszych osób, jakie znał, z głową pełną idei, myśli o przeznaczeniu Stanów Zjednoczonych i ludzkości, a jednocześnie godząca się na porzucenie własnego syna.

Oparł policzek o jej siwiejące włosy i zastanowił się, czy kiedykolwiek ją zrozumie.

ROZDZIAŁ 15

Marzenia o Długiej Ziemi, wszędzie, na całym starym świecie... Niektóre marzenia były nowe, a równocześnie bardzo, bardzo stare...

Kumple siedzieli niedaleko samochodu, głęboko schowani w buszu, popijali piwo i snuli rozważania o zmieniającym się świecie i pudełkach krokowych – wszyscy je sobie zrobili, leżały teraz na czerwonym piasku. W górze środkowoaustralijskie niebo było tak pełne gwiazd, że niektóre musiały czekać na swoją kolejkę, by zamrugać.

Po chwili ktoś rzekł posępnie:

– Coś pazurami wyrwało flaki Jimbowi i został taki, podobny do dłubanego kanu. Wiecie o tym, nie? To żaden dowcip. Glina też tam poszedł i wrócił bez twarzy!

Billy, który zwykle się nie odzywał, dopóki nie zastanowił się chwilę – mniej więcej tydzień – odpowiedział:

– To są rzeczy z czasu śnienia, koleś, tak jak było, zanim przybyli tu nasi przodkowie. Nie pamiętasz, co nam mówił kiedyś ten gość od nauki? Wykopali tu kości takich wielkich, ogromnych zwierzaków, dużych jak nie wiem! Wielkie, powolne jedzenie, ale z wielkimi, bardzo wielkimi zębami. Wszystkie te nowe światy pod tym samym niebem! I żadnego człowieka tam nie uświadczysz, tak? Jak ten świat, zanim go spieprzyli. Pomyśl tylko, co moglibyśmy zrobić, gdybyśmy tam poszli!

– Jasne, koleś – powiedział ktoś z drugiej strony ogniska. – Moglibyśmy go spieprzyć jeszcze raz. A ja tam lubię swoją głowę z przyczepioną twarzą.

Zabrzmiały śmiechy. Jednak Albert odparł z powagą:

– Wiecie, co się stało? Nasi przodkowie wybili je wszystkie do nogi, wybili i zjedli. Wytłukli wszystko oprócz tego, co mamy teraz. Ale przecież nie musimy tego robić, nie? Mówią, że świat tam jest taki sam jak tutaj, tylko nie ma żadnych chłopów, żadnych kobiet, żadnych policjantów, żadnych miast, żadnych pistoletów, tylko ziemia, raz za razem. Wodna dziura tutaj jest wodną dziurą tam, cała gotowa. I czeka na nas.

– Nie, wcale nie. Tamta wodna dziura jest pół kilometra stąd.

– Całkiem blisko. Wiesz, o co mi chodzi. Czemu nie spróbujemy, chłopaki?

– Niby tak, ale to jest nasz kraj. Ten tutaj.

Albert pochylił się i oczy mu błysnęły.

– Tak, ale wiecie co? Tamte też są. Wszystkie! Słyszałem, jak gadali ci od nauki. Każda skała, każdy kamień, wszystko tam jest! To prawda!

* * *

Rankiem wszyscy członkowie grupy, lekko skacowani, rzucili monetą, żeby wybrać tego, który spróbuje.

Billy wrócił pół godziny później, rzygając jak kot. Pojawił się znikąd. Podnieśli go więc, dali się napić wody i czekali. Po chwili otworzył oczy.

– To prawda – oznajmił. – Tylko że pada tam jak cholera.

Spojrzeli po sobie.

– No tak – rzekł któryś. – Ale co z tymi bestiami, co o nich słyszałem, co żyły za dawnych czasów? Kangi z zębami! Wielkie jak diabli! I takie wielgachne stwory z pazurami!

Przez chwilę trwała cisza, którą przerwał Albert.

– Niby że nie jesteśmy tacy dobrzy jak nasi przodkowie? Oni załatwili drani! To my nie damy rady?

Nastąpiło szuranie nogami.

Wreszcie Albert się zniecierpliwił.

– No to ja jutro odchodzę tam na dobre. Kto ze mną? Wszystko tam jest, chłopaki. Wszystko tam na nas czeka, od zarania.

* * *

Pod koniec następnego dnia linie pieśni zaczęły się wydłużać, gdy nigdy-nigdy z wolna zmieniało się w zawsze-zawsze. Chociaż czasami chłopcy wracali na piwo.

Potem były już osady, owszem, nieznane osady, i nowe style życia, połączenie starego z nowym, kiedy stare sposoby gładko splatały się z nowymi. Jedzenie też było dobre.

A jeszcze później badania wykazały, że w wielkiej postPrzekroczeniowej migracji Ziemię Podstawową opuścił na stałe większy procent australijskich Aborygenów niż jakiejkolwiek innej grupy etnicznej na planecie.

ROZDZIAŁ 16

Fragmenty Dziennika Helen Green, bardzo ~~upszejmie~~ uprzejmie poprawione przez tatusia, czyli pana J. Greena:

Oto historia o tym,
jak rodzina Greenów
wędrowała przez Długą Ziemię
do naszego nowego domu.

11 lutego 2026. Dziś lecieliśmy helikopterem, bomba! Mamy zacząć z Richmondu Zachód 10, to znaczy Richmondu w ~~Wiri= ni~~ Wirginii, bo trzeba wędrować od południa tego całego lodu w światach z epoki lodowcowej, więc wróciliśmy na Podstawową i polecieliśmy do Richmondu helikopterem! Ale w Chicago musieliśmy się pożegnać z Rodem i to było smutne, smutne…

Jako specjalista od oprogramowania Jack Green dużo podróżował, a w ostatnich latach podróże stały się o wiele ciekawsze. Długie geograficznie trasy wszyscy pokonywali na Ziemi Podstawowej, z jej rozwiniętą siecią transportu. Kroker mógł przenieść człowieka o tysiąc światów dalej, ale ani kawałka w bok. Dlatego też transport stał się jednym z kilku przeżywających boom elementów tonącej w kryzysie gospodarki. Ziemia Podstawowa, prawdę mówiąc, zaczynała przypominać skrzyżowanie dróg Długiej Ziemi.

Dlatego człowiek nigdy nie był pewien, kogo może spotkać na następnej stacji kolejowej. Pionierów, którzy wracali, żeby kupić nowy komplet narzędzi z brązu i wyleczyć zęby. Technicznych hippisów wymieniających kozi ser na maść przeciwko zapaleniu wymion. Raz kobietę ubraną jak Pocahontas, radośnie ściskającą białą ślubną suknię w celofanowym opakowaniu; cała opowieść kryła się w jej uśmiechu. Ludzie żyjący po nowemu tłoczyli się razem na Ziemi Podstawowej, przynajmniej na czas trwania swych podróży.

Więc w tym ostatnim przeskoku do Richmondu Tilda i Jack postanowili ofiarować dziewczynkom lot helikopterem. W przyszłości miały jeździć wozem zaprzężonym w woły albo pływać dłubanką. Czemu więc nie miałyby nacieszyć się techniką, póki jeszcze mogą?

Poza tym dzięki temu przestały myśleć o smutnej scenie na helipadzie, gdzie musieli się pożegnać z Rodem. Meryl, siostra Tildy, zgodziła się wziąć chłopca do siebie, ale nie kryła dezaprobaty dla faktu, że rodzina się rozpada. Rod zaś, zaledwie trzynastoletni, wydawał się obojętny. Jack podejrzewał, że wszyscy odczuli ulgę, kiedy śmigłowiec wreszcie wystartował; zobaczył uniesioną małą buzię chłopca, krótko ścięte blond włosy, tak podobne do włosów matki, a potem byli już w drodze i dziewczynki piszczały z radości.

* * *

Richmond Zachód 10 czerpał dochody z faktu, że był punktem startowym wypraw zmierzających do wykrocznych wersji wschodnich Stanów Zjednoczonych, w tym również kompanii Tildy. Jack nie miał pojęcia, czego powinien się spodziewać.

Teraz stał na ulicy z ubitej ziemi, wśród szachownicy domów zbudowanych z ciężkich bali, desek, a nawet grud ziemi. Ręcznie malowane szyldy informowały, że przy głównej ulicy stoją kościoły, banki, zajazdy i hotele oraz składy oferujące żywność, odzież i inne elementy wyposażenia wypraw, które stąd wyruszały. Amerykańskie flagi zwisały z masztów i z dachów, a między nimi także kilka flag Konfederacji. Wokół kręcili się ludzie – w części czyści

nowi przybysze, noszący jaskrawe tkaniny syntetyczne, jak Greenowie właśnie, ale w większości ubrani w wytartą odzież „pionierów":
gęsto łatane kurtki i spodnie, a nawet płaszcze i peleryny z ręcznie
wyprawianej skóry. Wszystko to naśladowało dawne czasy, kiedy
Richmond Podstawowy był ośrodkiem wymiany futer, skór i tytoniu
na skraju pustego jeszcze kontynentu.

Jack Green czuł się jak na planie staroświeckiego westernu
– i całkiem nie na swoim miejscu. Potarł dłonią brzuch, by uspokoić
postkrokowe mdłości.

Zajazd Preriowy Marmur otrzymał swą nazwę od tego, z czego
został w większości zbudowany: „preriowego marmuru", czyli gliny
ułożonej na drewnianej ramie. Był mroczny, wilgotny, ale pełen
klientów. Kobieta za kontuarem poinformowała, że reszta ich grupy
zebrała się w „sali balowej", która okazała się stodołą z topornymi
drewnianymi meblami ustawionymi na tanim dywanie. Zebrało się
tu około setki ludzi, w większości dorosłych – jedynie kilkoro dzieci
i niemowląt. Przemawiał jakiś mężczyzna, energiczny typ z wielką grzywą jasnych, siwiejących włosów. Wygłaszał coś w rodzaju
wykładu o potrzebie ustalenia dyżurów. Kilkoro innych obejrza-
ło się na nowo przybyłych: niektórzy czujnie, inni z nieśmiałymi
uśmiechami.

Tilda uśmiechnęła się w odpowiedzi.

– Z większością tych ludzi kontaktowałam się w sieci, kiedy to
wszystko ustalaliśmy. Ale nigdy nie spotkałam ich osobiście…

Jack uświadomił sobie, że to mogą być ludzie, z którymi przyjdzie mu spędzić resztę życia. Ludzie całkiem obcy. Sprawy organiza-
cyjne zostawił Tildzie, ale wiedział, że stworzenie sprawnej kompanii na wędrówkę wymaga sporego talentu. W Richmondzie działali
profesjonalni kapitanowie, którzy prowadzili takie grupy, działali
tragarze, przewodnicy i zwiadowcy – nietrudno było ich znaleźć
i zatrudnić. Jednak jądro grupy stanowili ludzie, którzy zamierzali
osiedlić się w jednym miejscu, o sto tysięcy światów stąd. Potrzebne były wzajemnie się dopełniające umiejętności: krawcy i cieśle,
bednarze i kowale, kołodzieje i budowniczowie młynów, tkacze

i stolarze. Lekarze, naturalnie – dentysta, jeśli uda się go znaleźć. Tilda, kiedy odrzuciły ją pierwsze kompanie, do których się zwróciła, uzupełniła wykształcenie, stając się historykiem i nauczycielem. Jack wybrał umiejętności rolnicze – uznał, że fizycznie temu podoła – oraz pewną kompetencję w zakresie podstaw medycyny.

Teraz, kiedy spojrzał na nowych towarzyszy, spostrzegł, że w większości są jak on i Tilda. Różnorodni etnicznie, ale wszyscy żyjący w dobrobycie, entuzjastyczni, trochę wystraszeni – wyruszający w nieznane reprezentanci klasy średniej. Tak się przedstawiał typowy profil pioniera Długiej Ziemi, taki sam jak – według Tildy – na dawnym Dzikim Zachodzie. Najbogatsi nigdzie się nie ruszali, bo zbyt wygodnie żyli na Podstawowej, by z tego zrezygnować. Podobnie jak zbyt biedni, przynajmniej w takich zorganizowanych zespołach jak ten, ponieważ nie mieli środków, by opłacić wyprawę. Nie, na zachód wyruszała klasa średnia, zwłaszcza ludzie zaniepokojeni kryzysem gospodarki światowej.

Ten gaduła nazywał się Reese Henry, jak zrozumiał Jack. Był kimś w rodzaju handlowca, a w wolnych chwilach fanem sztuki przetrwania. Zakończył już temat harmonogramu korzystania z latryn.

– Po raz kolejny młodzi Amerykanie wyruszają na pustkowia, do miejsc, gdzie nie palą się uliczne latarnie. Gdzie na drugim końcu połączenia komórkowego nie czeka policjant. Zurbanizowani, usieciowieni, cywilizowani, rozpieszczeni i zadbani, wracamy teraz do natury w stanie czystym. – Uśmiechnął się szeroko. – Panie i panowie, witam na powrót w rzeczywistości.

ROZDZIAŁ 17

Jedyny księgarz w Richmondzie Zachodnim 10 cieszył się każdą książką, którą sprzedał wędrującym przez miasto przyszłym pionierom. Książki były drukowane na papierze, co do sztuki. Technologia martwych drzew! Informacja, która – starannie przechowywana – przetrwa tysiąclecia! I nie wymaga baterii. Powinni to zamieszczać w reklamach, pomyślał.

Gdyby Humphrey Llewellyn III mógł postawić na swoim, każda książka, jaka kiedykolwiek powstała, byłaby uznana za niezwykle cenną, a przynajmniej jeden egzemplarz zostałby oprawiony w skórę i ilustrowany przez mnichów (lepiej – przez nagie zakonnice; upodobania kierowały go raczej w tę stronę). Teraz więc, miał nadzieję, pojawiła się szansa, by ludzkość znowu wróciła na łono trzódki miłośników książek. Tryumfował. Na tych nowych światach wciąż nie było elektroniki. I gdzie się teraz podział wasz internet? Ha... Gdzie są Google? Gdzie stary kindle waszej matki? Gdzie wasze iPady25? Co z Wygłupedią? (Wygłupedia – zawsze bardzo pedantycznie tak ją nazywał, żeby zaznaczyć swoje lekceważenie. Mało kto zwracał na to uwagę). Wszystkie zniknęły, niewierni! Wszystkie te zabawki poupychane w szufladach, z ekranami zgasłymi niczym oczy trupów, zostały daleko w tyle.

Książki – o tak, prawdziwe książki – płynęły szerokim strumieniem z jego półek. Tam, na Długiej Ziemi, ludzkość na nowo zaczynała w epoce kamiennej. Musiała poznać dawne rozwiązania.

Musiała się dowiedzieć, co jeść, a czego unikać. Musiała się nauczyć, jak budować zewnętrzne wygódki i jak nawozić pola odchodami ludzkimi i zwierzęcymi w bezpiecznych proporcjach. Jak się buduje studnie i szyje buty. Owszem, ludzkość potrzebowała wiedzy o tym, jak szukać rudy żelaza, ale też jak uzyskać grafit i jak wyprodukować atrament.

Prasy drukarskie Humphreya pracowały dzień i noc, wypuszczając mapy geologiczne i plany, popularnonaukowe książki i almanachy. Odzyskiwały dla zadrukowanych stron wiedzę, która została niemal utracona.

Pogładził tom oprawny w gładką skórę. Pewnie, prędzej czy później cała ta wiedza raz jeszcze będzie ryzykownie uwięziona przez elektryczność. Ale teraz książki już za długo czekały cierpliwie i ich czas nadszedł.

* * *

W innej części Richmondu Zachodniego 10 trwał rodzaj giełdy pracy, gdzie kompanie starały się znaleźć fachowców na pozostałe im jeszcze wolne miejsca. Franklin Tallyman ostrożnie przeciskał się przez tłum, niosąc nad głową plakat. Dzień był gorący i żałował, że nie wypił więcej wody.

Zbliżyła się do niego niewielka grupka kierowana przez mężczyznę w średnim wieku.

– Pan Tallyman, kowal? W Preriowym Marmurze widzieliśmy pańskie résumé.

Kiwnął głową.

– Tak, drogi panie, to ja.

– Szukamy kogoś, kto uzupełniłby naszą kompanię. – Mężczyzna wyciągnął rękę. – Nazywam się Green, Jack Green. A ten dżentelmen to pan Batson, nasz kapitan. Tallyman… czy to karaibskie nazwisko?

– Nie, to raczej karaibska nazwa zawodu… Coś w rodzaju akwizytora, sprzedawcy na raty… Tak słyszałem. Mogę się mylić, nigdy nie byłem na Karaibach. Urodziłem się w Birmingham. Tym w Anglii, nie w Alabamie. Oryginalnym i najlepszym. – Nie doczekał się reakcji. – Więc widzieli państwo moje ogłoszenie?

– Naprawdę umie pan robić to wszystko, co pan tam napisał? – spytała kobieta z zatroskaną miną. – Wytapiać brąz? Czy w ogóle ktoś to dzisiaj robi?

– Tak, proszę pani. Jeszcze na Zachodniej 1 przez cztery lata terminowałem u kowali, którzy znają się na swoim fachu. Co do żelaza, to startując od zera, potrzebuję tylko rudy. Umiem zbudować własną kuźnię, własne palenisko, umiem wyciągać drut. Przy okazji, znam się nieźle na elektryce, dajcie mi tylko koło wodne, a zapewnię kolonii elektryczność. Aha, jeszcze broń: dam radę zrobić przyzwoity muszkiet. Nie może konkurować z nowoczesnymi konstrukcjami, ale do polowania wystarczy.

Zaczynał się rozgrzewać.

– Szukam zatrudnienia na trzy lata. Zgodnie z regulacjami terytoriów pod egidą USA, pod koniec trzeciego roku będę miał amerykańskie obywatelstwo. A wy, panie i panowie, będziecie daleko wyprzedzać krzywą rozwoju. – Wyciągnął notes i otworzył na zaznaczonej stronie. – A tyle mi zapłacicie.

Przyszli obywatele Nowego Pogranicza syknęli zaskoczeni. Po chwili odezwał się Green:

– Czy kwota podlega negocjacjom?

– Niestety, tylko w górę. Możecie złożyć depozyt w Funduszu Pomocy Pionierom. Aha, i jeśli chcecie, żebym wyszkolił ucznia, będzie to kosztowało więcej, bo zwykle są większym obciążeniem niż pomocą.

Uśmiechnął się, widząc zwątpienie na ich twarzach. Uznał, że to nie pora na twardą postawę. Wydawali się przyzwoitymi ludźmi – normalną grupą, która postanowiła kroczyć ku zachodowi w towarzystwie podobnych sobie, szukając miejsca, by się osiedlić, miejsca, gdzie można ufać sąsiadom, na świecie, gdzie powietrze jest czyste i można zacząć od nowa, szukając lepszej przyszłości. Nawet ich dzieci wydawały się bystre jak strumyk.

– Proszę mnie posłuchać, panie Green. Ja też odrobiłem pracę domową. Widziałem prospekt waszej kompanii i wiem, że dobrze przemyśleliście tę wyprawę. Macie własnego medyka, cieślę, chemika... Podoba mi się wasz styl. Wasza oferta nie będzie jedyną, jaką dzisiaj otrzymam, ale sprawiacie wrażenie ludzi solidnych, z głowami na właściwych miejscach. Pójdę z wami, jeśli mnie zechcecie. Więc jak, dogadamy się?

Dogadali się.

Tej nocy Franklin spakował torby i skrzynkę nieżelaznych narzędzi. Teraz musiał tylko pilnować, by zachować swój sekret na czas podróży, a to znaczyło, by absolutnie nie próbować przekraczania bez ziemniaka w krokerze.

W sieci słyszał o ludziach naturalnie zdolnych do przekraczania. Potem, jeszcze na Zachodniej 1, pewnej nocy sprawdził – tak na próbę – czy uda mu się z wyjętym z aparatu ziemniakiem, bez zasilania. I był zdumiony, kiedy się udało. Choć to dziwne, nadal jednak potrzebował krokera: musiał nacisnąć przełącznik, usłyszeć pstryknięcie. Okazało się, że tylko wtedy mógł przekroczyć. Niesamowite.

Owszem, słyszał opowieści o takich ludziach jak on. I inne opowieści, o pobiciach takich ludzi. Jakby byli dziwolągami sprzecznymi z naturą. Dlatego podczas wędrówki trzymał się na osobności, co jakiś czas umieszczał w pudełku świeży ziemniak, udawał nudności i całą resztę. Nie było to takie trudne, kiedy już się przyzwyczaił.

Chociaż często się zastanawiał, jak wielu z tych wokół niego też udaje.

Tej nocy spał dobrze, śniąc o gorących paleniskach i dalekich wzgórzach.

ROZDZIAŁ 18

Dzień trzeci (od Richmondu Zach. 10)
To już trzy dni. Ale kapitan Batson mówi, że będziemy potrzebowali stu na pokonanie Pasa Lodowego. Potem przez całe miesiące będziemy podróżować przez Pas Górniczy, cokolwiek to znaczy. Tam, dokąd zmierzamy, musimy dotrzeć, zanim nadejdzie zima. A zima przychodzi w tym samym czasie na wszystkich światach.

Wykonujemy jedno przekroczenie na minutę przez mniej więcej sześć godzin dziennie. Bierzemy pigułki, żeby ciągle nie wymiotować, ale i tak nie jest łatwo. Starają się nas prowadzić przez miejsca, gdzie poziom gruntu nie zmienia się zbytnio między światami. Mocno potrząsa, kiedy się spada w dół, a w ogóle nie można przekroczyć, jeśli stopy miałyby się znaleźć dziesięć centymetrów pod ziemią. Ale to naprawdę niezły widok, kiedy dwieście osób z plecakami i sprzętem znika w mgnieniu oka i tak samo nagle się pojawia w następnym świecie, a potem znowu i znowu.

Brakuje mi internetu.

Brakuje mi mojej komórki!!!

Brakuje mi szkoły. A w każdym razie niektórych osób ze szkoły. Innych nie.

BRAKUJE MI RODA. Chociaż bywał takim dziwolągiem.

Brakuje mi bycia cheerleaderką.

Tato mówi, że powinnam napisać też o tym, co mi się podoba. Bo inaczej dziennik nie będzie przyjemną lekturą dla jego wnuków. Wnuków? Może sobie pomarzyć.

Dzień piąty
Lubię biwaki.
Ćwiczyliśmy trochę biwakowanie na Zachodniej 5 i jeszcze na kursach pionierskich, ale tutaj jest o wiele ciekawiej.

Po dwóch dniach zaprzyjaźniliśmy się z inną rodziną, Doakami. Mają czworo dzieci, dwóch chłopców i dwie dziewczynki, które mają na imię Betty i Marge. Śpię w namiocie z dziewczynkami; to tak jakbym codziennie zostawała na noc u koleżanek.

Umiem rozpalić ognisko. Mam lupę, żeby rozniecić płomień, wiem o hubce i podpałce, i jakie drewno pali się najlepiej. Potrafię znaleźć różne rzeczy do jedzenia: zioła, korzonki i grzyby. A także orzechy i owoce, ale nie jest na nie sezon. Potrafię przygotować linkę na ryby ze starego sznurka, a nawet łodyg pokrzywy. Wiem, gdzie szukać ryb. Fajnie.

Dzisiaj pan Henry nam pokazał, jak przygotować w rzece pułapkę na pstrągi. Trzeba odgrodzić coś w rodzaju sadzawki, pstrągi do niej wpływają i nie mogą uciec. Pan Henry uśmiecha się, kiedy tłucze ryby pałką. Mam ochotę płakać. Pan Henry mówi: Młodzi muszą się uczyć.

Marge Doak też była cheerleaderką. Razem ćwiczymy figury.

Dzień ósmy
Wczoraj trafiliśmy na pokrywę lodową.
Wędrujemy szlakiem. Są tu znaczniki i wszystko inne: małe kamienne kopczyki i słupy mówiące, na którym numerze świata jesteśmy, jak na autostradzie. Są nawet małe skrzynki, do których można włożyć pocztę, żeby zaniesiono ją na wschód albo zachód, zależy, kto akurat przechodzi.

I tak dotarliśmy do znaku głoszącego: TERAZ LÓD! W ciągu pierwszego dnia czy dwóch przekroczyliśmy kilka światów z epoki lodowcowej, ale pojedynczych, więc można było zwyczajnie przez nie przeskoczyć. Teraz dotarliśmy do całego pasa. Wszyscy musieliśmy się zatrzymać, a tragarze rozdali nam arktyczne kurtki i spodnie, narciarskie maski i wszystko inne. Następnego ranka kapitan Batson kazał nam się powiązać linami w grupy ośmiu do dziesięciu osób i sprawdzić, czy wszystkie małe dzieci są dobrze otulone w swoich nosidełkach, żeby żadne palce im nie wystawały.

Przekroczyliśmy i słońce świeciło oślepiająco, a na błękitnym niebie nie zauważyłam nawet chmurki. Lodu też nie było dużo, ale zamarznięta ziemia pod nogami wydawała się twarda jak skała. A potem poczułam mróz, jakby małe igiełki kłujące po policzkach.

Przekraczaliśmy dalej i dalej. Kolejne zimowe światy. Czasami wychodziliśmy we mgłę albo zamieć. Kiedy indziej było trochę cieplej i grunt stawał się błotnisty, więc chodząc, zostawialiśmy w nim ślady, i rosły tam takie dziwne karłowate drzewa, całkiem powyginane. I meszki! Zobaczyłam wielkiego jelenia z rogami jak kandelabry (tato sprawdził mi to słowo). Bill Doak twierdzi, że widział włochatego mamuta, ale nikt nie wierzy w ani jedno jego słowo.

Musieliśmy polecieć tak daleko na południe, do Richmondu, żeby stamtąd ruszyć na zachód, ponieważ Ziemia Podstawowa leży w środku Lodowego Pasa, całej grupy światów, gdzie trwa epoka lodowcowa. Trzeba zaczynać na południe od pokrywy lodu, żeby się dało przekraczać. Ale nawet z daleka od czap lodowych mróz panuje wszędzie.

Niektórzy zawrócili po pierwszej nocy na zimnie. Powiedzieli, że nikt ich o tym nie uprzedzał, chociaż oczywiście byli uprzedzeni i powinni uważać.

Dzień dwudziesty piąty
Nocami trzeba się pakować do małych namiotów. Trochę się robi ciasno. W końcu to obcy ludzie. Marge Doak jest w porządku, ale Betty ciągle dłubie w zębach. I chrapie.

Mama pokłóciła się z panem Henrym, który twierdzi, że kobiety powinny gotować i sprzątać. Kapitan Batson mówi, że pan Henry nie dowodzi, ale tato zauważył, że w oczy mu tego nie powiedział.

Kłopoty i tarcia, tralala...

Dzień czterdziesty trzeci

Ciągle zapominam, żeby zapisywać różne rzeczy. Za bardzo jestem zmęczona. A poza tym za dużo się dzieje.

Pośrodku tych lodowych światów trafiają się takie łagodniejsze, całkiem jak dom – światy interglacjalne (tato sprawdził). I te interglacjalne światy są PEŁNE różnych zwierząt. Widziałam wielkie stada różnych takich jakby koni, śmiesznych z wyglądu krów, antylop i wielbłądów. Wielbłądów! Tato mówi, że podobne zwierzęta żyły pewnie w Ameryce, zanim przyszli ludzie. Są też wilki. Kojoty. Łosie. Kuliki. Niedźwiedzie! Grizzly chodzą po lasach, mówi kapitan Batson, więc trzymamy się z dala od drzew. I wszędzie węże, cały czas trzeba uważać. Wrony, kruki, sępy, sowy. Za dnia słychać ptaki, w nocy rechotanie żab i brzęczenie komarów, jeśli zatrzymamy się w pobliżu wody. Czasami udaje się coś upolować: królika, kaczkę, nawet antylopę.

I są tu pancerniki, ale wielkie, nie takie jak w zoo. Tato mówi, że mogły przywędrować z Ameryki Południowej, gdzie ewoluowały. Podobno ludzie widzieli w Ameryce małpy. Czasami kontynenty się łączą i zwierzęta przechodzą z jednego na drugi, a czasami nie. Nikt tak naprawdę nie wie. Nikt nie ma mapy żadnego z tych światów.

Na niektórych nie ma żadnych drzew – wtedy musimy zbierać „bawole odpadki" na opał. Nawóz! Pali się dobrze, ale możecie sobie wyobrazić ten smród!

Niekiedy pojawiają się dziwaczne światy, gdzie wszystko wygląda jak popiół albo jak pustynia. Tylko pojedynczy świat. Zwykle stoją znaki ostrzegawcze, jeśli przekroczenie jest niebezpieczne, więc musimy zakładać kapelusze albo osłaniać usta filtrami. Kapitan Batson nazywa te światy jokerami.

Czasami spotykamy miejsca, gdzie widać, że byli wcześniej ludzie. Zrujnowane szałasy, spalone tipi. Nawet krzyże w ziemi.

Na Długiej Ziemi, jak mawia kapitan Batson, liczenie na szczęście nie przynosi szczęścia.

Dzień sześćdziesiąty siódmy

Ben Doak się pochorował. Napił się wody z sadzawki, której nie sprawdziliśmy. Woda jest często zatruta siuśkami bawołów. Wpompowali w niego masę antybiotyków. Mam nadzieję, że wyzdrowieje. Kilka osób już chorowało, ale nikt nie umarł.

Więcej ludzi postanowiło wrócić. Kapitan Batson stara się ich przekonywać, ale pan Henry śmieje się z nich i nazywa słabeuszami. Nie uważam za słabość tego, że ktoś umie się przyznać do błędu. To też wymaga siły, moim zdaniem.

Musimy wyglądać bardzo dziwnie dla tych wszystkich zwierząt, które tu żyją i pewnie nigdy nie widziały człowieka. Jakie mamy prawo przechodzić tędy i wszystko mieszać?

Dzień sto drugi

Wyszliśmy z Pasa Lodowego. I mamy tylko dwa dni opóźnienia.

Dziwnie jest sobie uświadomić, że pokonaliśmy trzydzieści sześć tysięcy światów, ale w poziomie przebyliśmy odległość zaledwie paru kilometrów. W każdym razie teraz planujemy solidną podróż przez ten konkretny świat: kilkaset kilometrów na północ, do stanu Nowy Jork. Potem przekroczymy następne sześćdziesiąt tysięcy światów, mniej więcej, aż dotrzemy do miejsca, gdzie chcemy się osiedlić.

Myślałam, że będziemy musieli iść na piechotę, ale nie. Jest tutaj normalne miasto, no, miasteczko raczej, i centrum handlowe. Mogliśmy wymienić nasz sprzęt z Pasa Lodowego na rzeczy bardziej odpowiednie dla światów Pasa Górniczego.

I czekała na nas prawdziwa karawana. Z wielkimi, krytymi wozami – tato mówi, że to conestogi. Wyglądają jak łodzie na kołach, zaprzężone w konie – dosyć śmieszne konie, ale konie z całą pewnością. Mają tu kuźnię i wykuwają żelazo, a wozy mają na kołach opony podobne do samochodowych. Kiedy je zobaczyliśmy, wszyscy zaczęli krzyczeć i wiwatować, i pognali do nich pędem. Conestogi! Ciekawe, czy jazda będzie fajniejsza od lotu helikopterem.

Dzień sto dziewięćdziesiąty dziewiąty

Jesteśmy na Ziemi Zachodniej Siedemdziesiąt Tysięcy z Drobnymi, jak by to powiedział tato. Piszę wczesnym rankiem, zanim zwiniemy obóz. Wczoraj wieczorem dorośli nie kładli się do późna, bo się kłócili o podział obowiązków. Ale kiedy oni warczą na siebie na grupowych naradach, my, dzieciaki, możemy się wymknąć, choćby na chwilę.

To nie znaczy, że robimy coś złego. No, zwykle nie. Zwykle...

(Przerwa na namysł. Szukanie słowa).

...obserwujemy. Właśnie. Obserwujemy. Wiem, tato się denerwuje, że zmieniamy się w zombi, bo nie mamy tu żadnych zajęć oprócz obowiązków obozowych i nauki, którą próbują nam wmusić. Ale to nie tak. Obserwujemy i nic nas nie rozprasza. Dlatego jesteśmy tacy spokojni. Nie dlatego, że mózgi nam się zmieniają w papkę. Dlatego, że obserwujemy.

I widzimy to, czego dorośli nie widzą.

Różne bardzo dziwne rośliny i zwierzęta, które nie pasują do żadnej książki o ewolucji, jaką czytałam.

Światy jokery wśród tych nudnych, suchych światów Pasa Górniczego. Dorośli uważają, że w większości są martwe. Nie są. Możecie mi wierzyć.

No i Szarzy.

Tak ich nazywamy, chociaż są żółci. Wyglądają jak małe owłosione dzieci, ale kiedy się zobaczy któregoś z bliska i zobaczy sprzęt w tych żółtych kroczach... wierzcie mi – to nie są dzieci. I mają wielkie oczy, jak obcy w kreskówkach. Migoczą wokół obozowiska. Są i znikają. Przekraczają, to jasne.

Zwierzęta, które potrafią przekraczać!

Długa Ziemia jest bardziej niezwykła, niż ktokolwiek podejrzewa. Nawet tato. Nawet kapitan Batson. Nawet pan Henry.

Zwłaszcza pan Henry.

Dzień dwieście osiemdziesiąty pierwszy

Czy to listopad? Tato będzie wiedział.

Dotarliśmy!

Dotarliśmy na Ziemię Zachodnią 100 000 – albo na Starą Dobrą Sto K, jak ją nazywają doświadczeni pionierzy. Początek Pasa Uprawnego.

Stara Dobra Sto K ma sklepik z pamiątkami. Sprzedają koszulki i kubki z hasłem „Przekroczyłem aż do Starej Dobrej Sto K". Ale na metkach jest napis „Made in China".

Światy zmieniały się po trochu. Były zieleńsze. Wilgotniejsze. Miały inne zwierzęta. A co najważniejsze: drzewa. Drzewa i drewno – tego trzeba przede wszystkim, żeby zbudować kolonię i miasto, i całą resztę. Dlatego musieliśmy tak daleko wędrować. W Pasie Górniczym jest za mało drzew. Tutaj mamy prerię, deszcze i drzewa; to dobre tereny rolnicze. Nikt nie wie, jak daleko sięga Pas Uprawny. W każdym razie mnóstwo tu miejsca i nie widać, żeby szybko miało się zapełnić.

No więc jesteśmy. Aby pokazać, że to już tutaj, mają za sklepem kilka pól uprawnych pokrytych ścierniskiem, na którym pasą się owce. Całkiem jak w domu. Owce! Tato mówi, że to potomstwo małych owieczek, które przekraczający ludzie musieli nieść na rękach z Ziemi Podstawowej, ponieważ lokalne owce nie występują w Ameryce Północnej na żadnym z odkrytych dotąd światów.

W sklepie bardzo się przejęli nami, to znaczy dziećmi. Mieli tam piwo i lemoniadę, taką domową, z pestkami – najlepszy napój, jaki w życiu piłam. Wypytywali nas, co słychać na wschodzie i na Podstawowej, i na Niskich Ziemiach. Paplaliśmy, przechwalaliśmy się i opowiedzieliśmy naszą historię – historię naszej wędrówki. Jak rozumiem, co roku te historie są trochę inne.

Kobieta, która przedstawiła się jako Hermiona Dawes, zapisała naszą opowieść w grubej księdze, w niedużej bibliotece pełnej takich rejestrów. Pani Dawes powiedziała mamie, że sensem jej życia jest zapisywanie opowieści i że jest szczęśliwa tutaj, gdzie może rejestrować prawdziwą historię. Prawdopodobnie będzie tam tkwiła już zawsze i notowała wszystko, gdy inni będą przechodzić obok. Ludzie są dziwni, ale jeśli jest z tym szczęśliwa, to mnie to nie przeszkadza. O ile się zorientowałam, jest żoną pasterki krów.

Robiliśmy zakupy. Ależ luksus.

Tymczasem dorośli musieli zarejestrować swoje działki. Jest tu urzędnik, przedstawiciel rządu USA (zmieniany raz na kilka lat), który ma sprawdzić i zatwierdzić przydziały ziemi, jakie przed wyruszeniem kupiliśmy na Podstawowej. Wszyscy porównywali formularze, żeby ustalić, dokąd pójść. W efekcie dorośli wybrali świat całkiem przypadkowo: Zachód numer 101 753. Tygodniowa wycieczka. Ustawiliśmy się wszyscy: Doakowie i Harry Bergeren ze swoimi skrzypkami, bomba, i Melissa Harris, no, może być, i Reese Henry, im mniej o nim, tym lepiej. Razem setka ludzi.

Ruszyliśmy. Przekraczaliśmy i rozbijaliśmy obozy w sposób tak zdyscyplinowany, że kapitan Batson byłby z nas dumny. Chociaż pani Harris wciąż unikała dyżuru przy praniu.

Tydzień później, kiedy stanęliśmy na 101 753, padał deszcz. Więc wszyscy spojrzeliśmy po sobie, wzięliśmy się za ręce w naszych grupkach i przekroczyliśmy jeszcze raz, na słońce.

W taki właśnie sposób wybraliśmy jeden świat zamiast drugiego. Ponieważ przypadkiem świeciło tam słońce, kiedy dotarliśmy. Tam, w 753, w Australii mogły się wznosić diamentowe góry, ale my nigdy się o tym nie dowiemy. To nieistotne. Ziemia Zachodnia 101 754 – nasza Ziemia. Byliśmy na miejscu.

ROZDZIAŁ 19

Tego pierwszego popołudnia lotu „Mark Twain" przekraczał raz za razem, a każde przejście wzbudzało dreszcz biegnący Joshui po karku. Tempo kroków wzrastało powoli, w miarę jak Lobsang testował możliwości statku powietrznego. Joshua mógł liczyć mijane światy, korzystając z małych monitorów, które Lobsang nazywał ziemiometrami, wmontowanych w ściany wszystkich kabin. Miały dość miejsc dziesiętnych, jak zauważył, by wyświetlać liczby powyżej miliona.

Przekraczając, sterowiec przemieszczał się również w poziomie – zmierzał ponad Eurazją na zachód. Monitory miały też niewielki wyświetlacz z mapą, więc Joshua mógł śledzić trasę lotu; pozycja była określana na podstawie gwiazd, natomiast układ terenu mijanych światów opierał się głównie na domysłach.

Na pokładzie obserwacyjnym siedzący naprzeciw Joshuy Lobsang uśmiechnął się swym plastikowym uśmiechem. Obaj trzymali kubki z kawą – Lobsang także popijał swoją i Joshua wyobraził sobie wypełniający się powoli zbiornik w jego brzuchu.

– Jak ci się podoba lot? – zapytał Lobsang.

– Na razie świetnie.

W rzeczywistości czuł się lepiej niż świetnie. Jak zawsze, kiedy pozostawiał za sobą Ziemię Podstawową, duszące poczucie zamknięcia szybko się rozwiewało: ucisk, z którego dorastając, nie zdawał sobie sprawy, aż do chwili kiedy zniknął – podejrzewał, że to ucisk świata zbyt pełnego innych umysłów, innych ludzkich świadomości. Wydawało się, że jest na nie wyczulony: nawet na dalekich wykrocznych światach zawsze rejestrował, że w pobliżu zjawili się inni, choćby i niewielka grupka. Jednak o tej niezwykłej, quasi-telepatycznej zdolności nie rozmawiał z nikim oprócz siostry Agnes, nawet z Jansson. I nie miał ochoty poruszać tej kwestii teraz z Lobsangiem. W każdym razie ogarnęło go poczucie swobody, uwolnienia – oraz szczególna świadomość Ciszy, jakby bardzo oddalonego i słabo wyczuwanego umysłu albo uderzeń ogromnego starego dzwonu w dalekich górach... A raczej wyczuwał to, kiedy Lobsang milczał, a nie mówił, jak w tej chwili.

– Polecimy wzdłuż równoleżnika na zachód, mniej więcej. Bez trudu utrzymamy prędkość pięćdziesięciu kilometrów na godzinę. Przyjemne, spacerowe tempo; jesteśmy tu po to, żeby badać. W ten sposób za parę tygodni powinniśmy dotrzeć do cienia kontynentalnych Stanów Zjednoczonych...

Twarz Lobsanga nie była całkiem realna; przypominała odrobinę rozstrojoną symulację CGI. Ale tutaj, w tym fantastycznym statku, w tej realizacji oszałamiających marzeń Lobsanga, Joshua zaczął odczuwać do niego sympatię.

– Wiesz, Lobsangu, poczytałem trochę o tobie, kiedy już wróciłem do Domu po naszej rozmowie w transEarth. Ludzie mówili, że najsprytniejsze, co może zrobić superkomputer w chwili, kiedy go włączą, to zadbać o to, żeby nie dało się już go wyłączyć. I że ta historia z reinkarnacją Tybetańczyka to tylko przykrywka właśnie po to, żeby nie mogli cię wyłączyć. Wszyscy o tym rozmawialiśmy, aż siostra Agnes powiedziała, że przecież jeśli komputer ma pragnienie, by go nie wyłączono, to znaczy, że ma poczucie siebie, a więc posiada duszę. Wiem, że papież później zadekretował inaczej, ale w sporze siostry Agnes z Watykanem zawsze stanę po stronie siostry Agnes.

Lobsang milczał przez moment.

– Chętnie spotkam się kiedyś z siostrą Agnes. Rozumiem, co powiedziałeś. Dziękuję ci, Joshuo.

Joshua się zawahał.

– Skoro już mi dziękujesz, to może odpowiesz też na jedno pytanie. Czy to ty, Lobsangu? Czy też jesteś na Podstawowej, w jakimś systemie pamięci na MIT? Czy to istotne pytanie?

– Oczywiście, że istotne, Joshua. Na Podstawowej jestem rozproszony po wielu bankach pamięci i systemach przetwarzania danych. Częściowo dla bezpieczeństwa, a częściowo dla wydajności i efektywności odzyskiwania i analizy informacji. Gdybym chciał, mógłbym uznać swoją jaźń za podzieloną na pewną liczbę centrów, czy też ognisk świadomości. Ale jestem człowiekiem, jestem Lobsangiem. Pamiętam, jak to było, kiedy wyglądałem na świat z kostnej groty, z jedynego pozornego ogniska świadomości. I w ten sposób to utrzymuję. Jestem tylko jeden ja, Joshuo, tylko jeden Lobsang, chociaż mam rozrzucone na kilku światach kopie rezerwowe. I owo „ja" towarzyszy ci w naszej wyprawie. Jestem całkowicie oddany tej misji. A przy okazji, kiedy przebywam w jednostce mobilnej, przez ten czas ona także jest „mną", chociaż dostateczna część „mnie" pozostaje poza tą skorupą, żeby umożliwić lot sterowca. Gdybym tu zaginął albo uległ zniszczeniu, kopia zapasowa na Ziemi Podstawowej zostanie zainicjowana i zsynchronizowana z tym, co uda ci się odzyskać z banków pamięci na statku. Ale to będzie już inny Lobsang. Będzie mnie pamiętał, lecz nie będzie mną. Mam nadzieję, że to jasne.

Joshua pomyślał chwilę.

– Cieszę się, że jestem tylko standardową istotą ludzką – stwierdził.

– No, mniej więcej, w twoim przypadku – przyznał Lobsang. – Ale, skoro jesteśmy w drodze, możesz być pewny, że mój raport o rzezi ekspedycji Kongresu trafił już do odpowiednich władz. Oraz, dla pewności, także do redakcji pism, które uważam za godne zaufania. W tym do „Fortean Times", prawdziwego daru dla wszystkich badaczy fenomenu Długiej Ziemi. Ekran w twojej kabinie da ci dostęp do numerów archiwalnych. Ta sprawa jest załatwiona. Zgodnie z umową.

– Dzięki.

– A zatem jesteśmy w drodze... Przy okazji, nie przestrasz się, jeśli ekspres do kawy zacznie do ciebie mówić; to beta-test SI jednego z naszych wspólników. Aha... Czy masz coś przeciwko kotom?

– Kicham przy nich.

– Przy Shi-mi nie będziesz.

– Shi-mi?

– Kolejny prototyp dla transEarth. Widziałeś, jak wielka jest ta gondola. Pełno w niej różnych trudno dostępnych zakamarków, więc szkodniki mogą stanowić problem. Nietrudno im będzie wspiąć się po linach cumowniczych, kiedy wylądujemy. A na pewno nie chcielibyśmy, żeby jakiś szczur zaczął nadgryzać przewody. Dlatego... poznaj Shi-mi. Kici, kici...

Kot wkroczył na pokład. Był zwinny, cichy, niemal przekonujący. Ale w obu zielonych oczach jarzyły się iskry LED.

– Mogę cię zapewnić, że ona...

– Ona, Lobsangu?

– ...potrafi, na życzenie, emitować przyjemne mruczenie skomponowane tak, by dawało efekt dla ludzkiego ucha maksymalnie kojący. Umie wyszukiwać myszy w podczerwieni i ma doskonały słuch. Ogłuszy ofiarę lekkim szokiem elektrycznym, połknie, wprowadzając do specjalnie skonstruowanego żołądka z małym podajnikiem żywności i wody, a następnie dostarczy do niewielkiego wiwarium, gdzie mysz może żyć szczęśliwie, dopóki nie zostanie przeniesiona w inne miejsce.

– To sporo wysiłku dla jednej myszy.

– Taka jest droga buddysty. Ten prototyp jest czysty i higieniczny; nie skrzywdzi zdobyczy, natomiast ogólnie będzie sprawiać wrażenie domowego kota, tylko że nie narobi ci do słuchawek stereo, co, jak słyszałem, jest powszechnym powodem skarg. W ustawieniu defaultowym będzie spała w twoim łóżku.

– Automatyczny kot na automatycznym statku?

– Ma sporo zalet. Posiada żelowy mózg, jak mój mobil, i jest o wiele sprytniejsza od zwykłego kota. No i ta syntetyczna sierść. Żadnego kataru, obiecuję...

Przekraczanie ustało nagle i Joshua poczuł dziwne szarpnięcie, jakby coś lekko pchnęło go do przodu. Światło zalało pokład. Wyjrzał przez okno. Najwyraźniej trafili do świata, który akurat był słoneczny.

Słoneczny, ale pokryty lodem.

– Dlaczego się zatrzymaliśmy?

– Popatrz w dół. Lornetki są w szafkach.

Maleńki wielobarwny punkcik wśród bieli przez szkła okazał się fluorescencyjnym pomarańczowym namiotem i krzątającymi się przy nim kilkoma ludźmi, michelinowsko bezpłciowymi w grubej arktycznej odzieży. Na lodzie stał ruchomy zestaw wiertniczy, a z masztu zwisała amerykańska flaga.

– Naukowcy?

– Zespół uniwersytecki z Rhode Island. Studiują biota, pobierają próbki lodu i tak dalej. Rejestruję wszystkie znalezione ślady ludzkiej obecności, naturalnie. Spodziewałem się tych dżentelmenów, choć wyprawili się o kilka światów dalej niż oficjalny zgłoszony cel.

– Ale i tak ich znalazłeś.

– Moja wizja jest zbliżona do boskiej, Joshuo.

Spoglądając w dół, Joshua nie był pewien, czy ludzie z uniwersytetu w ogóle zauważyli sterowiec, tego wieloryba, który nagle zawisł nad nimi.

– Schodzimy na dół?

– Byłoby to bezcelowe. Zresztą możemy z nimi porozmawiać bez lądowania. Mamy na pokładzie pełen zestaw aparatury komunikacyjnej, poczynając od radiostacji średnio- i krótkofalowej, która powinna nam pozwolić na odbiór i transmisję z dowolnego punktu na każdym indywidualnym świecie, aż po… określę to jako prostsze środki. Heliograf okrętowy. Nawet megafon.

– Megafon? Lobsang grzmiący z niebios niczym Jahwe…

– Ten sprzęt jest po prostu praktyczny, Joshuo. Nie każde działanie obciążone jest symboliką.

– Każde ludzkie działanie jest obciążone symboliką. A ty jesteś człowiekiem, Lobsangu, prawda?

Znów lekkie szarpnięcie – Lobsang bez uprzedzenia wrócił do przekraczania. Obóz naukowców zniknął w mgnieniu oka i za oknami zamigotały kolejne światy.

Po pierwszej nocy w sterowcu Joshua obudził się zadowolony. „Mark Twain" przekraczał w równym tempie, a jego liczne mechanizmy wydawały odgłos podobny do mruczenia kota. Po chwili odkrył, że to rzeczywiście kot, a raczej kotka, zwinięty w kłębek w nogach posłania. Kiedy się poruszył, wstała pełna elegancji, przeciągnęła się i odeszła.

Ponaglany burczeniem w brzuchu zbadał kambuz.

W ostatnim czasie przyzwoity posiłek w wykrocznych światach był łatwy do zdobycia – przynajmniej dla niego. Przekraczający pionierzy lubili widzieć go obok siebie, znali jego nazwisko i reputację, traktowali go jak przynoszącą szczęście maskotkę. Wystarczyło poprosić, a dostawał jeść w dowolnym zajeździe czy schronisku, jakie powstawały na bliższych Ziemiach. Jednak bycie naciągaczem nie popłaca, jak powtarzała siostra Agnes, więc zawsze brał ze sobą świeżo upolowanego jelenia albo parę ptaków. Żółtodzioby wśród pionierów lubili świeże mięso, ale nie pogodzili się jeszcze z koniecznością rąbania Bambiego, więc Joshua poświęcał trochę czasu, żeby oprawić swoją zdobycz. Na ogół odchodząc, niósł ze dwa worki mąki i kopę jajek – o ile miał kosz, żeby je zapakować.

No ale kambuz sterowca okazał się zaopatrzony bardziej wykwintnie niż dowolny zajazd. Była tam lodówka z obfitością jajek i bekonu oraz szafka wypełniona torebkami pieprzu i soli. Na Joshui zrobiło to wrażenie: na wielu światach za garść soli człowiek mógł kupić kolację i nocleg, a pieprz był jeszcze cenniejszy.

Wziął się do pracy, kiedy zaskoczył go głos Lobsanga:

– Dzień dobry, Joshuo. Mam nadzieję, że się wyspałeś.

Joshua przewrócił plaster bekonu.

– Nie pamiętam nawet, żebym śnił – odparł. – Mam wrażenie, że się nie poruszamy. Gdzie teraz jesteśmy?

– Ponad piętnaście tysięcy światów od domu. Spowolniłem przekraczanie dla twojej wygody, na czas śniadania, i ustabilizowałem pułap na tysiącu metrów. Niekiedy schodzimy niżej, gdy sensory wykryją coś interesującego. Na wielu miejscowych światach ten poranek jest słoneczny i ciepły, z odrobiną rosy na trawie w dole. Sugeruję więc, żebyś zjadł śniadanie i zszedł na pokład obserwacyjny, by cieszyć się widokami. A przy okazji, w spiżarni są torebki z muesli. Siostra Agnes na pewno by sobie życzyła, żebyś dbał o prawidłową pracę jelit.

Joshua spojrzał gniewnie w powietrze, z braku kogokolwiek, na kogo mógłby gniewnie spoglądać.

– Siostry Agnes tu nie ma – oświadczył.

Mimo to, zawstydzony, ale pamiętając, że zakonnice zawsze jakoś wiedziały, co człowiek kombinuje, gdziekolwiek by się schował, pogrzebał w spiżarni i zjadł garść suszonych owoców z orzechami, z dodatkowym kawałkiem arbuza.

Po czym znów wrócił do bekonu.

Na koniec zrobił sobie grzankę, żeby zetrzeć cały tłuszcz z talerza. W końcu było tu raczej chłodno – potrzebował paliwa.

Ta myśl kazała mu wrócić do kabiny. W przestronnej szafie, obok zimowej odzieży, w której tu przybył, znalazł też komplety ubrań lżejszych, niektóre w rozmaitych wzorach kamuflażu. Lobsang pomyślał o wszystkim – to było oczywiste.

Joshua wziął parkę, zszedł na pokład obserwacyjny i usiadł samotnie, patrząc, jak Ziemie przesuwają się za oknami niczym pokaz slajdów bogów.

Bez ostrzeżenia sterowiec zanurzył się w pliku światów lodowych.

Uderzyło światło – jaskrawy, oślepiający blask słońca odbity od lodu i wypełniający przestrzeń, jakby cały pokład zmienił się nagle w lampę błyskową z Joshuą uwięzionym wewnątrz. Światy pod nimi pokrywała lodowa równina i z rzadka tylko grzbiet jakiegoś wzniesienia przebijał się przez nie jako wąski pas czerni. Potem chmury, potem grad, potem znów słońce, zależnie od lokalnej pogody na kolejnych mijanych światach. Migotanie było bolesne dla oczu. Między Ziemią a Ziemią poziom lodowej pokrywy wznosił się i opadał niczym gigantyczna fala. W każdym świecie to eurazjatyckie pole lodowe musiało pulsować, lodowe kopuły się przesuwały, południowa krawędź przez stulecia falowała tam i z powrotem. Oni jednak przelatywali tylko nad migawkami tych gigantycznych kontynentalnych przemian.

A kiedy pas lodu został za nimi i płynęli nad światami interglacjalnymi, widzieli głównie korony drzew. Długa Ziemia obfitowała w korony, Ziemia po Ziemi, drzewo po drzewie...

Joshua rzadko się nudził. Ale w miarę upływu godzin odkrył ze zdziwieniem, że ogarnia go nuda – i to szybko. A przecież spoglądał na tysiące krajobrazów, których nikt – prawdopodobnie – jeszcze nigdy nie widział. Przypomniał sobie siostrę Georginę, która lubiła Keatsa.

Naglem zamarł...
...jak śmiałek Cortez na wzgórzu wysokiem
Panamskiego przesmyku, gdy jego legionom
Podziw odebrał mowę – a on orlim wzrokiem
Mknął ponad Pacyfikiem ku nieznanym stronom[*].

Wtedy myślał, że panamski przesmyk to rodzaj egzotycznego ptaka. Ale teraz sam patrzył na nowe światy i podziw nie odbierał mu mowy.

Usłyszał za sobą kroki – to zjawił się Lobsang w swej jednostce mobilnej. Na tę okazję włożył koszulę safari i spodnie.

Joshua uświadomił sobie, że zaczął o nim myśleć jak o osobie, nie jak o rzeczy...

– Trochę to może zdezorientować, prawda? Pamiętam własne reakcje w dziewiczym locie. Długa Ziemia trwa i trwa, Joshuo. Nadmiar cudów otępia umysł.

Zatrzymali się nad przypadkowo wybranym światem o numerze około dwudziestu tysięcy. Chmury przesłaniały

* John Keats, *On First Looking into Chapman's Homer*, przełożył Stanisław Barańczak.

niebo, grożąc deszczem. Falująca trawiasta równina w dole wydawała się przyćmiona, szarozielona, z rozrzuconymi ciemniejszymi plamami lasu. Joshua nie dostrzegł tu żadnego śladu człowieka, nawet smużki dymu na horyzoncie. A jednak zauważył ruch: na północy przemieszczało się wielkie stado. Konie? Bizony? Może wielbłądy? Czy coś bardziej egzotycznego? A na brzegu jeziora w dole dostrzegł kolejne stadka zwierząt, jak czarne frędzle przy wodzie.

Kiedy się zatrzymali, zbudziły się do życia systemy „Marka Twaina". Otworzyły się klapy w gondoli i na górnej powierzchni powłoki, uwalniając balony i boje opadające ku ziemi na spadochronach, każda oznaczona logo transEarth i amerykańską flagą. Były nawet małe sondy rakietowe, które wzleciały z sykiem, tworząc w powietrzu wąskie kolumny dymu.

– Taka będzie standardowa procedura, kiedy postanowimy zbadać Ziemię – wyjaśnił Lobsang. – Dla mnie to sposób, by rozszerzyć obserwacje konkretnego świata poza ten pojedynczy punkt widzenia. Pewne dane zbierzemy już teraz, inne, z długotrwałych badań, odbierzemy z pamięci sond w czasie powrotu przez ten świat albo odbierze jakiś inny statek, jeśli w przyszłości trafi tutaj.

Grupa zwierząt nad jeziorem przypominała trochę nosorożce, choć na dziwnie smukłych nogach. Cisnęły się przy wodzie i rozpychały, by się napić.

– Na całym pokładzie obserwacyjnym znajdziesz lornetki i kamery. Te zwierzaki wyglądają jak elasmoteria lub ich daleko wyewoluowani potomkowie.

– Nic mi to nie mówi, Lobsangu.

– Oczywiście, że nie. Chcesz mieć własny gatunek? Nazwij je, jeśli masz ochotę. Rejestruję wszystko, co widzimy, słyszymy, mówimy i robimy. Gdy wrócimy, zgłoszę wszystkie wnioski.

– Lećmy dalej. Tracimy czas.

– Czas? Mamy do dyspozycji cały czas świata. Jednakże...

Przekraczanie rozpoczęło się znowu i stado niby-nosorożców zniknęło. Joshua odczuwał lot jako delikatne wstrząsy, jak gdyby po nierównej drodze jechał samochodem z dobrym zawieszeniem.

Odgadł, że co kilka sekund mijają nową Ziemię, ponad czterdzieści tysięcy nowych światów dziennie, gdyby Lobsang chciał utrzymywać to tempo przez całą dobę (ale nie chciał). Na Joshui wywarło to spore wrażenie, choć nie zamierzał się do tego przyznawać. Krajobrazy przemykały przed dziobem statku, ale rozróżniał tylko najbardziej wyraźne ich elementy; całe światy pojawiały się i znikały w rytmie uderzeń serca. Stada zwierząt i samotne bestie znikały, ledwie je dostrzegł, porwane w nierzeczywistą wykroczną inność. Nawet zbiorowiska drzew zmieniały kształty i rozmiary między jednym światem a kolejnym: zmiana, zmiana, zmiana... Czasem coś mignęło – na moment zapadła ciemność, czasem rozbłysło światło, cały pejzaż zalały niezwykłe kolory... Światy z jakiegoś powodu wyjątkowe, ale znikające, zanim zdążył je zrozumieć. Poza tym widział tylko niekończący się łańcuch Ziemi za Ziemią, wygładzonych jednolicie prędkością ruchu sterowca.

– Powiedz, Joshuo, zastanawiasz się czasem, gdzie jesteś?

– Wiem, gdzie jestem. Tutaj.

– Tak, ale gdzie jest to tutaj? Co parę sekund trafiasz do innego wykrocznego świata. A więc gdzie leży ten świat względem Ziemi Podstawowej? I następny, i jeszcze następny? Gdzie jest dla nich wszystkich miejsce?

Prawdę mówiąc, owszem, Joshua często się nad tym zastanawiał. Nie można ciągle przekraczać, nie stawiając sobie takich pytań.

– Wiem, że Willis Linsay zostawił notkę: *Inny świat jest o grubość myśli od nas.*

– Niestety, to chyba jedyne zrozumiałe zdanie, jakie po sobie zostawił. Poza tym błądzimy w ciemności. A więc gdzie leży ten świat, ta konkretna Ziemia? Istnieje dokładnie w tym samym miejscu i czasie co Ziemia Podstawowa. Jest niczym inny typ wibracji tej samej struny w gitarze. Jedyna różnica polega na tym, że teraz możemy ją odwiedzać; wcześniej nie byliśmy w stanie nawet jej wykryć. I to chyba najlepsza odpowiedź, jakiej potrafili udzielić udomowieni fizycy transEarth.

– A te wszystkie matematyczne zapisy w notatkach Linsaya?

– Nie wiemy. Wygląda na to, że stworzył własną matematykę. Warwick University nad tym pracuje. Na dodatek Linsay wszystko, co zapisywał, kompresował także w fantastycznie złożony kod. IBM nie chce nawet w przybliżeniu określić, kiedy go rozwikłają. No i miał przerażający charakter pisma.

Mówił dalej, ale Joshui udało się w myślach go wyciszyć. Tę sztukę, jak podejrzewał, będzie musiał intensywnie rozwijać.

Na pokładzie zabrzmiała muzyka: zimne akordy klawesynu.

– Czy byłbyś łaskaw to wyłączyć?

– To Bach – wyjaśnił Lobsang. – Fuga. Wiem, dość banalny wybór dla bytu matematycznego jak ja.

– Wolę ciszę.

– Proszę bardzo. – Muzyka ucichła. – Nie urazi cię, jeśli będę słuchać dalej? We własnej głowie, że tak powiem?

– Rób, jak chcesz.

Joshua znów obojętnie spojrzał na mijany pejzaż.

I następny. I następny.

Zsunął się z fotela i sprawdził pokładową łazienkę. Składała się z chemicznej toalety i wąskiej wnęki z prysznicem w niewielkim pomieszczeniu o plastikowych ścianach. Zastanowił się, czy Lobsang ma oczy także tutaj. No ale oczywiście, że ma.

I tak mijał dzień. W końcu zmrok zapadł na wszystkich Ziemiach, a miriady słońc skryły się za swoimi odpowiednimi horyzontami.

– Muszę wracać do swojej kabiny, żeby położyć się spać?

– Twój fotel się rozkłada. Pociągnij za dźwignię z prawej strony. Pod siedzeniem znajdziesz poduszki i okrycia.

Joshua sprawdził. Fotel przypominał siedzenie lotnicze w pierwszej klasie.

– Obudź mnie, jeśli zdarzy się coś ciekawego.

– Wszystko tu jest ciekawe, Joshuo. Śpij dobrze.

Układając się pod przyjemnie ciężkim pledem, Joshua nasłu-chiwał pomruku silników i czuł delikatne szarpnięcia przekroczeń, budzące lekkie zawroty głowy. Dla Joshuy Valienté to kołysanie światów było niemal kojące.

Zasnął bez kłopotów.

A kiedy się obudził, „Mark Twain" znów stał w miejscu.

ROZDZIAŁ 20

Sterowiec opuścił się w pobliżu masy spiętrzonych głazów, w które Lobsang rzucił kotwicę. Było dość wcześnie, a niebo miało barwę czystego błękitu usianego rozrzuconymi obłokami. Był to jednak typowy świat Pasa Lodowego i śnieżne pola oślepiały, choć niedaleko leżał strzęp odkrytej wody.

Joshua odmówił nawet spojrzenia przez okno, dopóki nie nalał sobie kawy z termosu.

– Witaj w Zachodniej 33 157, Joshuo. Zatrzymaliśmy się jeszcze przed świtem. Czekałem, aż się obudzisz.

– Rozumiem, że znalazłeś coś interesującego.

– Popatrz w dół.

Wśród głazów, do których zakotwiczyli, na sterczącej ze śniegu czarnej skale stał naturalny pomnik: samotna sosna, wielka, stara i odizolowana. Ale drzewo zostało ścięte przy korzeniach; splątane gałęzie i górna część pnia leżały porzucone na ziemi, a blady krąg surowego drewna odsłaniał się na powietrze. Najwyraźniej ktoś tu użył siekiery.

– Pomyślałem, że zaciekawi cię ten ślad człowieczeństwa. Poza tym, Joshuo, jest też inny powód: czas wypróbować moją rezerwową jednostkę mobilną.

Joshua rozejrzał się po gondoli.

– To znaczy?

– Ciebie.

Ekwipunek czekał w skrzyni. Na piersi Joshua miał nosić lekki pakiet zawierający maskę i awaryjny zapas tlenu, zestaw pierwszej pomocy, latarkę, pistolet z jakiegoś metalu nieżelaznego, spory kawałek bardzo cienkiej linki i inne przydatne przedmioty. Na plecy miał założyć brezentowy pakunek mieszczący tajemniczy moduł w twardej, solidnej, szczelnie zamkniętej obudowie. Miał też nosić staromodną z wyglądu słuchawkę w stylu bluetoothowym, żeby rozmawiać z Lobsangiem, ale podejrzewał, że w plecaku są też inne głośniki i mikrofony.

Poszedł do swojej kabiny i po chwili wrócił w obszernej michelinowej odzieży. Zarzucił na ramiona plecak – draństwo okazało się ciężkie.

– Będziesz go nosił za każdym razem, kiedy opuszczasz statek.

– A wewnątrz tego zamkniętego modułu w plecaku jest...?

– Ja – odparł krótko Lobsang. – A raczej system zdalny. Możesz go nazwać kopią rezerwową. Dopóki sterowiec jest cały, pakiet synchronizuje się z głównymi systemami na pokładzie. Jeśli ulegnie zniszczeniu, pakiet przechowa moją pamięć, dopóki nie wrócisz do domu.

Joshua parsknął śmiechem.

– To wyrzucone pieniądze, Lobsangu. W jakich okolicznościach wyobrażasz sobie użyteczność czegoś takiego? Jeśli stracimy sterowiec dostatecznie daleko, żaden z nas nie wróci do domu.

– Nigdy nie zaszkodzi mieć plan na wszystkie możliwe ewentualności. Jesteś moim ostatnim zabezpieczeniem, Joshuo. Dlatego się tutaj znalazłeś. A poza tym twój zestaw nie jest jeszcze kompletny.

Joshua raz jeszcze zajrzał do skrzyni i wyjął z niej kolejny gadżet. Była to sztywna rama najeżona obiektywami, mikrofonami i innymi czujnikami. Powinien to wszystko nosić na ramieniu.

– Chyba sobie żartujesz...

– Jest lżejszy, niż wygląda. Szyna czujników powinna dać się łatwo przypiąć do ramienia. Przewód danych powinien być podłączony do plecaka...

– Spodziewasz się, że pójdę badać Ziemię Milion z tą papugą na ramieniu?

– Niech będzie papuga, jeśli musi – odparł Lobsang urażonym tonem. – Nie spodziewałem się po tobie próżności, Joshuo. Kto cię zobaczy? Poza tym zestaw jest bardzo praktyczny. Będę widział to, co ty widzisz, słyszał, co ty słyszysz. Będziemy stale w kontakcie. A gdybyś wpadł w kłopoty...

– To co ona zrobi? Zniesie jajo?

– Po prostu noś ją, Joshuo. Proszę.

Zestaw przypiął się gładko na prawym ramieniu i był rzeczywiście lekki. Joshua wiedział jednak, że nie potrafi o nim zapomnieć – i o tym, że Lobsang przez cały czas dosłownie zagląda mu przez ramię. Ale do diabła z tym, w końcu i tak nie oczekiwał, że podróż będzie przyjemną wycieczką, więc ta papuga niespecjalnie pogorszy sytuację. Zresztą pewnie i tak niedługo się zepsuje.

Bez dalszych dyskusji zszedł na poziom wejściowy, otworzył drzwi, pokonując lekkie wewnętrzne nadciśnienie – co gwarantowało, że zewnętrzna atmosfera nie dostanie się do środka, zanim Lobsang sprawdzi, czy to bezpieczne – i znalazł się w małej klatce windy. Zjechał nią na ziemię, tuż obok skał.

Stojąc już na gruncie, po kolana w śniegu, odetchnął głęboko powietrzem zimnej Ziemi i rozejrzał się powoli. Niebo się zachmurzyło, a atmosfera stała się odrobinę przymglona – nadchodziła śnieżyca.

– Zakładam, że wszystko to widzisz, Lobsangu. Standardowe śnieżne pole.

– Widzę – szepnął Lobsang prosto do jego ucha. – Wiesz, papuga ma filtry nosowe, które pozwoliłyby mi czuć zapach...

– Nie ma mowy. – Joshua przeszedł kilka kroków, odwrócił się i przyjrzał sterowcowi. – Widzisz to? Masz szansę sprawdzić, czy nie ma jakichś uszkodzeń.

– Rozsądny pomysł – wymruczała papuga.

Joshua przyklęknął obok drzewa.

– Są tu takie małe chorągiewki zaznaczające pierścienie słojów. – Wyjął jedną i dostrzegł litery. – Uniwersytet Jagielloński, Kraków. Czyli zrobili to naukowcy. Ale po co?

– Żeby na podstawie słojów drewna badać zmiany klimatu. Tak samo jak na Podstawowej. Co ciekawe, takie badania wykazują, że odstęp między sąsiednimi światami jest zwykle rzędu pięćdziesięciu lat. W zakresie życia przeciętnej sosny. Oczywiście, pojawia się wiele pytań...

Joshua usłyszał łoskot, chlapanie, coś w rodzaju piskliwego głosu trąbki. Odwrócił się czujnie – najwyraźniej nie był na tym świecie sam. W niewielkiej odległości dostrzegł scenę polowania: zwierzę podobne do kota, ale z kłami tak ciężkimi, że ledwie mogło unieść głowę, śledziło jakąś brodzącą bestię o skórze jak pancerz czołgu. Były to pierwsze zwierzęta, jakie tu spotkał.

Lobsang także je widział.

– Nadmiernie uzbrojony ściga nadmiernie opancerzonego: skutek ewolucyjnego wyścigu zbrojeń. Takiego, który wiele razy rozgrywał się na Ziemi Podstawowej, w rozmaitych kontekstach, aż do całkowitego wyginięcia obu przeciwników. Tak się działo już w epoce dinozaurów. To zjawisko uniwersalne, jak się zdaje. Jak na Podstawowej, tak i na Długiej Ziemi. Joshuo, obejdź te skały. Trafisz na otwarty zbiornik wodny.

Joshua okrążył skały. Śnieg leżał głęboki i ciężki, ale po tylu godzinach w gondoli przyjemnie było rozprostować nogi.

Otworzyła się przed nim przestrzeń jeziora. Pokrywał je lód, ale przy brzegu Joshua dostrzegł powierzchnię wody. Tam kręciły się zwierzęta. Masywne, ale pełne gracji słonie, cała rodzina, porośnięte futrem dorosłe osobniki z młodymi biegającymi między wysokimi nogami rodziców. Te dorosłe miały dziwnie płaskie kły, którymi zbierały piasek z dna jeziora i zamulały wodę dookoła. W krystalicznych rozpryskach matka bawiła się z dzieckiem. Zaczął padać śnieg i wielkie płatki osiadały na sierści zwierząt, które nie zwracały na to uwagi.

– Gomfotery – mruknął Lobsang. – Albo krewni, albo potomkowie. Na twoim miejscu trzymałbym się z daleka od wody. Mogą tam żyć krokodyle.

Dla Joshuy cała ta scena wydawała się dziwnie poruszająca. Masywne stworzenia budziły niezwykłe wrażenie spokoju.

– Dlatego się zatrzymaliśmy? Żeby je zobaczyć?

– Nie. Chociaż te światy obfitują w rozmaite typy słoni. Całe bogactwo gruboskórnych. Normalnie bym ci ich nie pokazywał, jednak stanowią wysoko rozwinięty gatunek roślinożerny i wydaje się, że są tropione. Co ciekawe, ty chyba również.

Joshua znieruchomiał.

– Dzięki, że mnie uprzedziłeś. – Wytrzeszczył oczy w coraz gęściejszym śniegu, ale nie dostrzegł nic innego, co by się poruszało. – Powiedz tylko, kiedy mam uciekać, dobrze? Nie obrażę się, jeśli powiesz to w tej chwili…

– Joshuo, te stworzenia, sunące ostrożnie w twoją stronę, rozmawiają o tobie, choć wątpię, żebyś cokolwiek słyszał, ponieważ mają bardzo wysokie głosy. Plomby mogą ci wibrować.

– Nie mam żadnych plomb. Zawsze porządnie myłem zęby.

– Oczywiście. Komunikacja między tymi istotami jest też dość złożona i zaczęła nabierać tempa, jakby dochodziły do jakichś wniosków. Ta rozmowa zanika i powraca, bo one bez przerwy przekraczają tam i z powrotem. Są niemal zbyt szybkie, by dało się je zaobserwować. To znaczy, żebyś ty je zaobserwował. Z ich zachowania wnioskuję, że mają bardzo pomysłową metodę triangulacji punktu, w którym wszyscy ich główni łowcy otoczą ofiarę, inaczej mówiąc ciebie…

– Stop. Cofnij. Powiedziałeś, że przekraczają? Przekraczające zwierzęta? Przekraczające drapieżniki? – Świat zakręcił się wokół Joshuy. – To coś nowego.

– Owszem.

– I z powodu tych stworzeń się zatrzymałeś?

– Nawiasem mówiąc, nie widzę powodu do obaw.

– Nie widzisz powodu do obaw?

– Wiesz, wyglądają mi na zaciekawione, a nie głodne. Możliwe, że bardziej boją się ciebie niż ty w tej chwili ich.

– A co skłonny jesteś na to postawić? Moje życie, na przykład?

– Zobaczymy, jak rozwinie się sytuacja. Joshuo, mógłbyś pomachać w powietrzu rękami? Dobrze. Niech cię zobaczą. Najwyraźniej padający śnieg ogranicza poziom widzialności. A teraz przejdź się w kółko. Dobrze. Stój tam, dopóki nie powiem, co dalej. Nie przejmuj się, panuję nad sytuacją.

To zapewnienie nie miało dla Joshuy znaczenia. Wciąż starał się trwać w bezruchu. Śnieg padał coraz gęściej. Gdyby teraz spanikował, mógłby mimowolnie przekroczyć i trafiłby... dokąd? Biorąc pod uwagę obecność przekraczających zwierząt, mógłby się znaleźć w jeszcze gorszym położeniu.

Lobsang mruczał mu do ucha, najwyraźniej świadom jego napięcia. Pewnie starał się go uspokoić.

– Pamiętaj, Joshuo, że to ja zbudowałem „Marka Twaina". I on, to znaczy oczywiście ja, obserwuje cię bez przerwy. Cokolwiek, co w mojej opinii będzie próbowało cię krzywdzić, padnie trupem, zanim się zorientuje. Jestem pacyfistą, naturalnie, ale „Mark Twain" ma na pokładzie broń najrozmaitszych typów, od tak małej, że niewidocznej, po tak wielką, że niewidoczną. Oczywiście nie wymienię nawet słowa „jądrowa".

– Nie. Naprawdę nie wspominaj o broni jądrowej.

– A zatem nie różnimy się w opiniach. A skoro tak, czy zechciałbyś teraz zaśpiewać piosenkę?

– Piosenkę? Jaką piosenkę?

– Jakąkolwiek. Coś skocznego... Po prostu śpiewaj!

Rozkaz Lobsanga, choć całkiem obłąkany, miał w sobie moc władczego głosu siostry Agnes u granic cierpliwości, kiedy nawet karaluchy rozumiały, że trzeba się wynosić. Dlatego Joshua zaśpiewał pierwszą piosenkę, jaka mu przyszła do głowy:

– Chwała wodzowi, bo wodza chwalić trzeba. Chwała wodzowi, bo po to wodzem jest...

Kiedy skończył, w śnieżycy zapadła cisza.

– Interesujący wybór – stwierdził po chwili Lobsang. – Nie wątpię, że to także dziedzictwo tych twoich zakonnic. Tekst chyba zabawniejszy niż w oryginalnym hymnie prezydenckim. Mocno się angażowały w debaty polityczne, co? No ale powinno wystarczyć. Teraz czekamy. Proszę cię, nadal się nie ruszaj.

Joshua czekał. I kiedy już miał otworzyć usta, by oznajmić, że co za dużo, to niezdrowo, wokół niego wyrosły ciemne sylwetki. Były jak czarne otwory w śnieżycy, o szerokich piersiach, dużych głowach i wielkich łapach, a raczej dłoniach, które szczęśliwie nie miały chyba szponów. Te dłonie wyglądały raczej jak rękawice boksera albo łapacza w baseballu.

Stwory śpiewały. Otwierały i zamykały wielkie różowe usta z wszelkimi przejawami radości. Ale nie powtarzały tej politycznej głupotki, którą zaprezentował Joshua; nie było to również zwierzęce wycie. Śpiew był ludzki i Joshua rozumiał słowa, powtarzane raz po raz, gdy śpiewacy włączali się w różnych tonacjach i repetycjach, a wieloczęściowe akordy wisiały w powietrzu jak świąteczne dekoracje. Trwało to przez długie minuty, aż wszystkie aleje i trajektorie tej dzikiej muzyki zbiegły się stopniowo w wielkiej ciepłej ciszy.

Główny refren mówił coś o Billu, który podobno kupił ulicę, a ktoś inny myślał, że umrze przy Old Kent Road – i to wszystko w gwarze londyńskiej.

Wstrząśnięty Joshua ledwie mógł oddychać.

– Lobsangu…

– Interesujący dobór pieśni. Napisał ją niejaki Albert Chevalier, mieszkaniec Notting Hill w Londynie. Co ciekawe, została potem nagrana przez Shirley Temple.

– Lobsangu, zgaduję, że są istotne powody, by ci Wielcy Joe w zamieci śpiewali stare piosenki komediowe z Anglii.

– Och, naturalnie.

– Zgaduję też, że znasz te istotne powody.

– W ogólnych zarysach, Joshuo. Ale wszystko w swoim czasie.

Jeden ze stworów zbliżył się, dłonie wielkości rakiet tenisowych składając w kubek, jakby coś niósł. Wciąż trochę sapał, zmęczony śpiewem. W paszczy miał bardzo dużo zębów, jednak ogólny jej wyraz sugerował uśmiech.

– Fascynujące – szepnął Lobsang. – Naczelny, z całą pewnością. Jakiś gatunek małpy. Postawa wyprostowana tak przekonująco, jak u dowolnych hominidów, co jednak nie musi implikować korelacji z ewolucją człowieka...

– To nie jest pora na wykłady, Lobsangu.

– Masz rację, oczywiście. Musimy korzystać z chwili. Przyjmij prezent.

Joshua ostrożnie zrobił krok w stronę stwora i także wyciągnął ręce. Stwór wydawał się podekscytowany jak dziecko, któremu powierzono ważne zadanie i chce mieć pewność, że wykona je dobrze. Upuścił do rąk Joshuy coś średnio ciężkiego. Joshua spojrzał: trzymał chyba rybę, podobną do dużego łososia, pięknego i opalizującego.

Usłyszał głos Lobsanga.

– Znakomicie. Nie powiem, że tego właśnie się spodziewałem, ale z pewnością na to miałem nadzieję. Przy okazji, byłoby uprzejmie, gdybyś podarował im coś od siebie.

Poprzedni właściciel wspaniałej ryby uśmiechał się promiennie i zachęcająco.

– No więc mam swój szklany nóż, ale nie wydaje mi się, żeby ten typ w ogóle potrzebował noża. – Joshua zawahał się, trochę zakłopotany. – No i jest mój, sam go wyłupałem z kawałka importowanego obsydianu. – Prezentu od kogoś, komu uratował życie. – Służy mi już bardzo długo.

– Pomyśl trochę – rzekł niecierpliwie Lobsang. – Jeszcze przed chwilą spodziewałeś się, że będziesz gwałtownie zaatakowany, prawda? Jest całkiem oczywiste, że to była jego ryba i on ci ją podarował. Podejrzewam, że akt dawania jest tu ważniejszy od samego daru. Gdybyś bez broni czuł się nagi, proszę, wybierz sobie potem któryś z laminowanych noży ze zbrojowni. Zgoda? Ale teraz daj mu swój!

Joshua poczuł gniew, przede wszystkim na siebie.

– Nie wiedziałem nawet, że mamy zbrojownię!

– Uczymy się przez całe życie, przyjacielu, i powinieneś być wdzięczny losowi, że wciąż masz taką możliwość. Wartość podarunku niewiele ma wspólnego z jakąkolwiek walutą. Oddaj mu nóż, uśmiechając się radośnie do kamer, Joshuo, ponieważ właśnie tworzysz historię: to pierwszy kontakt z obcym gatunkiem, choć takim, który miał dość przyzwoitości, by wyewoluować na Ziemi.

Joshua wręczył stworowi swój ukochany nóż. Dar został przyjęty z nadzwyczajną ostrożnością, uniesiony do światła, podziwiany, ostrze delikatnie sprawdzone. Potem w słuchawce rozległa się kakofonia dźwięków, jakby kule do kręgli przetaczały się w betoniarce.

Po kilku sekundach łomot łaskawie ucichł, zastąpiony wesołym głosem Lobsanga.

– To ciekawe! Śpiewają do ciebie, wykorzystując częstotliwości, które uważamy za normalne, ale między sobą porozumiewają się ultradźwiękami. Przed chwilą słyszałeś moją próbę przesunięcia tej ultradźwiękowej rozmowy do pasma, jakie mogłaby odebrać, jeśli nie zrozumieć, istota ludzka.

A potem, w mgnieniu oka, stwory zniknęły. Nie pozostało nic, co mogłoby świadczyć o ich niedawnej obecności – jeśli nie liczyć śladów bardzo dużych stóp, już teraz zasypywanych przez śnieżycę. No i oczywiście łososia.

* * *

Z powrotem na statku Joshua starannie schował wielkiego łososia do lodówki. Potem z kubkiem kawy usiadł w saloniku przed kambuzem i zwrócił się w przestrzeń:

– Chcę z tobą porozmawiać, Lobsangu. Ale nie z głosem w powietrzu, tylko z twarzą, którą mógłbym walnąć.

– Rozumiem, że jesteś zdenerwowany. Lecz zapewniam cię, że ani przez moment nie znalazłeś się w niebezpieczeństwie. I pewnie już się domyśliłeś, że nie jesteś pierwszym, który spotkał te istoty. Mam taką solidną hipotezę, że pierwsza osoba, która je spotkała, uważała ich za Rosjan...

I Lobsang opowiedział Joshui historię szeregowego Percy'e-go Blakeneya, zrekonstruowaną z zapisków w jego dzienniku oraz komentarzy, jakie przekazał bardzo zdziwionej pielęgniarce w szpi-talu we Francji Podstawowej, gdzie go przewieziono, gdy całkiem nagle pojawił się w roku 1960.

ROZDZIAŁ 21

Szeregowy Percy, spoglądając na ten szereg obojętnych twarzy wśród zieleni niezniszczonego lasu, szybko doznał olśnienia.

Oczywiście! To muszą być Rosjanie! Przecież teraz Rosjanie też przystąpili do wojny, zgadza się? A czy po okopach nie krążył egzemplarz „Puncha", gdzie pokazywali Rosjan jako całkiem podobnych – tak jest! – do niedźwiedzi?

Jego dziadek, który też miał na imię Percy, trafił kiedyś do niewoli na Krymie i zawsze chętnie opowiadał zasłuchanemu chłopcu o Rosjanach.

– Śmierdzieli jak nie wiem, mój mały, brudasy co do jednego, dzikusy moim zdaniem, a niektórzy to już z Bóg wie jakiej dziczy, powiadam ci, w życiu podobnych nie widziałem! Tyle futra i te brody, w których by można kozę hodować, chociaż tak sobie myślę, że wyskoczyłaby od razu, gdyby trochę uważała na towarzystwo. A śpiewać to potrafili, mój mały, chociaż cuchnęli, to śpiewali lepiej od Walijczyków. O tak, umieli śpiewać! Ale jakby cię nikt nie uprzedził, tobyś pomyślał, że zwierzaki.

Teraz Percy patrzył na rząd obojętnych, owłosionych, ale nieszczególnie wrogich twarzy.

– My angielski Tommy – oświadczył mężnie. – Po wasza strona. Niech żyje car!

Zyskał tym nieco uprzejmej uwagi. Włochaci ludzie spoglądali po sobie.

Może czekali na następną piosenkę? Przecież mama tłumaczyła mu, że muzyka to język uniwersalny. W każdym razie nie próbowali go uwięzić ani zastrzelić, ani nic. Poczęstował ich zatem dźwięcznym refrenem *Tipperary*, a zakończył, salutując z okrzykiem:

– Boże, zachowaj króla!

Rosjanie zaskoczyli go wtedy, wymachując swoimi wielkimi rękami i krzycząc gromko:

– Boże, zachowaj króla!

Uczynili to z wyraźnym entuzjazmem, a ich głosy brzmiały, jakby wołali w tunelu. Potem zbliżyli do siebie nawzajem swoje kudłate głowy, jak gdyby podjęli jakąś decyzję, i raz jeszcze zaśpiewali *W stary worek spakuj kłopoty*.

Tyle że nie był to ten sam stary worek ani nie te same kłopoty. Szeregowy Percy bardzo się starał zrozumieć, co słyszy. No tak, to wciąż była piosenka, ale brzmiała jak chór na nabożeństwie. Zdołali ją jakoś rozłożyć na elementy podstawowe, aż zaczęła żyć własnym życiem; motywy muzyczne rwały się i skręcały wokół siebie jak parzące się węgorze i rozpadały znowu w kolejnym wodospadzie dźwięku – a mimo to wciąż była to stara i dobra *W stary worek spakuj kłopoty*. Nie, była lepsza, była bardziej… no, bardziej w tych głosach, bardziej realna. Szeregowy Percy nigdy nie słyszał takiej muzyki, więc zaklaskał w dłonie, a za nim Rosjanie z dźwiękiem jak ostrzał ciężkiej artylerii. Klaskali równie entuzjastycznie jak śpiewali, może nawet bardziej.

Dopiero teraz Percy zdał sobie sprawę z faktu, że wczorajsze raki były raczej przekąską niż właściwym posiłkiem. No ale skoro ci Rosjanie okazali się chyba przyjaciółmi, to może zechcą się podzielić rosyjskimi racjami? Wyglądali na dość potężnych pod tymi ciężkimi płaszczami. W każdym razie na pewno warto spróbować – Percy pogładził się po brzuchu, sugestywnie wskazał palcem usta i zrobił minę pełną nadziei.

Skończyli śpiewać i znów zbili się w ciasną grupkę. Słyszał jedynie ich głosy, szepty ciche jak brzęczenie komara, cienkie i irytujące, które nie pozwala zasnąć w nocy. Jednakże, kiedy już osiągnęli

jakieś porozumienie, znowu zaczęli gromki śpiew. Tym razem piosenka składała się z gwizdów i treli, całkiem jakby naśladowali ptaki,
i to dobrze naśladowali: odrobina słowika, szczypta szpaka, ptasia
piosnka płynęła niczym najlepszy poranny chór, jaki w życiu słyszał.
Mimo to odniósł wrażenie, że Rosjanie mówią – czy raczej śpiewają
– o nim.

A potem jeden z nich zbliżył się, pilnie obserwowany przez
pozostałych, i odśpiewał głosem Percy'ego *Tipperary*, aż do samego
końca. I to naprawdę jego głosem, rodzona matka by nie poznała,
że to nie on. Po czym dwóch Rosjan zniknęło w lesie, a reszta usiadła
spokojnie wokół Percy'ego.

Kiedy Percy także usiadł, nagle zalała go fala zmęczenia. Miał
za sobą lata wojny i niecały jeden dzień tej spokojnej zieleni, więc
może zasłużył sobie na krótką drzemkę. Dlatego kilka razy nabrał
dłonią wody z rzeki i napił się, a potem, mimo obecności owłosionych Rosjan, położył się na trawie i zamknął oczy.

* * *

Wolno wyłaniał się ze swej drzemki, płynąc ku powierzchni
jawy.

Szeregowy Percy, choć młody, był człowiekiem metodycznym
i praktycznym. A zatem, wciąż leżąc na trawie, w tym śnie wiodą-
cym ku przebudzeniu, postanowił nie przejmować się Rosjanami,
dopóki ci Rosjanie nie próbują go zabić. Martwcie się o swoje buty,
chłopaki, jak mawiali weterani.

Buty, przypomniał mu zaspany jeszcze umysł. Buty są ważne.
Dbaj o swoje buty, a one zadbają o ciebie... Zawsze wiele czasu
poświęcał na myślenie o butach.

W tym momencie, budzącemu się powoli i nadal trochę spo-
niewieranemu wojną i dryfującemu przez czas i przestrzeń, przyszło mu do głowy, by się zastanowić, czy wciąż jeszcze ma nogi,
na które mógłby te buty wciągnąć. Człowiek może stracić nogi i nie
zauważyć, dopóki nie minie szok – tak mu opowiadali. Całkiem

jak ten Mac, biedaczysko, który w ogóle nie wiedział, że nie ma już stóp, dopóki nie spróbował na nich stanąć... Percy pamiętał, że chodził po tym lesie, oczywiście, ale może to wszystko działo się we śnie, całkiem możliwe, ale teraz znowu tkwi w błocie i we krwi...

Dlatego bardzo delikatnie spróbował się podnieść i ucieszyło go odkrycie, że przynajmniej ręce ma chyba na miejscu. Delikatnie przesunął obolałe ciało do pozycji, kiedy mógł podnieść się jeszcze trochę i zobaczyć... tak jest, buty! Błogosławione buty! Najwyraźniej tkwiące ciągle na nogach, które prawdopodobnie należały do niego oraz, jako dodatkowy sukces, wydawały się wciąż przyczepione do reszty ciała.

Takie buty mogą być zdradzieckie, całkiem jak nogi. Jak wtedy, kiedy czterdziestofuntówka trafiła w skrzynię amunicji, a Percy należał do oddziału, który miał tam pójść i wszystko uporządkować. Sierżant zachowywał się dziwnie cicho i był nietypowo spokojny, kiedy Percy'ego zawiodły nerwy, bo chociaż w zrytym błocie trafił na but, nie mógł znaleźć nogi do tego buta pasującej. Ale sierżant poklepał go tylko po ramieniu.

– Sam wiesz, chłopcze, że jak on nie ma też głowy, to przecie nie zauważy. Nie sądzisz? Po prostu rób, co ci mówiłem: szukaj książeczek wypłat, zegarków, listów, wszystkiego, co pomoże zidentyfikować tych biedaków. A potem ich poustawiaj, żeby wyglądali nad brzegiem okopu. Zgadza się, chłopcze, ustaw te trupy! Może i złapią jakąś kulę, ale pewne jak diabli, że tego nie poczują, a jedna kula mniej zostanie dla ciebie i dla mnie. Zuch chłopak. Łykniesz kapkę rumu? To dobre lekarstwo na to, co ci dolega.

Dlatego odkrycie stóp, jego własnych stóp, wciąż jak należy umocowanych, uradowało szeregowego Percy'ego – znanego kumplom jako Pryszcz, bo jeśli człowiek nazywa się naprawdę i w rzeczywistości Percy Blakeney, wymawiane jak „Black-knee" – czarne kolano – a w dodatku ma paskudny trądzik, chociaż skończył już dwadzieścia lat, to przyjmuje Pryszcza i cieszy się, że to nie coś gorszego.

Położył się znowu i musiał przez chwilę drzemać.

Kiedy znowu otworzył oczy, było już jasno, a jemu chciało się pić. Usiadł. Rosjanie wciąż byli przy nim i przyglądali mu się cierpliwie. Patrzyli niemal łagodnie, mimo tych kosmatych twarzy.

W myślach mu się trochę przejaśniło. Po raz pierwszy przyszło mu do głowy, że powinien dobrze obejrzeć swój sprzęt.

Otworzył worek i wysypał zawartość na trawę. I odkrył, że ktoś go okradł! Zniknęła manierka, zniknęła klinga bagnetu i zniknęła saperka. Zauważył przy tym, że zniknął gdzieś jego hełm; nie pamiętał, żeby miał go na głowie, kiedy się obudził, chociaż znalazł na szyi pasek. Do licha, zabrali nawet skuwki ze sznurowadeł i gwoździe z obcasów! Wszystkie kawałki żelaza! A co bardzo dziwne, to że chociaż stracił manierkę, tak naprawdę zniknął tylko metalowy pojemnik, a pozszywany skórzany futerał leżał sobie na trawie, cały i nieuszkodzony. Książeczka wypłat pozostała nietknięta, nikt się nie przejął paroma pensami w worku ani nawet szklaną butelką zawierającą rację rumu. Dziwny musiał być ten złodziej.

Percy zachował też farby, choć metalowe pudełko, w którym chował tubki, zniknęło. Nie tylko to – ktoś zadał sobie trud i odwinął paski blachy przytrzymujące włosie na pędzlach, więc kępki szczeciny leżały teraz na dnie brezentowego worka. Po co?

Co się stało z bronią? Sprawdził pistolet u pasa – tylko drewniana kolba po nim została. I znowu: po co? Ukraść pistolet, jasne, ale trzeba się naprawdę piekielnie namęczyć, żeby go użyć bez kolby. To nie miało sensu. Ale z drugiej strony, co miało sens? Gdzie na froncie zachodnim zdrowy rozsądek miał jakiekolwiek znaczenie?

Rosjanie patrzyli, zdziwieni tymi jego zabawami ze sprzętem.

Wspomnienia wypłynęły wąską strużką z lisiej dziury, w której się ukrywały.

Kiedy szeregowy Percy został ranny w nogę, odesłano go do korpusu maskowania. Stało się tak dlatego, że – choć to zdumiewające – armia przyjęła do wiadomości fakt, że był kreślarzem. I czasami ta armia, potrzebując głównie ludzi, którzy potrafią trzymać karabin, a jeszcze bardziej ludzi, którzy potrafią przyjąć kulę, potrzebowała również takich, którzy umieją trzymać ołówek, a z tęczy bożej wybrać taki odcień farby, żeby zmieniła czołg Mark I w nieszkodliwy snop siana, chociaż z unoszącą się nad nim smużką dymu, jeśli chłopcy akurat postanowili zapalić szybkiego papierosa. Percy był zachwycony tym czasem wytchnienia. Nosił pudło z farbami, żeby dopasować kolory i żeby czasem wykończyć coś porządnie, a nie tylko mazać wszystko w plamy oliwkowej zieleni.

Co jeszcze pamiętał? Co ostatnie słyszał przed ostrzałem? A tak, sierżant wymyślał nowemu, bo miał ten nieszczęsny Nowy Testament, który pasował akurat do kieszeni na piersi. Matki albo dziewczyny wysyłały takie rzeczy na front w nadziei, że Słowo Boże zapewni ich chłopcom bezpieczeństwo, a gdyby samo Słowo nie wystarczyło, to może okładki ze spiżu dokonają tego, czego nie potrafi wiara. A Percy, który pakował swój sprzęt, żeby ruszyć do następnej roboty, obserwował sierżanta, który wpadał w apopleksję. Machał książką chłopakowi przed nosem i wrzeszczał:

– Ty przeklęty, durny, skończony idioto, czy twoja durna matka słyszała w ogóle o szrapnelach? Mieliśmy tu kiedyś sapera, dobry chłopak, aż kiedyś pocisk trafił w ten jego spiżowy Testament i wyrwał mu z ciała żyjące serce! Biedaczysko!

I wtedy bardzo niegrzecznie przerwał mu ostrzał artyleryjski. Dlaczego czerwony na twarzy dzieciak i sierżant zniknęli w rozbłysku granatu, który wybuchł całkiem blisko, a Percy siedział teraz w tym spokojnym świecie, w towarzystwie przyjaznych Rosjan, i wciąż mógł słuchać cudownej ptasiej piosenki? W głębi duszy wiedział, że na takie pytania nigdy nie pozna odpowiedzi.

A w takim razie lepiej ich nie zadawać.

Siedzący na łące Rosjanie cierpliwie patrzyli, jak Percy usiłuje wypełznąć z czarnej przepaści we wnętrzu umysłu.

* * *

Kiedy dwaj rosyjscy myśliwi powrócili, jeden z nich całkiem bez wysiłku niósł świeżo upolowanego jelenia, wielkiego i bezwładnego.

Ktoś inny mógłby się przerazić, gdyby potężny Rosjanin w kożuchu rzucił mu pod nogi ścierwo jelenia. Ale szeregowy Percy miał za sobą krótkie terminowanie w kłusowniczym fachu i lata niedożywienia na froncie, które razem dały pożądany efekt. Rzeźnictwo bez stali to brudna robota, na szczęście guziki w jego worku były z cienkiego mosiądzu, co trochę pomogło, podobnie jak rozbicie butelki z resztką rumu, żeby uzyskać kilka dodatkowych ostrzy.

Zdziwił się, że Rosjanie jedzą gołymi rękami; starannie wybierali wnętrzności i płuca zwierzęcia, które w domu Percy'ego nazywało się dudkami, i pakowali je do ust. Litościwie jednak uznał, że pewnie biedacy inaczej nie potrafią. Nie zauważył u nich żadnej stali, więc i żadnych karabinów, a to było dziwne. Przecież Rosjanie zjawili się tu, żeby walczyć u boku Anglików, tak? Więc z pewnością musieli mieć jakieś karabiny, bo co to za żołnierz bez broni?

Aż nagle szeregowy Percy doznał olśnienia. To jasne, że ktoś mógłby go przecież uznać za dezertera, choć Bóg jeden wiedział, co naprawdę się z nim stało. Może więc ci Rosjanie są naprawdę dezerterami? Pewnie wyrzucili gdzieś broń i zachowali tylko swoje obszerne futrzane płaszcze. Ale czemu Percy miałby się tym przejmować? To przecież ich sprawa. I cara.

Dlatego wybrał dla siebie stek z polędwicy i dyplomatycznie odszedł na bok, żeby nie patrzeć na maniery Rosjan. Znalazł trochę suchej trawy i ułamał parę suchych gałązek z na wpół przegniłych konarów leżącego drzewa. Następnie zużył kolejną cenną zapałkę, by rozpalić ogień.

Pięć minut później, gdy stek dopiekał się powoli, Rosjanie siedzieli wokół Percy'ego, jakby stał się królem we własnej osobie.

A jeszcze później, kiedy odeszli wraz z nim, śpiewając w drodze, uraczył ich wszystkimi musicalowymi piosenkami, jakie znał.

ROZDZIAŁ 22

Skąd o tym wszystkim wiesz, Lobsangu?
– O szeregowym Percym? Głównie z tej kroniki zjawisk niewyjaśnionych, jaką jest „Fortean Times". Numer grudniowy z 1970 roku przytoczył historię starszego mężczyzny ubranego w staroświecki angielski mundur, przyjętego kilka lat wcześniej do francuskiego szpitala. Sprawiał wrażenie, jakby próbował się porozumiewać za pomocą gwizdania. Według książeczki płatniczej armii brytyjskiej, którą wciąż miał w kieszeni kurtki, był to szeregowy Percy Blakeney z regimentu Kentu, zarejestrowany jako zaginiony w boju podczas bitwy o Vimy. Mimo to wydawał się dobrze odżywiony i w dobrym nastroju, choć nieco oszołomiony. Był też mocno poturbowany, gdyż przejechał go traktor prowadzony przez farmera, który potem przywiózł go do szpitala. Farmer tłumaczył policji, że człowiek ten stał nieruchomo na środku pola, jakby w życiu nie widział takiego pojazdu, a on sam nie zdążył wyhamować na czas. Niestety, mimo wysiłków lekarzy Percy zmarł wskutek tej kolizji. Ironiczny koniec! Ale jedna z pielęgniarek, która znała angielski, zdążyła jeszcze usłyszeć, jak mówi coś w rodzaju: „W końcu powiedziałem Rosjanom, że chciałbym wrócić i zobaczyć, jak się toczy wojna. To były dobre chłopaki. Dobre chłopaki, znaleźli mi drogę do domu! Dobre chłopaki, kochali śpiew! Bardzo grzeczni..." i tak dalej. Fakt, że ranny nosił strzępy brytyjskiego munduru i wymienił słowo „Rosjanie", wywołał dostateczny niepokój sił bezpieczeństwa,

by żandarmeria przeprowadziła dochodzenie. Otóż według Legionu Brytyjskiego rzeczywiście istniał szeregowy Percy Blakeney uczestniczący w walkach o Vimy, zaginął podczas niemieckiego ataku artyleryjskiego. Jak się zdaje, nie było żadnych prób wyjaśnienia faktu, że jego książeczka wojskowa pojawiła się dziesiątki lat później w rękach tajemniczego wędrowca spoczywającego obecnie na cmentarzu w środkowej Francji.

– Ale rozumiem, że ty znasz wyjaśnienie.

– Jestem pewien, że także je dostrzegłeś, Joshua.

– Przekroczył tam? Do lasu z tymi jego Rosjanami?

– Możliwe – zgodził się Lobsang. – Albo może jeden z trolli przypadkiem trafił do okopów i mu pomógł.

– Trolli?

– To mitologiczny termin najlepiej opisujący te stworzenia, ekstrapolując z legend, które muszą się opierać na dawniejszych spotkaniach: istoty widziane w naszym świecie i znikające zaraz, całkowicie niezrozumiałe, źródło legend... Ta nazwa zaczęła już obowiązywać w pewnych rejonach Długiej Ziemi. Percy nie był jedynym, który ich spotkał.

– Czyli spodziewałeś się spotkać te... te przekraczające humanoidy?

– Na podstawie logicznej ekstrapolacji. A śpiew przewidziałem na podstawie opowieści Percy'ego. Pomyśl: ludzie mogą przekraczać, szympansy nie; przeprowadzono eksperymenty, by to ustalić. Ale może nasi człowiekowaci krewniacy z przeszłości, a raczej ich współcześni potomkowie, też potrafili albo potrafią? Czemu nie? Spotkanie z tymi istotami na tak wczesnym etapie wyprawy to oczywiste osiągnięcie ważnego celu. Należy się spodziewać, a przynajmniej mieć nadzieję, że trafimy jeszcze na wiele takich grup. Cóż to za intelektualny dreszcz, Joshua...

– Więc przez te wszystkie lata zachowali Percy'ego przy życiu?

– Na to wychodzi. Ci „Rosjanie" znaleźli Percy'ego błąkającego się po Francji, w której nie było ani jednego Francuza. Opiekowali się nim przez dziesiątki lat. Być może przez kilka swoich pokoleń.

Zadziwiające. O ile wiem, nigdy nie pojął, kim naprawdę są jego przyjaciele. Ale też, zanim wysłano go do Francji, Percy prawdopodobnie nie widział na oczy nikogo mieszkającego w innym kraju. Naturalnie, jako Anglik i człowiek niewykształcony, był gotów uwierzyć, że cudzoziemiec może wyglądać całkiem inaczej niż on. Dlaczego Rosjanin nie miałby być podobny do wielkiej owłosionej małpy?

Lobsang przerwał na moment.

– Przez resztę życia – podjął – szeregowy Percy wędrował ze swoimi „Rosjanami" po spokojnym, gęsto zalesionym i obfitującym w wodę świecie, gdzie karmili go mięsem i warzywami. Troszczyli się o niego pod każdym względem, aż do dnia, kiedy dał im do zrozumienia... przyznaję, nie mam pojęcia, jak im to zakomunikował... że chciałby powrócić do miejsca, z którego przybył.

– Pieśni mogą być bardzo ekspresyjne, Lobsangu. Możesz wyśpiewać tęsknotę za domem.

– Możliwe. A jak sami się przekonaliśmy, dobrze się nauczyli tych piosenek i do dziś je pamiętają. Musiały być przekazywane z pokolenia na pokolenie trolli, może nawet od grupy do grupy... Ciekawe. Musimy lepiej poznać życie towarzyskie tych istot. Tak czy inaczej trolle w końcu zabrały go do domu, jak wypada dobrym wróżkom, to znaczy z powrotem do Francji, choć na szczęście już nie do epoki, w której człowiek demontował człowieka za pomocą materiałów wybuchowych.

Jednostka mobilna wyszła zza niebieskich drzwi na końcu korytarza i płynnie – a raczej upiornie – podjęła rozmowę, zastępując swój bezcielesny odpowiednik.

– Masz jeszcze jakieś pytania, Joshuo?

– Czytałem o tej wojnie. Nie trwała aż tak długo. Czemu nie wrócił wcześniej?

Jednostka mobilna położyła zimną dłoń na ramieniu Joshuy.

– A ty byś wrócił? To był przerażający, nieludzki konflikt, wojna, która stała się maszyną do możliwie efektywnego i możliwie okrutnego zabijania młodych mężczyzn. Jak bardzo mogło mu zależeć, żeby do czegoś takiego wrócić? Nie zapominaj też, że on naprawdę nie wiedział, że jest kroczącym. Uważał, że wybuch cisnął go do innej części Francji. Poza tym ci „Rosjanie" go polubili. Podejrzewam, że kluczowe były tu piosenki. Mówił, że uwielbiali słuchać jego śpiewu. Nauczył ich wszystkich, jakie znał, a ty, Joshuo Valienté, usłyszałeś dzisiaj jedną z nich.

Lobsang przerwał na moment, jakby przechodził do nowego tematu.

– Czyli mamy za sobą pierwsze badania terenowe. Może przyda się narada operacyjna. Myślałeś, że narażę cię na niebezpieczeństwo, prawda? Uwierz mi, nigdy bym tego nie zrobił. To byłoby wbrew moim interesom, zgodzisz się chyba?

– Na pewno bardzo dużo wiesz o tym, co spotykamy, zanim jeszcze do tego spotkania dojdzie. Mogłeś mnie uprzedzić.

– Owszem, przyjmuję tę uwagę. Musimy popracować nad komunikacją. Ale przecież dopiero zaczęliśmy naszą epicką wyprawę. Ledwie się znamy. Co byś powiedział, żebyśmy poświęcili sobie wzajemnie trochę czasu? Nie mamy go wiele, ale sam rozumiesz, nie liczy się ilość, tylko jakość.

Czasami jedyną możliwą reakcją jest tępe spojrzenie. Nie ilość, tylko jakość... i coś takiego mówi sztuczny człowiek! Joshua znał to powiedzenie, oczywiście, choćby dlatego, że siostra Agnes wpadała w gniew za każdym razem, kiedy je słyszała. Jak na ataki gniewu, te nie były wulkaniczne: padało niewiele brzydkich słów – nie licząc nawet „republikanina", który dla siostry Agnes był słowem krańcowo niecenzuralnym – i z pewnością żaden przedmiot nie był rzucany, a przynajmniej nie za mocno i nigdy tak, by mógł zranić. Jednak takie sformułowania zawsze uruchamiały zapalnik. „Określenia rzeźbione z mgły! Rozwadniające walutę wyrażeń, możliwe do użycia w każdej sytuacji, a zatem całkiem pozbawione znaczenia! W efekcie nic nie ma sensu i nic nie jest precyzyjne". Pamiętał dzień, kiedy ktoś w telewizji użył groźnego sformułowania „myśleć poza schematem". Niektóre dzieciaki próbowały od razu się schować, nie czekając na wybuch.

Jakość... Jakość chwil z Lobsangiem...

Joshua spojrzał na symulowane oblicze jednostki mobilnej. Lobsang wydawał się dziwnie zmęczony albo zestresowany... Pod warunkiem że w ogóle wyraz jego twarzy dał się odczytywać.

– Czy ty w ogóle sypiasz, Lobsangu?

Teraz ta twarz wyraziła urazę.

– Wszystkie moje komponenty działają w cyklu obejmującym przestoje, kiedy systemy wtórne w miarę potrzeby przejmują ich zadania. Chyba można to uznać za sen. Widzę, że marszczysz brwi. Czy ta odpowiedź nie jest dla ciebie zadowalająca?

Joshua zdawał sobie sprawę z obecności wszystkich delikatnych odgłosów statku, organicznych trzeszczeń i zgrzytów, szumu podsystemów – Lobsang pracował bezustannie. Jak musi być odczuwany ten stały poziom świadomości? To jakby Joshua cały czas kontrolował każdy swój oddech, regulował każde uderzenie serca... Lobsang z całą pewnością musiał kierować przekraczaniem – jako produktem świadomości.

– Czy jest coś, co się niepokoi?

Sztuczna twarz rozciągnęła się w uśmiechu.

– Oczywiście. Wszystko mnie niepokoi, zwłaszcza rzeczy, o których nie wiem i nie mogę ich kontrolować. W końcu wiedzieć to moje zajęcie, moja praca, mój sens istnienia. Jednakże moje zdrowie psychiczne jest na poziomie optymalnym, należy to wyraźnie stwierdzić. Nie wiem nawet, gdzie mógłbym znaleźć rower dla dwojga, chociaż jestem przekonany, że w ciągu kilku godzin potrafiłbym wyprodukować rozsądnie szybki tandem. Nie wiesz, o czym mówię, prawda? Dzisiaj wypróbujemy opcję kina, a główną atrakcją będzie *2001*. Musimy uzupełnić twoją edukację, Joshuo.

– Przyjmując na chwilę, że istotnie jesteś człowiekiem, z ludzkimi słabościami, czy to możliwe, żebyś uległ stresowi? Jeśli tak, dobrze by ci zrobiło, gdybyś od czasu do czasu znalazł sobie jakąś rozrywkę. Jasne, możemy zrobić coś razem, kierując się raczej jakością niż ilością czasu. Tylko nie powtarzaj siostrze Agnes, że to powiedziałem.

– Dziwaczna myśl przyszła mu do głowy. – Umiesz walczyć?

– Joshuo, mogę całe połacie ziemi zmienić w pustynię.

– Nie, nie. Chodzi mi o walkę wręcz.

– Wytłumacz.

– Lekki sparring od czasu do czasu pozwala się rozluźnić. Jeszcze w Domu z chłopakami bawiliśmy się tak, żeby utrzymać formę, no wiesz, na ulicach. Nawet ćwiczenia z workiem bokserskim pozwalają wziąć się w garść. I mogą być zabawne. Co na to powiesz? To bardzo ludzka rozrywka. Miałbyś też okazję, żeby przeanalizować reakcje tego twojego ciała.

Lobsang nie odpowiedział.

– No jak? Co ty na to?

Lobsang się uśmiechnął.

– Przepraszam, ale oglądałem właśnie *Rumble in the Jungle*.

– Co takiego?

– Łomot w dżungli? Walkę George'a Foremana z Muhammadem Alim. Zawsze staram się przygotować do lekcji, Joshuo. Widzę, że Ali zwyciężył dzięki podstępowi, jako bokser starszy i bardziej doświadczony. Znakomicie.

– Chcesz powiedzieć, że masz w jakiejś podręcznej pamięci każdy transmitowany w telewizji pojedynek bokserski?

– Tak, oczywiście. Czemu nie? Przewidując i ekstrapolując, zacząłem już produkcję dwóch par rękawic treningowych, odpowiednich owijaczy na dłonie, dwóch par szortów, dwóch osłon na zęby, żeby wyglądało to jak należy, oraz jednego plastikowego ochraniacza na twoje genitalia.

Joshua słyszał szum, gdy zwiększyła się aktywność na pokładach produkcyjnych. A że ochronę genitaliów uważał za sprawę bardzo istotną, powiedział:

– Łomot w dżungli to nie był mecz sparringowy, rozumiesz chyba, Lobsangu. To była raczej mała wojna. Widziałem go kilka razy. Siostra Simplicity niekiedy ogląda słynne pojedynki. Wszyscy podejrzewamy, że ciągnie ją do wielkich, spoconych mężczyzn...

– Studiowałem zasady sparringu przez odpowiednio długi czas – zapewnił Lobsang, wstając. – Ściślej mówiąc, przez dwie milionowe sekundy. Przepraszam, czy zabrzmiało to, jakbym się przechwalał?

Joshua westchnął.

– Zabrzmiało to, jakbyś przesadzał w celu osiągnięcia efektu żartobliwego.

– Dobrze – ucieszył się Lobsang. – Tak właśnie miało być.

– Teraz to brzmiało, jakbyś się przechwalał.

– Trzeba jednak przyznać, że mam wiele powodów do przechwałek. Nie sądzisz? A teraz, jeśli wybaczysz...

Lobsang odszedł powoli. Kiedy Joshua pierwszy raz zobaczył jednostkę mobilną, poruszała się szarpanymi ruchami, w sposób oczywiście sztuczny. Trudno byłoby nie zauważyć, że teraz Lobsang ma krok sportowca. Wyraźnie był wyznawcą samodoskonalenia.

Wrócił po kilku minutach, ubrany w gruby biały szlafrok, i wręczył Joshui strój bokserski. Joshua odwrócił się do niego plecami i zaczął się przebierać.

– Sparring: zdrowe ćwiczenie fizyczne, pozwala doskonalić części mózgu odpowiadające za obserwację, dedukcję i przewidywanie, a także, co równie ważne, rozwijać ducha szlachetnej walki – wyrecytował Lobsang. – Sugeruję, byśmy stosowali reguły opracowane raczej dla meczów treningowych niż do prawdziwych walk. Sformułował je w 1891 generał brygady Houseman. Hm, jak widzę, wkrótce potem został w Sudanie trafiony w głowę przez jednego z własnych żołnierzy, przed którym to wypadkiem żadne sparringi nie zdołałyby go ocalić. Ironiczne, prawda? Udało mi się też trafić na kilka tysięcy aluzji do tych ćwiczeń. Doprawdy, Joshuo, szanuję twoją skromność każącą ci stawać do mnie tyłem, kiedy wciągasz szorty, ale naprawdę nie ma potrzeby.

Joshua odwrócił się... i zobaczył nowego Lobsanga. Kiedy zrzucił szlafrok, pod koszulką i bokserskimi szortami było ciało, które mogłoby wystraszyć Arnolda Schwarzeneggera.

– Do wszystkiego bierzesz się na poważnie, prawda?

– O co ci chodzi?

– Mniejsza z tym. No dobrze, zasada jest taka, że dotykamy się rękawicami, cofamy o krok i do roboty… – Zerknął przez okno na przesuwające się światy. – Ale czy nie powinieneś też mieć na oku „Marka Twaina"? Nie jestem pewien, czyby mi się podobało, gdybyśmy tutaj wymieniali ciosy, a sterowiec tymczasem przekraczał na ślepo…

– Tym się nie przejmuj. Mam autonomiczne podzespoły, które przez jakiś czas zajmą się statkiem. Zresztą sam Mark Twain uznałby tę sytuację za całkiem właściwą! Opowiem ci o tym, kiedy już wygram. Zatańczymy, Joshuo?

Joshua nie był zdziwiony odkryciem, że boksuje całkiem nieźle. W końcu na Długiej Ziemi albo człowiek miał dobry refleks i wytrzymałość, albo był martwy. Pewnie dlatego, przynajmniej na razie, częściej on rękawicą trafiał Lobsanga niż Lobsang jego.

– Jesteś pewien, że dajesz z siebie wszystko? – zapytał, blokując kolejny cios.

Odskoczyli od siebie i Lobsang wyszczerzył zęby.

– Mógłbym cię zabić jednym uderzeniem. Jeśli trzeba, te ręce mogłyby służyć za kafary. – Czujnie zszedł z linii próbnego ataku Joshuy. – Dlatego pozwalam ci trafiać pierwszemu, żeby skalibrować swoje reakcje. Walczę z tobą z twoją siłą, choć niestety nie z twoją prędkością, która, jak podejrzewam, jest naturalnie większa od mojej. To ze względu na fenomen pamięci mięśni: ucieleśniona percepcja, mięśnie jako element czyjejś ogólnej inteligencji… Zadziwiające! Przy kolejnej modernizacji ciała będę musiał uwzględnić to we własnej anatomii. Dodatkowo, Joshua, całkiem dobrze wychodzą ci zwody, mimo ograniczeń mowy ciała. Muszę ci to przyznać.

Była to prawda, ponieważ w tej właśnie chwili Joshua trafił rękawicą w środek tej szerokiej piersi.

– Nie jestem pewien, czy to tybetańskie – powiedział – ale jest takie powiedzenie: „Jeśli walczysz, to nie gadaj, tylko walcz".

– Tak, oczywiście, masz rację. Trzeba walce poświęcić całą uwagę.

I nagle pięść znalazła się dokładnie między oczami Joshuy. Uderzenia nie było: Lobsang wyhamował je z zadziwiającą precyzją i Joshua poczuł cios tylko drobnymi włoskami na skórze nosa.

– Jest takie stosowne tybetańskie przysłowie – rzekł Lobsang. – Mówi „Nie stawaj za blisko Tybetańczyka, kiedy rąbie drzewo". Pod każdym względem jesteś zbyt powolny, Joshuo. Może jednak zdołasz wygrywać ze mną podstępem jeszcze przez jakiś czas, dopóki nie przekroczę twojego poziomu kompetencji. Przyznaję jednak, że to ćwiczenie jest terapeutyczne, orzeźwiające i pouczające. Walczymy dalej?

Joshua wziął się do pracy, mocno już zdyszany.

– Naprawdę cię to bawi, co? – spytał. – Chociaż wiedząc, skąd pochodzisz, spodziewałem się właściwie, że spróbujesz jakiegoś kung-fu.

– Oglądałeś nieodpowiednie filmy, przyjacielu. Byłem mechanikiem motocyklowym, pamiętaj. Lepiej sobie radziłem ze wszystkim, co mechaniczne, niż z własnymi nogami i rękami. Podłączyłem kiedyś magneto do drzwi mojego warsztatu, żeby dżentelmen z sąsiedztwa, który regularnie mnie okradał, doznał solidnego wstrząsu elektrycznego. Odrobina natychmiastowej karmy... To był jedyny przypadek, kiedy powaliłem kogoś na ziemię, ale nie używałem kick-boxingu.

Odskoczyli od siebie.

– A teraz ty, przyjacielu – rzekł Lobsang – pomogłeś mi naśladować oryginalnego Marka Twaina, który, jeśli wierzyć jego autobiografii, *Życie na Missisipi*, walczył z innym pilotem na tylnokołowcu idącym pełną parą. Tamten człowiek znęcał się nad szkolącym się młodym pilotem. Od czasu do czasu Twain musiał przerwać walkę, by sprawdzić, czy statek trzyma kurs... mniej więcej tak jak ja kieruję naszym statkiem poprzez kolejne światy, w czasie kiedy się tu boksujemy. Biorąc pod uwagę jego sympatyczną skłonność do upiększania dowolnej anegdoty, nie jestem przekonany o prawdziwości tej konkretnej. Jednak podziwiam tego człowieka i dlatego jego imieniem nazwałem sterowiec. Właściwie to nazwałby pewnie swoją książkę *Krocząc na zachód*, jednak tytuł został już niestety wykorzystany przez Williama Wordswortha. Weteran z Krainy Jezior, wspaniały poeta, ale „wyprawa na »Wordsworthu«" nie brzmi tak dobrze, zgodzisz się chyba?

– Wordsworth miał swoje momenty – odparł Joshua. – Tak przynajmniej twierdzi siostra Georgina. „Wieczór jest taki piękny, spokojny, swobodny"...

– Znam to, oczywiście. „Święty czas zamilkł niczym zakonnica drżąca z zachwytu"*. Bardzo odpowiednie. Czy prowadzimy też sparring na poezję, Joshuo?

– Zamknij się i boksuj, Lobsangu.

* Przełożył Stanisław Barańczak.

ROZDZIAŁ 23

Kiedy skończyli, na wszystkich światach zachodziło słońce. Joshua wziął prysznic, myśląc o wszelkich możliwych znaczeniach i zastosowaniach słowa „dziwne". Boksować się jak kapitan dziewiętnastowiecznego parowca, ze sztucznym człowiekiem, kiedy w dole pojawiały się i znikały kolejne światy... Czy życie może być dziwniejsze? Pewnie tak, pomyślał zrezygnowany.

Zaczynał lubić Lobsanga, choć nie był całkiem pewien dlaczego. Nie był też pewien, nawet teraz, jaki Lobsang właściwie jest. Dziwny – to oczywiste. Ale przecież i jego wielu uważało za dziwaka, albo i gorzej.

Wytarł się, wciągnął czyste szorty i świeżą koszulkę z napisem „Nie łam się! Na innej Ziemi to już się stało!". Potem ruszył na pokład wypoczynkowy. Mijane puste kabiny trochę go niepokoiły; „Mark Twain" sprawiał wrażenie statku duchów, z Joshuą jako pierwszym i być może ostatnim z nich.

Zajrzał do kuchni i spotkał tam Lobsanga w gładkim dresie, stojącego nieruchomo jak posąg.

– Pora na kolację, Joshuo? Według wstępnej analizy kladystycznej twój łosoś nie jest w ścisłym sensie łososiem, ale jest nim dostatecznie, żeby nadawał się na grilla. Mamy wszystkie istotne przyprawy. Mamy też tak zwane traklementy, a założę się, że nigdy o nich nie słyszałeś.

– Traklementy to takie przyprawy, które podnoszą smak głównego składnika posiłku, a są, przynajmniej tradycyjnie, znajdowane w okolicy rzeczonego składnika... Na przykład chrzan w krainie bydła. Jestem pod wrażeniem, Lobsangu.

Lobsang wydawał się uprzejmie zdumiony.

– Jeśli już o tym mowa, to ja również, zwłaszcza że jestem przecież gwarantowanym geniuszem mającym dostęp do każdego wydanego na Ziemi słownika. Czy mogę spytać, jak trafiłeś na tak archaiczne określenie?

– Siostra Serendipity jest światowej klasy ekspertem od kuchni przez wieki. W szczególności ma książkę niejakiej Dorothy Hartley, zatytułowaną *Jedzenie w Anglii*. Serendipity zna to wszystko na pamięć i z czegokolwiek potrafi przygotować dobry obiad. Powinieneś spróbować jej potrawki z przejechanego mięsa... Wiele mnie nauczyła, jak żywić się tym, co znajdę.

– Niezwykłe, że kobieta o takich umiejętnościach poświęca swe życie niefortunnym młodym ludziom. To wielkie oddanie.

Joshua kiwnął głową.

– Racja. Choć może jedną z przyczyn jest fakt, że poszukuje jej FBI. Siostra Agnes mówi, że było to wielkie nieporozumienie, a zresztą kula chybiła senatora o kilometr. Rzadko o tym wspominają.

Lobsang zaczął spacerować tam i z powrotem po pokładzie; kiedy docierał do grodzi, wykonywał energiczny zwrot – jak wartownik. Joshua zaczął patroszyć łososia, ale bezustanny tupot kroków i skrzypienie desek podłogi zaczęło mu działać na nerwy.

– Wiesz, że kapitan Ahab tak krążył? – zapytał, kiedy Lobsang minął go po raz dwunasty. – I patrz, co go spotkało... Co cię dręczy?

– Co mnie dręczy? Praktycznie wszystko. Choć muszę przyznać, że lekkie ćwiczenia fizyczne, jak nasz sparring, rzeczywiście czynią cuda dla procesów poznawczych. Bardzo ludzkie spostrzeżenie, nie sądzisz? – Lobsang nie przerwał swojego spaceru.

Wreszcie quasi-łosoś trafił do garnka; Joshua musiał go jednak pilnować.

Lobsang zatrzymał się w końcu.

– Potrafisz się koncentrować, Joshuo, prawda? – zapytał.

– Umiesz ignorować to, co rozprasza. Bardzo użyteczna umiejętność i wyjaśnia twój spokój.

Joshua nie odpowiedział. Za oknem rozbłysło światło. To daleki wulkan zakwitł ogniem na tle nieskończonej eurazjatyckiej zieleni – i zgasł w mgnieniu oka, kiedy przekroczyli dalej, i jeszcze dalej.

– Wiesz co, Joshuo? – odezwał się Lobsang. – Pogadajmy może o naturalnych kroczących. Takich jak ty.

– I szeregowy Percy?

– Pytałeś o moje badania. Od Dnia Przekroczenia staram się analizować wszelkie aspekty tego niezwykłego zjawiska. Na przykład posłałem badaczy na cały świat, żeby studiowali systemy jaskiń wykorzystywane przez ludzi pierwotnych. Mieli za zadanie przyjrzeć się podobnym jaskiniom w światach przyległych, by wykryć równoległe miejsca zamieszkania, jeśli je znajdą. Było to kosztowne przedsięwzięcie, ale przyniosło owoce. Moi badacze szybko znaleźli jaskinię w pobliżu Chauvet, w wykrocznej Francji, a w niej, poza wszystkim innym, także malowidło. A dokładniej, było to wyrysowane z wielką dokładnością godło pewnego regimentu z Kentu w okresie pierwszej wojny światowej.

– Szeregowy Percy?

– Istotnie. Ale o nim i o jego przekroczeniach wiedziałem już wcześniej. Potem jednak, w wykrocznej wersji jaskiń w Cheddar Gorge w Somerset, Anglia, moi niestrudzeni badacze odkryli kompletny szkielet mężczyzny w średnim wieku, mającego przy sobie zakorkowaną flaszkę cydru, kilka monet oraz jeden złoty zegarek z połowy osiemnastego wieku, przy czym z części metalowych pozostały jedynie te ze złota i mosiądzu. Jaskinia była wilgotna, ale jego buty przetrwały, lekko lśniące, podobnie jak ów szkielet, dzięki warstwie węglanu wapnia naniesionej przez cieknącą ze sklepienia wodę. Co ciekawe, brakowało ćwieków w podeszwach i agletów przy sznurówkach.

– Agletów?

– To takie małe, kiedyś żelazne skuwki na końcach sznurowadeł... Próbuję ci tu naszkicować ogólny obraz, Joshuo.

– Dość szary obraz.

– Cierpliwości. Intrygującym elementem tego konkretnego znaleziska był fakt, że zwłoki odkryto, ponieważ trup leżał z palcami jednej ręki wbitymi w bardzo mały otwór w dnie jaskini. Właściwie moi ludzie trafili do tego dżentelmena, kiedy przeszukiwali dolną jaskinię. Zobaczyli kości wystające ze stropu, jakby ów człowiek starał się bezskutecznie poszerzyć niewielki otwór. Całkiem jak u Poego, zgodzisz się chyba? Oczywiście przebili się do niego od dołu i sam możesz odgadnąć resztę. Człowiek ten był notorycznym złodziejem i ladaco, znanym wśród miejscowych jako Paschalnik.

– Był kroczącym, prawda? – zapytał spokojnie Joshua. – I mogę się założyć, że do tej jaskini nie było żadnego wejścia. – Na moment wyobraził sobie kapanie lodowatej wody ściekającej po pokrwawionych palcach w ciemności, mężczyznę próbującego wydostać się z jaskini zamkniętej jak trumna... – Pewnie wypił trochę. Siostra Serendipity mówiła mi kiedyś, że cydr w Somerset robi się z ołowiu, jabłek i brzeszczotów pił. Stracił orientację, przekroczył, trafił do tej ciasnej jaskini i nie wiedział nawet, że przekroczył, co tylko jeszcze bardziej go zdezorientowało. Próbował wymacać drogę wyjścia, uderzył głową o skałę, stracił przytomność. Jak mi idzie?

– Świetnie. Rzeczywiście, czaszka była lekko uszkodzona – przyznał Lobsang. – Niedobra śmierć. Zastanawiam się, ilu jeszcze osobników trafiło w takie pułapki, zanim w ogóle zrozumieli, co się z nimi dzieje. To naturalni kroczący, Joshuo. Historia Ziemi Podstawowej jest ich pełna, jeśli potrafisz czytać raporty. Tajemnicze zniknięcia. Tajemnicze pojawienia się. Wszelkiego rodzaju tajemnice zamkniętych pokojów. Thomas Learmont, Tom Rymotwórca, to mój ulubiony przykład: szkocki wieszcz, który podobno pocałował królową elfów i odszedł do innego świata... W bardziej współczesnych czasach istnieje mnóstwo przypadków, udokumentowanych oczywiście w tajnej literaturze naukowej i wywiadowczej.

– Oczywiście.

– Jesteś więc niezwykły, Joshuo, ale nie jednostkowy.

– Dlaczego teraz mi to wszystko mówisz?

– Bo nie chcę, żebyśmy mieli przed sobą tajemnice, i ponieważ teraz mam zamiar wejść na niebezpieczny grunt. Chcę ci opowiedzieć o twojej matce.

„Mark Twain" kroczył na zachód, a praktycznie jedynym dźwiękiem były ciche puknięcia usuwającego się z drogi powietrza.

Joshua bardzo ostrożnie zmniejszył temperaturę grzejnika.

– Co z moją matką? – zapytał tonem tak obojętnym, na jaki tylko było go stać. – Siostra Agnes opowiedziała mi wszystko, co chciałem wiedzieć.

– Nie wydaje mi się, ponieważ nie wiedziała wszystkiego. I muszę zaznaczyć, jeśli pozwolisz, że cała prawda jest generalnie dobrą prawdą i prawdą, która bardzo wiele wyjaśnia. Myślę, że dobrze będzie, jeśli ją poznasz. Ale jeśli sobie życzysz, zapomnę o całej sprawie. To znaczy, dosłownie usunę ten temat z moich banków pamięci. Na dobre. Wybór należy do ciebie.

Joshua spokojnie obserwował rybę.

– W jakim świecie mógłbym powiedzieć cokolwiek innego niż „Opowiedz mi o niej"?

– Bardzo dobrze. Z pewnością wiesz, albo musiałeś to odgadnąć, że siostra Agnes przejęła kierownictwo w Domu wskutek afery związanej ze skandaliczną historią twoich narodzin. Był to przewrót, wobec którego wygnanie kupców ze świątyni wygląda jak wieczór kawalerski. Widziałem akta; możesz mi wierzyć. Wątpię, czy w tej chwili nawet konwokacja kardynałów spróbowałaby odebrać jej stanowisko. Agnes zna wszystkie brudne sprawy. Co więcej, wie, co jest pod brudem… Twoja matka była bardzo młoda, kiedy zaszła w ciążę. O wiele za młoda… Dom najwyraźniej zawiódł w tym względzie. Nawiasem mówiąc, twój ojciec pozostaje nieznany, nawet dla mnie.

– Wiem. Maria nic o nim nie mówiła.

– Pod dawnym reżimem jej życie stało się codzienną pokutą. Odnośne sprawozdania mówiące, jak ta pokuta była stosowana, istnieją w osobistym sejfie siostry Agnes… oraz oczywiście jako moje własne pliki czekające na właściwy moment, by je ujawnić.

Ówczesny system byłby całkowicie niedopuszczalny w dzisiejszych czasach, zresztą w każdych czasach, choć kiedyś mógł być tolerowany.

Joshua spojrzał na Lobsanga i oświadczył chłodno:

– Wiem, że ktoś odebrał jej bransoletkę z małpami. Drobiazg, ale była prezentem od jej matki i chyba wszystkim, co miała własnego. Siostra Agnes mi mówiła. Podejrzewam, że uznali ją za zabobon albo coś w tym rodzaju.

– Owszem, myśleli w ten sposób. Chociaż była w tym zestawie silna domieszka małostkowego okrucieństwa. Maria była wtedy w końcowym okresie ciąży. Rzeczywiście, wydaje się to trywialnym incydentem, ale w najgorszym momencie pchnął ją poza krawędź. I tego wieczoru, gdy zaczęły się bóle porodowe, Maria próbowała uciec z Domu, wpadła w panikę i przekroczyła. Wtedy pojawiłeś się ty. Właściwie to Maria przekroczyła dwukrotnie. Urodziła cię i wróciła na Podstawową; zjawiła się przy drodze przed Domem, gdzie siostra Agnes dogoniła ją i próbowała uspokoić. Maria była najwyraźniej w strasznym stanie. Ale uświadomiła sobie, co zrobiła, i przekroczyła znowu. A kiedy powróciła, przyniosła cię ze sobą, owiniętego w jej różowy sweter z angory, i wręczyła zdumionej siostrze Agnes, która nic z tego nie rozumiała. Dopiero po Dniu Przekroczenia, kiedy takie rzeczy stały się bardziej powszechne, zaczęła pojmować prawdę. Niestety, Joshuo, Maria zmarła wskutek krwotoku poporodowego. Bardzo mi przykro. Siostra Agnes, choć reagowała szybko, nie zdołała jej pomóc. Ale to wszystko powoduje, mój przyjacielu, że stajesz się kimś absolutnie wyjątkowym, ponieważ w chwili narodzin, choć tylko na minutę czy dwie, byłeś prawie na pewno jedyną osobą we wszechświecie. Całkowicie samotną, absolutnie samą! Zastanawiam się, jaki efekt wywarło to na twoją niemowlęcą świadomość.

Joshua, przez całe życie świadom tej dalekiej, poważnej obecności Ciszy, też się nad tym zastanawiał. Moje cudowne narodziny, pomyślał.

Lobsang mówił dalej:

– Nie znałeś tych szczegółów, prawda? Czy pomogły ci trochę lepiej zrozumieć siebie?

Joshua przyjrzał mu się.

– Powinienem podać rybę, zanim się rozgotuje.

* * *

Lobsang patrzył w milczeniu, jak Joshua pochłania solidną porcję ryby ugotowanej z drobno posiekaną cebulą (nie mieli na pokładzie szalotek), zielonym groszkiem i w sosie koperkowym, którego składu nie potrafił określić nawet jego laboratoryjnie czuły nos – choć niewątpliwie było tam dużo koperku. Lobsang patrzył również, jak Joshua metodycznie zmywa i wyciera wszystkie naczynia i sztućce, aż się skrzyły, a następnie układa wszystko w porządku, który śmiało można by nazwać idealnym.

A potem patrzył, jak Joshua się budzi; Lobsangowi zdawało się, że rzeczywistość zalała go gwałtownie niczym fala przypływu.

– Mam coś dla ciebie – powiedział łagodnie. – Przypuszczam, że twoja matka chciałaby, abyś to dostał.

Wyjął niewielki przedmiot owinięty w miękką bibułkę i ostrożnie położył na blacie. Równocześnie sprawdził kilka zalecanych prac na temat radzenia sobie z żałobą i skutkami osobistej straty, przez cały czas w tle kontrolując działanie systemów statku.

Joshua ostrożnie odwinął paczuszkę. Wewnątrz była tania, bezcenna plastikowa bransoletka jego matki.

Potem Lobsang zostawił go samego.

Przeszedł wzdłuż całej gondoli sterowca, po raz kolejny zaskoczony, jak proces chodzenia pomaga w myśleniu – całkiem słusznie zauważył to kiedyś Benjamin Franklin. To jeden z aspektów fizyczności, jak podejrzewał: ucieleśniona percepcja, fenomen, który powinien zbadać – albo zapamiętać. Za jego plecami kolejno przygasały światła, wszystkie systemy statku przechodziły w tryb nocny.

Dotarł do sterowni i otworzył ekran, rozkoszując się lodowatym świeżym powietrzem owiewającym wbudowane w sztuczną skórę nanosensory. Spoglądał na Długą Ziemię widoczną w świetle wielu księżyców. Sam pejzaż – ogólne kontury wzgórz, szlaki rzek – rzadko ulegał istotnym zmianom, chociaż czasami wulkany były dostatecznie aktywne, by rozjaśnić niebo, albo trafiony piorunem las gorzał w ciemności. Księżyc, słońce, podstawowa geometria samej Ziemi, tworzyły statyczną scenę dla zmiennej, rojnej biologii ulotnych światów. Jednak nawet blask księżyca nie był stałą. Lobsang zwracał baczną uwagę na księżyc i widział, jak nad kolejnymi Ziemiami zmienia się i przesuwa powoli znajoma, prastara twarz. Pradawne morza lawy przetrwały, jednak w każdej rzeczywistości bombardowały powierzchnię inne kosmiczne głazy, pozostawiając inny deseń kraterów. Wiedział, że prędzej czy później muszą trafić do świata pozbawionego księżyca, z księżycem ujemnym. W końcu sam Księżyc był ewentualnością, skutkiem przypadkowych kolizji w okresie kreacji Układu Słonecznego. Brak Księżyca zatem jest nieunikniony, jeśli dotrze się odpowiednio daleko na Długiej Ziemi. Lobsang musiał tylko zaczekać, tak jak na wiele innych ewentualności, które przewidywał.

Dużo już rozumiał. Ale im dalej przekraczali, tym bardziej martwiła go sama tajemnica Długiej Ziemi. Na Podstawowej zatrudniał udomowionych profesorów, którzy mówili o Długiej Ziemi jako czymś w rodzaju kwantowo-fizycznego konstruktu, ponieważ ten typ naukowego języka przynajmniej wydawał się opisywać właściwy obraz. Lobsang zaczynał jednak wierzyć, że jest inaczej, że jego naukowcy nie tylko patrzą na niewłaściwy obraz, ale w ogóle trafili do niewłaściwej galerii sztuki. Długa Ziemia może być czymś o wiele dziwniejszym. Nie wiedział, a nie cierpiał niewiedzy. Tego wieczoru, to pewne, będzie się niepokoił i patrzył, dopóki nie zajdą księżyce, a potem będzie się tylko niepokoił, aż przyjdzie dzień i pora na codzienne obowiązki, które w jego przypadku obejmowały... niepokój.

ROZDZIAŁ 24

Następnego dnia Joshua, niemal zażenowany, poprosił Lobsanga o więcej informacji na temat naturalnych kroczących. O innych, podobnych do niego i jego matki.

– Ale nie legendy z historii, raczej współczesne przykłady. Domyślam się, że masz mnóstwo materiałów.

I tak Lobsang opowiedział mu o Jaredzie Orgillu, jednym z pierwszych naturalnych kroczących, którzy zwrócili na siebie uwagę władz.

* * *

Chcieli tylko znów zagrać w skrzynię umrzyka, jak nazywali tę zabawę w Austin w Teksasie – choć dzieciaki na całej planecie niezależnie wymyślały różne jej warianty, z najrozmaitszymi nazwami. I tego akurat dnia kolejka do bycia umrzykiem przypadła dziesięcioletniemu Jaredowi Orgillowi.

Na nielegalnym wysypisku śmieci Jared i jego kumple znaleźli starą lodówkę, wielki blok nierdzewnej stali leżący na plecach wśród odpadków.

– Wygląda jak trumna dla robota – zauważyła Debbie Bates.

Ale kiedy wyciągnęli już półki, plastikowe pojemniki i całą resztę, okazało się, że miejsca w środku spokojnie wystarczy na jedno z nich.

Nikt nie zmuszał Jareda, żeby wlazł do skrzyni, choć potem jego rodzice twierdzili, że było inaczej. Prawdę mówiąc, rzuciłby się do walki, gdyby chcieli mu odebrać ten przywilej. Wręczył Debbie swój telefon – naturalnie, nie zabierało się ze sobą komórki – a potem wlazł do lodówki i położył się na wznak. Nie było mu wygodnie, uwierały różne wypukłości i grzbiety wewnętrznych mocowań, a w dodatku śmierdziało czymś chemicznym. Wielkie i ciężkie wieko się zatrzasnęło, odcinając go od widoku nieba i uśmiechniętych twarzy. Nie przejął się, w końcu to tylko parę minut. Przez chwilę słyszał uderzenia, zgrzyty i drapanie, kiedy reszta dzieciaków jak zawsze zasypywała lodówkę śmieciami, żeby dociążyć wieko.

Potem nastała cisza, znów kilka zgrzytnięć – i lodówka zaczęła się kołysać. Dzieciaki wymyśliły lepszy sposób, żeby go uwięzić. Potrzebowały minuty, żeby się zorganizować, ale już wkrótce cała szóstka stała w szeregu i rytmicznie napierała na skrzynię, za każdym pchnięciem wychylając ją trochę dalej. W końcu lodówka przetoczyła się i upadła na drzwi, dociskając je swym ciężarem. Jared, trochę poobijany tym przetaczaniem w ciemności, wylądował twarzą w dół na wewnętrznej stronie drzwi... i usłyszał, jak coś chrupnęło. Jego noszony u pasa kroker był zwykłym plastikowym pudełkiem z plątaniną elementów w środku, umocowanym na sznurku do pasa. Dość kruchym.

Gra polegała na tym, że odczeka pięć minut, dziesięć... może nawet całą godzinę. Oczywiście, nie potrafił określić czasu. Potem przekroczy do Zachodniej 1 albo Wschodniej 1, odsunie się od lodówki, przekroczy z powrotem i – ta-dam! – oto pojawi się umrzyk, który wyskoczył ze swojej skrzyni.

Tyle że upadł na swój kroker.

Może urządzenie nadal działa. Nie sprawdził tego, nie od razu. Nie chciał okazać się tchórzem, gdyby wyszedł za wcześnie. Wolał też nie wiedzieć, że jest połamane, a on utknął na dobre.

Czekał długo, w lodówce robiło się już gorąco i duszno. Może minęło z dziesięć minut, może więcej.

Wymacał suwakowy przełącznik na krokerze, zamknął oczy i przesunął go na wschód. Nic. Tylko duszna ciemność. Poczuł ukłucie strachu i pchnął suwak na zachód, też bez efektu. Szarpał w jedną i w drugą stronę, aż go złamał. Starał się nie krzyczeć. Odwrócił się na plecy i zabębnił pięściami o ścianę lodówki.

– Pomocy! Wyciągnijcie mnie stąd! Debbie! Mac! Pomóżcie mi wyjść!

Leżał, nasłuchiwał i czekał. Nic.

Wiedział, co tamci zrobią, bo zrobiłby to samo. Poczekają kilkanaście minut, pół godziny, godzinę, może nawet dłużej. Potem zaczną się martwić, że coś poszło nie tak, więc rozdzielą się i pobiegną do domów. Jasne, w końcu wypaplają, wszyscy przyjadą na wysypisko, tato będzie wrzeszczał, żeby mu pokazali, gdzie jest ta przeklęta lodówka, a potem gołymi rękami będzie ściągał z niej śmieci…

Kłopot polega na tym, że nastąpić to może za kilka godzin. Powietrze stawało się już ciężkie i oddechy powodowały ból w płucach. Znów wpadł w panikę. Szarpał zepsutym krokerem, aż urządzenie zaczęło się rozpadać. Wrzeszczał, tłukł w ściany lodówki, zsikał się w spodnie. Zaczął płakać.

Później, zmęczony, znowu ułożył się na plecach i w ciemności wymacał szczątki krokera: ziemniak, przewód zasilający, resztki obwodów… Nie powinien tak nim rzucać. Powinien raczej spróbować go naprawić. Gdyby sobie przypomniał, jak go wykonał, może udałoby się całość poskładać… Pamiętał schemat, kiedy pierwszy raz rozjarzył się na ekranie jego telefonu. Miał dobrą pamięć do takich rzeczy. W myślach ułożył sobie wszystko, cewki, strojenie i…

I upadł z wysokości mniej więcej pół metra. Z głuchym uderzeniem wylądował na miękkim gruncie. Nagle pojawiło się nad nim oślepiająco jasne niebo, a powietrze z szumem wdarło się do płuc.

Wyszedł! Podniósł się powoli, drżał cały. Kawałki krokera posypały się na ziemię. Od świeżego powietrza Jaredowi kręciło się w głowie. Całkiem jakby umarł, a teraz znowu był żywy. Spodnie miał mokre, ku swemu zawstydzeniu.

Rozejrzał się. Stał między gęstymi drzewami, ale widział między nimi światło. Austin Wschód 1 albo Zachód 1, wszystko jedno. Musi jakoś wrócić do domu. Ale jak? Kroker był rozwalony nawet gorzej niż poprzednio. Mimo to Jared odszedł na kilka kroków od miejsca, gdzie powinna być lodówka...

...i stanął na stosie cuchnących odpadków, obok kopca, który musiał być zasypaną rupieciami lodówką. Przekroczył z powrotem, na Podstawową! Nie rozumiał tego. Tym razem nawet nie dotknął krokera. I wcale nie czuł mdłości...

Nie dbał o to. Był w domu! Ruszył biegiem. Może rodzice nie zauważyli jeszcze, że go nie ma... Podniecony, zaczął już planować, jak odzyska telefon i jak będzie się przechwalał kolegom...

Na nieszczęście Jareda rodzice zauważyli. Zdążyli już wezwać policję. Któryś z policjantów był dostatecznie spostrzegawczy, by zauważyć rozbity kroker i zadać kluczowe pytanie, jak Jared zdołał przekroczyć ze świata do świata bez aparatu. Ku niezadowoleniu chłopca nie puścili go do szkoły, ale trafił na badania lekarskie oraz na rozmowę z „ekspertami" od przekraczania i od Długiej Ziemi jako takiej – to znaczy z fizykiem, psychologiem i neurologiem.

Historia Jareda trafiła do lokalnego serwisu informacyjnego i szybko została stamtąd zdjęta. Cały incydent wymagał trochę maskowania, jednak rząd USA, doświadczony w takich działaniach, zdołał w końcu zaprzeczyć wydarzeniom, zdyskredytować świadków, w tym samego Jareda, a całą sprawę zagrzebać wśród tajnych akt.

Oczywiście Lobsang doskonale wiedział, co te akta zawierają.

* * *

– Więc dlaczego ludzie w ogóle potrzebują krokerów? – zapytał Joshua.

– Być może przyczyna jest mniej bezpośrednia, niż sobie wyobrażamy. Krótkie notatki, pozostawione przez Linsaya, stwierdzają, że pozycja każdego ze składników jest kluczowa i montaż wymaga absolutnej precyzji. W ten sposób budujący kroker całkowicie skupia uwagę na swoim zadaniu. Konieczność zestrojenia dwóch ręcznie nawiniętych cewek przypomina mi strojenie wczesnych detektorów metalu. Pozostałe elementy chyba są tam dla efektu, ale efekty są bardzo ważne. Nawijanie samych cewek jest szczególnie hipnotyczną czynnością. Jeśli wolno mi znów być przez chwilę Tybetańczykiem, to uważam, że mamy tu do czynienia z technologiczną mandalą zaprojektowaną, by pchnąć umysł do stanu subtelnie odmiennego; ta mandala zamaskowana jest jako coś należącego do zwyczajnej zachodniej techniki. A więc akt budowy krokera pozwala nam przekraczać, nie sam aparat. Osobiście przeszedłem przez fizyczny proces budowy za pośrednictwem jednostki mobilnej. Mógłbym teraz zaryzykować sugestię, że jest to otwarcie w naszych umysłach drzwi, o których istnieniu większość nie miała pojęcia. Jednakże, jak to ilustruje historia Jareda Orgilla, czy choćby twoja, niektórzy w ogóle nie potrzebują krokerów, co odkrywają, przekraczając przypadkowo z rozbitym aparatem albo, w panice, w ogóle bez niego.

– Wszyscy jesteśmy naturalnymi kroczącymi? – Joshua się zastanowił. – Tylko że większość z nas o tym nie wie. Albo potrzebujemy tej pomocy, żeby uruchomić odpowiednie partie mózgu…

– Coś w tym rodzaju. Ale nie wszyscy, tutaj się mylisz. Przebadano już dostatecznie wielu ludzi, by pokusić się o pewne zgrubne statystyki. Uważa się, że mniej więcej piąta część ludzkości to naturalni kroczący, dla których Długa Ziemia jest dostępna równie łatwo jak park miejski, bez żadnego wspomagania, może po niewielkim treningu czy wzmocnieniu tych psychicznych zdolności, na jakie przypadkiem trafił Jared, kiedy wizualizował sobie schemat obwodów krokera. A z drugiej strony, około jednej piątej w ogóle nie jest w stanie opuścić Ziemi Podstawowej, chyba że ktoś ich poniżająco przeniesie.

Joshua zastanowił się nad implikacjami tego faktu. Całkiem nagle ludzkość została podzielona w sposób fundamentalny – tyle że jeszcze o tym nie wiedziała.

ROZDZIAŁ 25

Joshua przyglądał się mijanym światom, jakby odwracał kartki w książce z obrazkami. Przesuwając się jednostajnie ku geograficznemu zachodowi, minęli w końcu łańcuch Uralu, biegnący z północy na południe pas zmiętego pejzażu, który przetrwał w większości światów.

Ale światy były teraz inne. Zarówno Pas Lodowy, jak i Pas Górniczy pozostały daleko w tyle. Ziemie pod nimi należały do Pasa Uprawnego, jak nazywali je amerykańscy zwiadowcy i kapitanowie wypraw: żyzne, ciepłe Ziemie pokryte trawiastymi równinami, z kępami znajomych drzew i krzewów, gęstych od stad zdrowych z wyglądu zwierząt. Światy dojrzałe do rolnictwa. Na ziemiometrze Lobsanga miały numery powyżej stu tysięcy. Osadnicy potrzebowali przynajmniej dziewięciu miesięcy, żeby dotrzeć tu na piechotę. Sterowiec znalazł się tutaj po czterech dniach.

Gdziekolwiek się zatrzymali, Lobsang szukał krótkofalowych transmisji radiowych, które powinny sięgać wokół krzywizny dowolnej Ziemi posiadającej jonosferę. Przystanęli więc na kilku światach Pasa Uprawnego, żeby posłuchać. Jednym z nich była Zachodnia 101 754, gdzie wysłuchali długiego, gawędziarskiego skrótu informacji o wydarzeniach w kolonii w wykrocznej Nowej Anglii; jakaś nastolatka, oryginalnie z Madison, jak się okazało, blogowała, czytając swój dziennik. Było to jedno z całego łańcucha takich optymistycznych miasteczek, skąpo rozrzuconych po kontynentach Długiej

Ziemi. Każde z nich, jak przypuszczał, miało do opowiedzenia własną historię.

* * *

Cześć; witam moich wiernych słuchaczy. Tu Helen Green, wasza prymitywna technicznie blogerka, znów blokująca pasmo radiowe. Ten fragment pochodzi sprzed trzech lat. Był piąty lipca – który, jak wszyscy świetnie wiecie, następuje po czwartym lipca. Szło to tak:

Czy to nazywają kacem? O! Boże! Wszechmogący! Wczoraj był Dzień Niepodległości. Rewelka. Siedzimy tu od ośmiu miesięcy i nikt nie umarł, bajer! To dobry pretekst do imprezy, naprawdę nie trzeba lepszego. Jesteśmy Amerykanami, to jest oficjalnie Ameryka, jest czwarty lipca i tyle.

Chociaż tego pierwszego lata można by nas raczej wziąć za Indian. Wszyscy mieszkamy w szałasach, tipi, chatach i dużych drewnianych wspólnych domach, a niektórzy nadal korzystają ze swoich namiotów z czasów wędrówki. Wszędzie biegają kury i szczeniaki, które ludzie przynieśli na własnych plecach. Nie uprawiamy niczego – dopiero w przyszłym roku planujemy pierwsze zbiory. Na razie kolejne grupy oczyszczają pola: wypalają, wyrąbują, odciągają głazy... Wyłącznie praca fizyczna, a do jej wykonania mamy tylko ludzkie mięśnie. Na przyszłość przynieśliśmy ze sobą nasiona, kukurydzę i fasolę, len i bawełnę – dość, by w razie potrzeby przetrwać lata nieudanych zbiorów. Aha, posadziliśmy już dynie, fasolę i inne warzywa na oczyszczonym gruncie przy domach, w naszych ogródkach.

Na razie jesteśmy grupą zbieracko-łowiecką. A kraina świetnie się nadaje, by w niej zbierać i polować. Zimą mamy okonie w rzece. W lesie trafiamy na stworzenia, które przypominają króliki, i takie, które przypominają jelenie, i niekiedy takie, które przypominają zabawne małe koniki, choć przy nich wszyscy mieliśmy opory. To przecież tak jakby pożreć kucyka.

Teraz, latem, więcej czasu spędzamy na brzegu rzeki, gdzie łowimy ryby i zbieramy małże.

Człowiek naprawdę się czuje, jakby przebywał w dziczy. W domu, na Podstawowej, żyłam w świecie, gdzie od stuleci inni ludzie próbowali wszystko oswoić. Tutaj las nigdy nie był karczowany, bagna osuszane, rzeka przecięta tamą czy groblą. To niezwykłe. I niebezpieczne.

Wydaje mi się, że zdaniem taty niektórzy ludzie też są niebezpieczni. Wszyscy uczymy się coraz więcej o sobie nawzajem, ale powoli; czasami trudno ocenić z zewnątrz. Niektórzy wyruszyli tutaj nie po to, żeby dokądś dotrzeć, ale żeby przed czymś uciec. Jakiś wojskowy weteran. Kobieta, o której mama sądzi, że była w dzieciństwie molestowana. Inna kobieta, która straciła dziecko.

Wszystko jedno, mnie to nie przeszkadza.

W każdym razie znaleźliśmy się tutaj. Jeśli człowiek wybierze się na polowanie do lasu albo w górę rzeki, zobaczy wąskie smużki dymu naszych domów i usłyszy robotników pracujących na polach. Daje się wyczuć różnicę po przekroczeniu choćby o jeden czy dwa światy w jedną albo drugą stronę. Świat z ludźmi wobec świata bez nich – słowo daję, naprawdę się to czuje.

Zaliczyliśmy niezłą kłótnię o nazwę naszej społeczności. Dorośli mieli spotkanie w tej sprawie i jak zwykle podali całą masę propozycji. Melissa uznała, że nazwa powinna dodawać otuchy: Nowa Niepodległość, Wyzwolenie czy po prostu Nowa Nadzieja, ale mój tato roześmiał się wtedy i zrobił jakiś żart o *Gwiezdnych wojnach*.

Nie jestem pewna, czy była to moja propozycja, czy Bena Doaka, ale znaleźliśmy coś, co się przyjęło. A przynajmniej coś, na co nikt nie wkurzył się aż tak, by głośno protestować. I kiedy wszyscy się zgodzili, tato z innymi przygotowali znak na szlaku od wybrzeża:

WITAJCIE W RESTARCIE
ROK ZAŁ. 2026
MIESZK. 117

– Teraz trzeba nam tylko kodu pocztowego – stwierdził tato.

A teraz kawałek zapisany rok później przez mojego tatę. I tak mi pomagał przy tym dzienniku, w tym z ortografią. Dzięki, tato!

Nazywam się Jack Green. Jeśli czytacie te słowa, to pewnie już wiecie, że jestem ojcem Helen. Otrzymałem od niej specjalną zgodę, by dodać od siebie kilka linijek w jej dzienniku, który sam w sobie stał się cennym dokumentem. W tej chwili Helen jest zajęta gdzie indziej, ale dzisiaj są jej urodziny i chciałem się upewnić, że dzień ten będzie odpowiednio zaznaczony.

No więc od czego mógłbym zacząć?

W większości już zbudowaliśmy swoje domy. Pola z wolna oczyszczamy. Zwykle chodzę ze zwieszoną głową, bo pracuję. Jak my wszyscy. Ale od czasu do czasu wybieram się na spacer wokół miasta i widzę, że powoli nadgryzamy dzikie tereny.

Tartak to był pierwszy wielki wspólny projekt. Już działa. Słyszę go nawet teraz, kiedy piszę – staramy się, by pracował dniem i nocą, z tym charakterystycznym dwutaktowym odgłosem, z jakim przerabia las w miasto. Mamy też piec do wypalania ceramiki, wapiennik do wypalania wapna, kocioł do mydła i oczywiście kuźnię, a to dzięki naszemu brytyjskiemu cudownemu dziecku Franklinowi. Mapy geograficzne były perfekcyjne. W pewien sposób to wręcz niewiarygodne, jak szybko robimy postępy.

Udało nam się pozyskać pomoc z zewnątrz. Pojawiła się u nas rodzina amiszów sprowadzona przez wielebnego Herrina, naszego wędrownego kaznodzieję. To dziwni ludzie, ale przyjaźni i bardzo kompetentni w tym, co robią. Na przykład pomogli nam postawić piec do wypalania ceramiki, który składa się ze skrzyniowej komory grzejnej i komina. Nasze naczynia są strasznie prymitywne, ale trudno sobie nawet wyobrazić dumę, jaka człowieka ogarnia, kiedy na własnoręcznie zbudowanej półce stawia własnoręcznie wykonany wazon z kwiatami, które sam wyhodował w ogrodzie wykopanym w suchej ziemi.

Ale to i tak nic w porównaniu z pierwszymi żelaznymi narzędziami z kuźni Franklina. Oczywiście, nie moglibyśmy funkcjonować bez żelaznych i stalowych narzędzi, jednak żelazo wywarło niezwykły wpływ na naszą lokalną gospodarkę. Kiedy przybyliśmy, setka z nas rozeszła się po cienkim pliku sąsiadujących światów, zamiast trzymać się tego wybranego. Czemu nie? Miejsca nie brakowało. Ale przecież nie da się przenosić ze świata do świata żadnego żelaza, nawet wydobywanego na miejscu. W efekcie ludzie wolno powracają do 754 – świata, w którym stoi kuźnia – zamiast zaczynać cały proces gdzie indziej (chociaż Franklin zaproponował, że może to zrobić za wielokrotność swojego honorarium).

Przyszło mi do głowy, że otwieramy dla ludzi Długą Ziemię w sposób określony prostym faktem: przekraczając, nie można zabrać metalicznego żelaza. Na przykład mieliśmy pomysł, żeby równolegle uprawiać pola na sąsiednich Ziemiach, by nigdy nie stracić całych zbiorów z powodu jakiejś choroby czy pogody. Ale to się nie opłaca – lepiej wykorzystać żelazne narzędzia, które mamy już tutaj, i rozszerzyć tereny uprawne na 754.

Nawiasem mówiąc, ciekawy jest sposób rozliczania się z gośćmi, takimi jak ci amisze. Przynajmniej ja tak sądzę. Bo co są warte pieniądze, jeśli każdy może być właścicielem kopalni złota? Interesujące teoretyczne pytanie, prawda?

Między sobą używamy walut z Podstawowej. Odkąd zaczęła się długoziemska recesja, jeny i amerykańskie dolary zachowały wartość, tym bardziej że są niepodrabialne. Brytyjski funt upadł już wcześniej, kiedy połowa mieszkańców uciekła z tej zatłoczonej wysepki – w tym również Franklin, nasz bezcenny kowal. Mimo to Brytyjczycy, nie po raz pierwszy, pokazali, jak sobie radzić z trudnościami. W czasie kryzysu gospodarczego wymyślili „przysługę", walutę o elastycznie definiowanej wartości. Najkrócej mówiąc, jest to wirtualna jednostka monetarna, której wartość ustalają sprzedawca i kupujący w momencie transakcji. Trudno taki handel opodatkować, więc na Ziemi Podstawowej waluta nie funkcjonuje skutecznie. Okazała się jednak idealna dla nowych światów, zresztą nic dziwnego – podobnego systemu używano dawniej w embrionalnych

Stanach Zjednoczonych, kiedy nie istniała żadna waluta do płacenia ani żaden rząd, który zatwierdzałby jej użycie.

Bo widzicie, w takich miejscach jak Restart życie pełne jest drobnych transakcji. Człowiek wytapia zwierzęcy tłuszcz i robi łój na świece. A że wyszło mu trochę więcej, może nadwyżka przyda się sąsiadce. Rzeczywiście się przyda, a człowiek w zamian dostaje bryłę rudy żelaza. On sam nie ma dla niej zastosowania, ale na pewno ma kowal Franklin, więc dostaje tę rudę w zamian za przysługę, którą zwróci kiedyś w przyszłości. W ten sposób człowiekowi należy się przysługa – może to być coś materialnego albo choćby oferta, by przy najbliższej wizycie na Sto K lub na Podstawowej przynieść kupione w sklepie towary. Albo cokolwiek.

Nie jest to system, na którym można oprzeć cywilizację, ale całkiem dobrze się sprawdza w kolonii, gdzie żyje setka ludzi, a każdego z nich zna się osobiście. I oni człowieka znają. Nie warto oszukiwać – to udaje się przez krótki czas. W końcu nikt nie chce, żeby wszystkie drzwi zatrzaskiwały się przed nim, kiedy akurat rozpaczliwie potrzebuje pomocy.

I tak każdego wieczoru człowiek sumuje swoje przysługi, dodatnie i ujemne, a jeśli wyszedł na plus, może wziąć dzień wolnego i iść na ryby. Najlepiej radzą sobie pielęgniarki i akuszerki. Ile przysług wart będzie udany poród? Jaka jest cena poranionej ręki, opatrzonej tak starannie, że znowu można pracować?

Zdrowy rozsądek także dobrze funkcjonuje w takiej małej społeczności, gdzie każdy jest w ostatecznym rozrachunku uzależniony od dobrej woli i dobrego humoru wszystkich pozostałych. Obejmuje to również sposób, w jaki traktujemy włóczęgów – jak ich nazywamy – którzy z rzadka pojawiają się na naszym horyzoncie. Pracują dorywczo w kolejnych światach Długiej Ziemi i nie mają zamiaru nigdzie się osiedlać. Zwyczajnie przechodzą przez łąki albo częstują się jakimś nisko wiszącym owocem. Dlaczego nie? Na Długiej Ziemi nie brakuje miejsca dla takich ludzi. Przybywają do nas, ściągani dymem palenisk; witamy ich, karmimy, nasi lekarze ich leczą, jeśli to potrzebne.

Jasno dajemy do zrozumienia, że oczekujemy czegoś w zamian, zwykle trochę pracy fizycznej, może też ciekawych wieści z domu. Większość przyjmuje ten układ całkiem chętnie. Ludzie wiedzą, jak żyć i jak się wzajemnie traktować. Wyobrażam sobie, że neandertalczycy też się tego nauczyli. Czasem jednak lekcja się nie utrwala. Czasem ludzie sprawiają wrażenie oszołomionych, jakby za długo wpatrywali się w horyzont. Trudno im spokojnie usiedzieć na dowolnym świecie. Syndrom Długiej Ziemi – słyszałem, że tak to nazywają.

Mamy też bardziej oficjalne kontakty z domem. Pocztę dostarcza listonosz – Bill Lovell, dobry człowiek. Z listów dowiedzieliśmy się, że jakaś daleka agencja federalna zatwierdziła nasze prawa do działek ziemi. Ale dla mnie najważniejszym przekazem była wiadomość z Pomocy Pionierom – rządowej agencji powołanej, by zajmować się sprawami emigrantów. Moje rachunki bankowe i fundusze inwestycyjne wciąż działają. Zadbałem o utrzymanie Roda, oczywiście – naszego „fobicznego" syna, naszego „samego w domu", jak podobno brzmi obecna slangowa nazwa na Podstawowej. Tilda uważa, że to trochę oszustwo. Niezgodne z duchem pionierów. Ale nigdy nie miałem zamiaru pozwalać, by któreś z nas cierpiało niedostatek. To moje rozwiązanie problemu, mój kompromis, który zapewnia rodzinie środki do życia.

Rod nie pisze do nas, nie dostaliśmy ani jednego listu. My pisujemy – on nie odpowiada. Słusznie czy nie, nie rozmawiamy o tym. Ale ta sytuacja powoli łamie mi serce.

Chciałbym zakończyć weselszą nutą.

Minęły już dwadzieścia cztery godziny, może więcej, odkąd zaczął się poród Cindy Wells, pierwszy poród w kolonii. Cindy wezwała swoje przyjaciółki i Helen poszła także, bo szkoli się na akuszerkę. Ma dopiero piętnaście lat, Boże wielki… W każdym razie poród trwał długo, ale zakończył się bez komplikacji. Kiedy piszę te słowa, dopiero zaczął się dzień i wszyscy są jeszcze z Cindy.

Trudno opisać, jak bardzo czuję się dumny. Z urodzin Helen także. (Dzięki, tato!).

Mam więc dzisiaj do wykonania dodatkową pracę. Tablica miasta wymaga poprawki:

WITAJCIE W RESTARCIE
ROK ZAŁ. 2026
MIESZK. ~~117~~ 118

* * *

A na niebie, po drugiej stronie świata, barwny sterowiec wisiał w blasku poranka, nasłuchując tych szeptanych opowieści, nim zniknął w głębszych wykrocznych rzeczywistościach.

ROZDZIAŁ 26

Joshua się obudził. Duża wełniana narzuta, pod którą wolał sypiać, leciutko pachniała wilgocią i była dość ciężka, jakoś dodawała otuchy. Przez okno kabiny widział migoczące na zewnątrz Ziemie. W dole rozciągał się nieskończony eurazjatycki las, niekiedy przysypany śniegiem. Kolejny ranek na „Marku Twainie".

Ostrożnie wyszedł z łóżka, wziął prysznic, wytarł się i wsunął na przegub małpią bransoletkę. Zrobiona z taniego plastiku i odrobinę za ciasna, dla niego była cenniejsza niż złoto. To jedyna pamiątka po matce.

Wyczuł lekkie szarpnięcie „Marka Twaina", jak zwykle, kiedy ustawało przekraczanie. Wiedział, że w teorii nie było żadnego powodu dla takiego efektu, ale każdy statek ma swoje dziwactwa.

Znów wyjrzał przez okno.

Sterowiec zawisł nad bezkresnym oceanem. Od paru dni płynęli ponad rozległymi równinami Eurazji, a Joshua był madisończykiem, dorastał tuż obok jezior.

Chętnie by sobie popływał.

Rozebrał się do spodenek.

Potem, nie informując Lobsanga, podbiegł do windy w gondoli i zjechał nią tak nisko, że otwarta klatka znalazła się tuż ponad głębokim błękitnym oceanem, spokojnym i gładkim jak jezioro.

W luku pojawiła się jednostka mobilna.

– Tam jesteś… Jeśli planujesz skok do tego słonego morza,

sugeruję, żebyś się dwa razy zastanowił. Wydaje się, że nie ma tu nic ponad dryfujące wodorosty, niektóre bardzo zielone. To fascynujący świat i zbadanie go będzie wspaniałym przedsięwzięciem. Jednakże, choć nie jestem w stanie zabronić ci pływania, nalegam, żebyś się powstrzymał, dopóki nie sprawdzę bezpieczeństwa.

Morze skrzyło się zachęcająco.

– Dajże spokój. Przecież nic mi się nie stanie.

W statku rozległy się odgłosy mechanicznej aktywności.

– Na pewno? – spytał Lobsang. – Ale kto wie, jak w tym świecie mogła postępować ewolucja? Joshuo, dopóki tego nie sprawdzę, nie wiemy, czy coś nie wypłynie z głębin, a ty wtedy opuścisz ten i wszystkie inne światy z dźwiękiem, który da się w miarę precyzyjnie opisać jako „klap", i ze wszystkim, co ten dźwięk sugeruje.

Joshua usłyszał, jak w dnie gondoli otwiera się właz, a potem zabrzmiał plusk, jakby coś wpadło do wody.

– Osoba tak niezwykła jak ty nie ma prawa być królikiem doświadczalnym, kiedy są istoty lepiej wykwalifikowane, w tym przypadku moja podwodna jednostka mobilna. Spójrz!

Coś podobnego do mechanicznego delfina wystrzeliło z wody, na moment znieruchomiało w powietrzu i zanurkowało z powrotem.

Joshua uniósł wzrok i spojrzał na Lobsanga. Nadal się zastanawiał, czy wyrazy tej sztucznie wytworzonej twarzy są starannie zaprojektowane, czy też w jakiś sposób stanowią odbicie wewnętrznych emocji. Najwyraźniej Lobsang, obserwując swoje nowe dzieło, doznawał pełni szczęścia. Lubił takie zabawki.

Uśmiech jednak szybko zniknął.

– Zarejestrowano różne gatunki ryb, pobrano próbki wody, zidentyfikowano plankton, głębokość dna oceanicznego niepewna... coś wypływa... może lepiej będzie, jeśli wrócisz na pokład... trzymaj się!

Winda ruszyła gwałtownie i stuknęła głośno, kiedy uderzyła o ograniczniki. Joshua spojrzał w dół i zobaczył, jak piękna jednostka wodna po raz ostatni wyskakuje w powietrze, a zaraz potem ze straszliwą ostatecznością zatrzaskują się na niej wielkie szczęki.

Wstrząśnięty popatrzył na Lobsanga.

– Czy coś takiego określiłbyś jako „klap"?

– Prawdę mówiąc, może to być… uwzględniając okoliczności… raczej KLAP!

– Uznaj, że zostałem skarcony. Przykro mi z powodu twojej miniaturowej łodzi podwodnej. Była kosztowna?

– Wstrząsająco kosztowna oraz ciężko opatentowana, jednakże niestety niezbyt ciężko opancerzona. Na szczęście mamy rezerwę. Wejdź, może dla odmiany ja przygotuję śniadanie.

* * *

Po jedzeniu Lobsang zaczekał na Joshuę na pokładzie obserwacyjnym.

– Naszego gościa określiłem wstępnie jako rekina. Niezwykle wielkie rekiny z całą pewnością żyły kiedyś na Ziemi, a ja mam dobre jego zdjęcia. Niech ichtiolodzy zdecydują. Życzę szczęśliwego i przyjemnego korzystania ze swoich nóg.

– Jasne, rozumiem. Dziękuję…

„Mark Twain" przekraczał już dalej. Joshua znów widział w dole lasy, a pokryty oceanem świat został daleko w tyle: koniec z morzem, koniec z migotliwym blaskiem słońca. Jak ostatnio stało się ich zwyczajem, Lobsang i Joshua siedzieli razem w milczeniu. Wprawdzie ich stosunki były teraz rozsądnie dobre, ale mogły minąć długie godziny, nim któryś z nich powiedział choć słowo.

I kiedy Joshua znowu skierował myśli ku zachodowi, poczuł dziwny ucisk w głowie. Całkiem jakby zbliżali się do Ziemi Podstawowej, a nie oddalali od niej coraz bardziej.

Z jakiegoś powodu po raz pierwszy w czasie tej podróży zaczął się zastanawiać nad jej końcem.

– Lobsangu, jak daleko jeszcze planujesz dotrzeć? Towarzyszę ci w długim rejsie, taka była umowa. Ale wiesz, mam w domu pewne obowiązki. Siostra Agnes i pozostałe nie są już tak pełne sił jak dawniej.

– Ciekawa uwaga u takiego samotnika – odparł oschle Lobsang. – Przyszło mi do głowy, Joshuo, że jesteś całkiem podobny do dawnych traperów i myśliwych z Dzikiego Zachodu. Jak Daniel Boone, do którego cię porównałem, unikasz towarzystwa ludzi, jednak nie przez cały czas. Pamiętaj też, że nawet Daniel Boone miał panią Boone'ową i gromadkę małych Boone'iątek.

– Chociaż niektóre Boone'iątka nie były jego Boone'iątkami, ale Boone'iątkami jego brata – odpowiedział Joshua. – Jeśli mam wierzyć w to, co kiedyś czytałem.

– Rozumiem cię. To właśnie próbuję ci wytłumaczyć.

– Bardzo wątpię, czy rozumiesz cokolwiek, Blaszany Człowieku. – Joshua się zjeżył.

– A co powiesz na taki układ? Jeśli nie znajdziemy nikogo, z kim będziesz mógł rozmawiać, w ciągu... powiedzmy... dwóch tygodni, zawrócę sterowiec i ruszymy z powrotem. Mamy przecież dosyć danych, by moi przyjaciele z uniwersytetów byli szczęśliwi jak wiadro małży. Ty sobie trochę odpoczniesz, a ja zacznę pracować nad „Markiem Trine'em" z nadzieją, że duch pana Clemensa mi wybaczy. – Przyjrzał się zdziwionej twarzy Joshuy i skapitulował. – W gwarze, z której pochodzi *twain*, co oznacza numer drugi, *trine* znaczy trzeci. Taki mój drobny żarcik.

– Wydawało mi się, że usunąłeś warsztat budowy sterowców. Mały meteoryt tunguski, mówiłeś chyba.

– Korporacja Blacka ma wiele takich tajnych fabryk. Nawiasem mówiąc, to ciekawe, że zaproponowałeś powrót, akurat kiedy się dowiaduję, że nasi śpiewający przyjaciele z oszronionego świata jakiś czas temu wpadli na mniej więcej taki sam pomysł.

– Trolle? Co masz na myśli?

– Obserwowałem ich rozproszone grupy wędrujące przez światy. Trolle i to, co wygląda na inne spokrewnione gatunki, w rozmaitych formach. Trudno coś wykryć z tych przelotnych obserwacji; niewiele mam do studiowania. Ale zwykłe śledzenie demografii sugeruje, że ogólnie kierują się wstecz, wzdłuż szlaku naszej wyprawy. I jest ich całkiem sporo. Może mamy tu do czynienia z pewnego rodzaju migracją.

– Hm... – mruknął Joshua. Znów poczuł lekki ucisk w głowie. – A może przed czymś uciekają?

– Tak czy tak, to ciekawe, nie sądzisz? Przekraczające humanoidy! Ciekawe, co się stanie, kiedy większa liczba tych migrujących trolli dotrze do Ziemi Podstawowej.

– Większa liczba? Co masz na myśli?

– Przekazałem ci fragmentaryczne raporty o dawnych tradycjach: spotkania z wędrującymi istotami, opowieści czy mity. O ile rozumiem, trolle i inne gatunki odwiedzały naszą Ziemię od tysiącleci, może tylko przechodząc dalej, a może w innych celach. Częstotliwość takich raportów spada w ostatnich stuleciach, być może z powodu zaniku naukowego analfabetyzmu.

Albo tego psychicznego nacisku, myślał Joshua, wskutek wzrostu populacji Ziemi. O ile trolle i ich kuzyni reagują na tłumy podobnie jak ja.

– Jednak w ostatnich dziesięcioleciach, a nawet od Dnia Przekroczenia, takie spotkania znowu zdarzają się częściej. Może to front fali migracji, jaką obserwujemy. Pozwól, że przedstawię ci przykład. To sprawa, która teraz nabrała pewnego sensu.

27

Według raportu złożonego później przez dwóch studentów – złożonego i pospiesznie utajnionego na podstawie brytyjskiej ustawy o tajemnicy państwowej – w dniu incydentu noc była pochmurna, a niebo czarne. Działo się to w najciemniejszym Oxfordshire, w samym sercu Anglii. Przy świetle bateryjnej latarni Gareth rozpakował brezentowy plecak i rozstawił instrumenty: krykietowy kij i palik, kij baseballowy, pałeczki zwinięte z sekcji perkusyjnej wydziałowej orkiestry, a nawet młotek do krokieta. Przedmioty, którymi zamierzał tłuc w monolity.

Tymczasem Lol tłukł głową o pień dębu.

Dąb ze swymi współbraćmi wyrastał ponad głazami, które wyglądały jak pierścień wetkniętych w ziemię połamanych zębów olbrzyma. Podobno był to jeden z najstarszych kamiennych kręgów w Anglii – może dawniejszy niż epoka rolników, którzy stworzyli większość kamiennych monumentów w Brytanii. Nikt nie wiedział na pewno, ponieważ nikt tutaj nie wykonał żadnych sensownych badań archeologicznych. Nie prowadził tu wygodny trakt, nie było ścieżki edukacyjnej z tablicami pełnymi faktoidów mającymi prowadzić gości, którzy nie przybywali. Były tylko te głazy, las, który niemal je przesłonił, i legenda, że głazy zaśpiewają, by nie przepuścić do naszego świata elfów i innych demonów. Legenda, która sprowadziła tu Garetha.

Lol objął ramionami nierówny pień.

– Drzewa! Drzewa to nasze korzenie. Żywią nas. Drzewa na tej planecie istnieją od trzystu milionów lat. Wiedziałeś? Wielkie drzewiaste paprocie w epoce karbonu... Drzewo określane jest przez swoją formę, nie przez gatunek. Kiedyś żyliśmy na drzewach. Drzewa stanowią jądro wszystkich naszych mitów. Ze wszystkich kultur znamy opowieści o drzewach świata jako drabinach prowadzących do nieba!

Obaj mieli po dwadzieścia lat i studiowali nauki przyrodnicze, Lol fizykę kwantową, a Gareth akustykę. Lol nie wyglądał na swój wiek – przypominał raczej piętnastolatka w modnym stroju rowerzysty; mieszkał w domu z rodzicami. Jednak mimo całej tej zielonej mitologii, którą tak często z siebie wyrzucał, nie należało zapominać, że ma ostry umysł. Dla Garetha nieliniowe równania mechaniki płynów, tkwiące u podstaw akustyki, były całkiem skomplikowane, ale fizykę kwantową Lola uważał za naprawdę trudną.

Gareth usłyszał puknięcie, jakby ktoś przekroczył. Odwrócił się. Miał wrażenie, że dostrzega jakiś ruch wśród długich cieni rzucanych przez głazy w świetle latarni. Jakieś leśne stworzenie szukało jedzenia?

– Daj piwo – poprosił Lol.

Gareth wytrzeszczył oczy.

– Przecież ty miałeś zabrać piwo!

– Nie ja, ty!

– Ja wziąłem młotki! Chryste, czy nigdy nie możesz postawić? – Rzucił pałeczką, minimalnie chybiając głowy Lola. – Jeśli nie mamy co pić, to załatwmy sprawę i wracajmy do pubu, zanim wytrzeźwiejemy.

– Wybacz, chłopie. – Lol podniósł pałeczkę.

Gareth wygrzebał z kieszeni telefon i włączył rejestrację dźwięków, jakie uzyskają, kiedy zaczną uderzać w głazy.

* * *

Robił to, żeby zwrócić uwagę dziewczyny.

Była na studiach humanistycznych i Gareth czasami spotykał ją w autobusie do miasta, tyle że nie miał o czym z nią rozmawiać.

Z pewnością nie o swoich nerdowskich studiach inżynierskich. Miał mglistą nadzieję, że ten archeoakustyczny eksperyment zrobi na niej wrażenie.

Przez stulecia archeolodzy pomijali w badaniach element dźwięku. Gareth słyszał kiedyś, jak kwartet rewelersów występuje w komorze grobu neolitycznego. Niesamowite; to miejsce wyraźnie zostało zaprojektowane dla jak najlepszej akustyki. Teraz zamierzał zagrać na tych głazach, by sprawdzić, czy ustawiono je ze względu na właściwości akustyczne. Wpadł na ten pomysł, gdyż tradycyjna miejscowa nazwa kręgu – Śpiewające Kamienie – stanowiła oczywistą wskazówkę. Podobnie jak legenda, że głazy zaczną śpiewać, by nie przepuścić złośliwych duchów. Chciał też opisać, dość ogólnie, jak legendy o duchach, upiorach i innych nieustalonych przybyszach można w całkiem nowy sposób interpretować w wieku Długiej Ziemi, gdy rzeczywistość stała się porowata.

Może było to nieco zbyt nerdowskie. No i nie osiągnął zasadniczego celu: był tutaj z Lolem, nie z nią. Ale przynajmniej myślał o nowych światach bardziej kreatywnie niż większość ludzi w Brytanii. Minęło kilka lat od Dnia Przekroczenia, gdy Gareth spędzał w Stanach Zjednoczonych ostatnie przed uniwersytetem wakacje. Wszyscy tam mówili o wyprawach do dalekich światów, o zbudowaniu nieskończenie wielu wykrocznych Ameryk. Tymczasem w Anglii panowało coś w rodzaju nudnej pustki. Długa Ziemia nie stała się inspiracją dla przeciętnego Johna Bulla. Nie pomagało, naturalnie, że te wykroczne Anglie były jednostajnie zarośnięte puszczą. W efekcie zasadniczo wszystko, co człowiek widział w zachodniej i wschodniej Anglii, to wycięte w leśnym gąszczu nieduże prostokątne działki, precyzyjnie kopiujące granice podmiejskich przydomowych ogródków, gdzie rodziny z klasy średniej mogły przekraczać i hodować groszek czy złapać trochę słońca, gdyby w domu akurat padało. Albo też, rzadko, dać się poharatać jakiemuś dzikowi. Gdy tymczasem ci biedniejsi, starzy i młodzi, porzucali zasiłki i pracę bez przyszłości i po prostu znikali wśród zieleni. Miasta umierały, poczynając od blokowisk ku przedmieściom, a gospodarka z wolna padała...

Lol milczał od dłuższej chwili. Jak na niego wręcz bardzo długiej. Gareth uniósł głowę.

Lol się gapił.

Dokładnie pośrodku kamiennego kręgu stały pochylone krępe postaci, których wcześniej tu nie było. Na pierwszy rzut oka wyglądały raczej jak kolejne głazy, monolity ustawione w nierówny okrąg. Ale nie, to nie były monolity. Miały twarze jak szympansy, ciemne owłosione ciała i stały wyprostowane. Jak dzieci przebrane za małpy. Światło latarni nie było zbyt jasne, za to cienie czarne.

– Musieli przekroczyć – szepnął Lol.

– To ma być jakiś dowcip? Cukierek albo psikus? Dzisiaj nie Halloween, palanty! – Gareth był trochę zdenerwowany, jak zwykle w pobliżu dzieci bez nadzoru. – Słuchajcie, jeśli zaraz...

Wtedy, jak jeden, mali ludzie otworzyli usta i zaśpiewali. I natychmiast weszli na właściwą nutę wielogłosowej harmonii. A kiedy już utrzymali tę nutę niewiarygodnie długo, przeszli do czegoś w rodzaju pieśni. Była skoczna, choć dla uszu Garetha bezkształtna. Ale głosy wydawały się perfekcyjnie dostrojone i tak piękne, że aż ścisnęło go w żołądku.

Po drugiej stronie kręgu Lol wydawał się przerażony. Zatkał dłońmi uszy.

– Niech oni przestaną!

Na Garetha spłynęło natchnienie. Chwycił swoje młotki.

– Uderzaj w głazy! Mocno!

I walnął najbliższy kijem baseballowym. Zadźwięczało.

Potem Lol i on tłukli dziko w kamienie, a głuche dźwięki rozbrzmiewały głośne, brzydkie i nieharmonijne. Mimo lęku przed małpimi stworami Gareth poczuł falę tryumfu i satysfakcji. Miał rację. Te głazy były litofonami ukształtowanymi dla właściwego dźwięku, nie dla wyglądu. Okładał więc i tłukł je, a Lol robił to samo.

Małpie stwory się niepokoiły... Ich ciasna formacja pękła, małpie maski twarzy się wykrzywiły, odsłaniając zęby; ich pieśń rozpadła się na pohukiwania i świergoty. Jeden po drugim zaczęły znikać, odchodząc gdzieś wykrocznie. Czy do tego służyły Śpiewające Kamienie? Żeby produkować brzydkie i fałszywe odgłosy, by powstrzymać śpiewające małpie stwory przed wkroczeniem do tego świata – jak mówiła legenda?

Po chwili polanka między głazami znów była pusta. Gareth spoglądał na głazy, na ich długie cienie. Ściany świata wydawały się bardzo cienkie.

* * *

Lobsang i Joshua na pokładzie „Marka Twaina", po przestudiowaniu raportów o wielu takich przypadkach, doszli do wniosku, że pionierzy migracji trolli dotarli już o wiele dalej, niż ktokolwiek podejrzewał.

ROZDZIAŁ 28

Joshua i Lobsang zagłębiali się coraz dalej w Długą Ziemię, rozszerzając wstępne badania.

W bezbarwnej łagodności Pasa Rolniczego tkwiły liczne jokery. Na przykład świat szarańczy – sterowiec pojawił się w samym środku latającej chmury wielkich i ciężkich owadów, które przez chwilę tłukły się głośno o ściany gondoli. Zatrzymali się też na chwilę w świecie, gdzie – jak podejrzewał Lobsang – wyżyna tybetańska, przypadek tektonicznej kolizji, nigdy się nie uformowała. Powietrzne drony odkryły, że bez łańcucha Himalajów klimat całej środkowej i wschodniej Azji, a nawet Australii był radykalnie odmienny.

Trafiali też na światy, których w ogóle nie rozumieli. Na przykład świat pokryty wieczną czerwoną chmurą burzy piaskowej, niczym koszmarna wizja Marsa. Albo świat podobny do kuli do kręgli, całkowicie gładki pod bezchmurnym ciemnoniebieskim niebem.

Przekraczanie znowu ustało – nastąpiło typowe szarpnięcie, jakby upadek z huśtawki. Joshua spojrzał w dół. Wisieli w świecie pożółkłych traw i wrzecionowatych drzew, ponad rzeką, która skurczyła się w korycie, odsłaniając szerokie brzegi spękanego mułu. Zwierzęta tłoczyły się gęsto przy wodzie, zerkając podejrzliwie na sąsiadów. Joshua popatrzył na ziemiometr: 127 487. Pozbawiony sensu ciąg cyfr.

– Jak widzisz, świat ten przeżywa wyjątkowo suchy okres – odezwał się Lobsang. – A to spowodowało nietypowo wielką koncentrację zwierząt przy wodzie, co daje nam okazję do skutecznych obserwacji. Jak pewnie zauważyłeś, zwyczajowo zatrzymuję się w tak dogodnych lokalizacjach.

– Strasznie dużo tam koni.

Rzeczywiście, były małe i duże, w rozmiarach od szetlandzkiego kuca do zebry, subtelnie różniące się budową, niektóre grubsze, inne bardziej kudłate, niektóre z dwoma palcami na każdej nodze albo trzema, albo czterema... Żadne z tych stworzeń nie wyglądało dokładnie jak prawdziwy koń. Koń Podstawowy.

Pośród ich stad przeciskały się do wody inne zwierzęta. Wysokie, chude wyglądające jak wielbłądy przebudowane według planu żyrafy. Ich młode, z nogami jak słomki, wydawały się żałośnie delikatne. Były też słonie o rozmaitych typach kłów. Były stwory podobne do nosorożców i podobne do hipopotamów... Ci roślinożercy, zmuszeni do tolerowania swego towarzystwa, zachowywali się nerwowo i płochliwie, gdyż przesuwali się między nimi także drapieżcy. Joshua zauważył coś, co wyglądało na stado hien, i kota nie całkiem niepodobnego do lamparta. Czekał, obserwując te tłumy czujnych zwierząt u wodopoju.

Po chwili zjawiło się stworzenie wyglądające całkiem jak wielki i tłusty struś. Ptak wyciągnął szyję, szeroko rozwarł dziób i wystrzelił z niego kulę, jak pocisk z działa. Kula uderzyła w klatkę piersiową wielkiego nosorożca, który padł, rycząc głośno. Zwierzęta się rozbiegły, a ptak podszedł, by pożywić się zdobyczą.

Lobsang unieszkodliwił strusia, używając zamontowanej w gondoli strzelby z pociskiem usypiającym. Potem wysłał na dół swoją jednostkę mobilną, żeby go zbadać. Ptak miał osobny worek żołądkowy wypełniony mieszaniną odchodów, kości, żwiru, kawałków drewna i innych przedmiotów niestrawnych. Wszystko to było sklejone guanem w wielką, twardą jak drewno kulę. Długa Ziemia doprawdy była pełna cudów, a armatni ptak zajął ważne miejsce w ich galerii.

Świat został zarejestrowany i sterowiec ruszył dalej. Tego wieczoru oglądali film wybrany przez Lobsanga – *Galaxy Quest*. Joshua nie mógł się skupić na akcji, ale kołysząc się w rytmie przekroczeń i mrucząc cicho: „Nigdy nie rezygnuj! Nigdy się nie poddawaj!", z wolna zapadł w sen.

* * *

Zbudził się w blasku słońca. Sterowiec znów się zatrzymał i sondy rakietowe wystrzeliły w niepodejrzewające niczego niebo.

W tym świecie, trochę cieplejszym niż poprzednie – w rejsie ku zachodowi Lobsang zaobserwował stałą wzrostową tendencję temperatur – w dywanie lasu został wycięty ciąg jezior. Lobsang miał teorię, że to rezultat wielokrotnych uderzeń meteorytów. Dwa z tych jezior rozdzielał wąski pasek lądu – niezwykła formacja, przypominająca Joshui przesmyk między jeziorami Mendota i Monona w Madison.

– Jesteśmy na Ziemi Zachodniej 129 171, nadal w Pasie Uprawnym.

– Czemu stoimy?

– Spójrz na północ.

Joshua zobaczył dym parę kilometrów dalej.

– To nie pochodzi z ogniska – stwierdził Lobsang. – Ani od pożaru lasu. Może płonąca osada.

– A zatem ludzie?

– O tak. Przechwytuję również sygnał radiowy.

Lobsang odtworzył fragment: przyjemny kobiecy głos z nagrania po angielsku, francusku i rosyjsku obwieszczał milczącemu światu o swojej obecności.

– To koloniści. Sygnał stwierdza, że należą do Pierwszego Niebiańskiego Kościoła Ofiar Kosmicznego Przekrętu. Jesteśmy daleko od domu i pewnie tylko nieliczne rozwinięte siedliska ludzi położone są jeszcze dalej... To dym z płonących budynków. Najwyraźniej zdarzył się jakiś wypadek.

– Sprawdźmy to!

– Zagrożenie jest nieznane. Niemożliwe do oceny.

Joshua był samotnikiem, ale zawsze przestrzegał niepisanej reguły obowiązującej na rubieżach Długiej Ziemi: człowiek pomagał innym, czy to samotnemu wędrowcowi, czy społeczności, w kłopotach.

– Lecimy tam.

Potężne rotory sterowca zawirowały i przesunęli się w stronę dymu.

– Mam ci opowiedzieć o Ofiarach Kosmicznego Przekrętu?

I tak Joshua dowiedział się, że o ile główne religie nadal koncentrowały się na Niskich Ziemiach, a to ze względu na dostęp do świętych miejsc Podstawowej – Mekki czy Watykanu – to jednak wiele odpryskowych grup religijnych wyruszyło na Długą Ziemię, szukając swobody wyznawania swej wiary – tak podobne społeczności czyniły od tysięcy lat na Ziemi. Pielgrzymi często wybierali miejsca, które (w kontekście Ziemi Podstawowej) były geograficznie odległe. Jak tutaj: znajdowali się wciąż daleko na wschód względem lokalizacji Moskwy. A jednak nawet wśród takich niezależnych grup Ofiary Kosmicznego Przekrętu wydawały się dość oryginalne.

– Uważają, że ich religia wyraża prawdę o wszechświecie, czyli jego zasadniczą absurdalność. Prawdziwe Ofiary wierzą, że w każdej minucie przychodzi na świat jakiś Powtórnie Narodzony. I że muszą być skuteczni i się mnożyć, by stworzyć więcej ludzkich umysłów mogących docenić Żart.

– Nie wydaje mi się, żeby ten Żart miał dobrą pointę – mruknął Joshua.

Przelecieli nad kilkoma hektarami lasu. Na wykarczowanym terenie ujrzeli osadę wzniesioną wokół pagórka – jedynego wyższego punktu na przesmyku. Na szczycie stała relatywnie wielka budowla. Wokół rozciągały się pola o zaznaczonych kamieniami granicach. Lobsang zauważył pewną szczególną kolorystykę niektórych upraw: mnóstwo krzaków marihuany – co wiele mówiło o charakterze tutejszej społeczności.

Wszędzie leżały trupy.

Sterowiec zawisł nieruchomo na wysokości piętnastu metrów. Wystraszone ptaki wzleciały na chwilę, ale zaraz wylądowały z powrotem. Ofiary Kosmicznego Przekrętu najwyraźniej lubiły nosić zielone szaty, więc centralny plac i odbiegające od niego gruntowe drogi usiane były szmaragdowymi plamami. Kto chciał wędrować aż tak daleko, by wybić do nogi kilkaset pokojowych istot, których jedyne dziwactwo polegało na przekonaniu, iż życie jest zwykłym przekrętem?

– Schodzę – oświadczył Joshua.

– To się stało niedawno – odparł Lobsang. – Ta zbrodnia. Ten atak. Zauważ, że ciała nie są jeszcze poobgryzane. Wymordowano trzystu ludzi, Joshuo. Napastnicy mogą jeszcze tam być.

– Ale może trzysta pierwszy człowiek jeszcze żyje.

– Ten wielki budynek na wzgórzu… To źródło sygnału radiowego.

– Opuść mnie na ziemię ze sto metrów od niego – rzekł Joshua z namysłem. – A potem przeskocz kilka światów dalej, przenieś się kawałek w przestrzeni i wróć. Może jeśli jeszcze ktoś tam jest, uda się go wywabić.

– Wywabić? Niezbyt zachęcający pomysł.

– Zrób to, Lobsangu.

Sterowiec opuścił się niżej.

* * *

Cuchnęło palonym mięsem i tłuszczem.

Joshua z papugą na ramieniu szedł prostą ulicą o gruntowej nawierzchni. Kilka ptaków podobnych do gawronów z irytacją uniosło się w powietrze. Miejscowi stworzyli zaskakująco dobrze zorganizowaną osadę jak na tak wielką odległość od Podstawowej. Budynki, których ściany tworzyła pokryta glinianą zaprawą wiklina na solidnych drewnianych ramach, stały równo wzdłuż ulic. Zapewne pionierzy, którzy wytyczyli te działki i ulice, marzyli, że kiedyś na tym samym planie stanie miasto. Teraz większość budynków spłonęła; kawałek dalej cały ich kwartał dymił.

Pierwsze ciało, do którego dotarł Joshua, to była kobieta w średnim wieku. Coś jej wyrwało krtań. Z pewnością nie zrobili tego ludzie.

Szedł dalej. Znalazł więcej zwłok: w rowie, w drzwiach domów, w ich wnętrzach. Mężczyźni, kobiety i dzieci. Niektórzy wyglądali, jakby próbowali uciekać, kiedy dosięgła ich śmierć. Chyba nikt nie miał przy sobie krokera, ale to w końcu nic niezwykłego. Byli przecież w domu, w swoim świecie; wydawało się im, że są bezpieczni.

Dotarł do wielkiego budynku na wzgórzu. Jeśli ta osada realizowała wzorzec większości kolonii opartych na religii, budynek ten był najprawdopodobniej kościołem, pierwszą trwałą strukturą, jaką tu wznieśli. A zatem mieścił dużą część wspólnego sprzętu całej grupy, na przykład radiostację czy jakieś generatory energii. Był też schronem, kiedy zdarzyła się katastrofa – jak zwykle kościoły przez całą historię ludzkości.

Rzeczywiście, wokół budynku leżało sporo ciał. Może wrogowie zaatakowali tuż po porannym nabożeństwie, czy też jakimś jego odpowiedniku, odprawianym przez ofiary. Może Skeczu Porannym...

Drzwi były zamknięte. W środku mogło się ukrywać cokolwiek. Czarne chmary much podniosły się, kiedy podszedł. Podobne do gawronów ptaki przyglądały się niechętnie z dachów.

Sterowiec znowu pojawił się na niebie.

– Lobsangu, jakieś poruszenia?

– Nic podejrzanego w pobliżu.

– Sprawdzę tę świątynię.

– Bądź ostrożny.

Joshua stanął przed podwójnymi drzwiami w solidnym murze z kamienia pokrytego jakimś rodzajem tynku. Spróbował je kopnąć i o mało co nie złamał nogi. Przygotował się do kolejnej próby.

– Oszczędź swój kruchy endoszkielet – rzucił sucho Lobsang. – Na tyłach są otwarte drzwi.

Tylne drzwi były wyrwane z zawiasów. Joshua wszedł pod wyłamaną futryną do niedużego pomieszczenia z radiostacją, która wciąż wysyłała swą niewinną wiadomość do wszechświata. Wyłączył nadajnik z szacunkiem. Kolejne drzwi prowadziły do pokoju gospodarczego, czegoś łączącego kuchnię z rupieciarnią, którą powinien dysponować każdy kościół czy dom modlitewny. Był tu dzbanek na herbatę, dziecięce zabawki wystrugane z drewna, a nawet dziecięce malunki palcem na ścianach. Wisiała lista dyżurów przy sprzątaniu – po angielsku. W przyszłym tygodniu przypadała kolej siostry Anity Dowsett.

Kolejne drzwi prowadziły do głównej sali. Tutaj leżało wiele trupów. Krew pokrywała podłogę i plamiła ściany, brzęczały roje much.

Joshua przestępował nad zwłokami, zasłaniając usta chusteczką. Odwrócił kilka z nich i przyjrzał się ranom. Na początku pomyślał, że uciekali tutaj, szukając bezpieczeństwa w grubych murach i za ciężkimi drzwiami – nawet ci pionierzy, tak daleko od domu, ulegali pewnie pradawnym instynktom. Ale w układzie leżących zwłok było coś dziwnego…

– Joshuo?

– Jestem tu, Lobsangu. – Stanął przed ołtarzem. Jego centralnym obiektem była wielka srebrna dłoń grająca na złotym nosie. – To byli komediowi ateiści. Życie tutaj musiało być zabawne. Nie zasłużyli na taki los. Jeśli to zbrodnia, jeśli zrobili to ludzie, musimy zameldować władzom, kiedy wrócimy.

– To nie byli ludzie, Joshuo. Rozejrzyj się. Wszystkie te rany to rozdarcia ciała. Ukąszenia. Rozbite czaszki. To dzieło zwierząt, przerażonych zwierząt. A drzwi za tobą zostały wyłamane od środka. Cokolwiek zabiło tych ludzi, nie wdarło się tym wejściem. Przekroczyło do wnętrza tego budynku i wyrwało się przez tylne drzwi.

Joshua przytaknął.

– Czyli, być może, mieszkańcy nie szukali tu schronienia. Oni już tu byli, na porannym nabożeństwie. I cokolwiek to było, wyskoczyło wśród nich. Przekraczające zwierzęta, które uciekały… przed czymś.

– Zwierzęta wpadły w panikę, to jasne. Ale zastanawiam się, jaki efekt wywarły na nich dymy ziela, które wykrywam w powietrzu…

Joshua stanął nad jednym z martwych ciał. Nagie, porośnięte włosami – nie człowiek. Miało z grubsza ludzkie proporcje, było szczupłe, ewidentnie dwunogie, żylaste i silne. Nieduża głowa podobna do szympansiej, z płaskim małpim nosem. Nie troll, ale jakiś gatunek humanoidalny. Zginął od pchnięcia nożem w gardło – pierś była pokryta zasychającą krwią. Ktoś miał dość charakteru, by się bronić, walczyć przeciwko furii tych przerażonych supersilnych małpoludów, które przekroczyły w sam środek jego – albo jej – rodziny.

– Widzisz to, Lobsangu?

Kamery papugi zaszumiały, przesuwając się.

– Widzę.

Joshua cofnął się i wyprostował, zamykając oczy. Próbował zobrazować sobie zajście.

– Stoimy na wzgórzu, w najwyższym punkcie w okolicy. W gęstym lesie trudno jest przekraczać w pośpiechu. Gdybyś chciał uciekać z rodziną przez wiele światów, musielibyście się zgromadzić na otwartym terenie, możliwie wysoko, bo w przeciwnym razie zablokują was drzewa. Ale w tym konkretnym świecie mieszkańcy w najwyższym punkcie zbudowali kościół. Akurat na drodze.

– Mów dalej.

– Sądzę, że te stworzenia przekraczały. Zebrane na wzgórzu, zmierzały na wschód, uciekając przed światami leżącymi dalej na zachodzie. Jak trolle. W popłochu.

– Uciekały? Co wzbudziło ich popłoch? To pytanie, na które musimy odpowiedzieć, zanim wrócimy do domu.

– I nagle znalazły się w tej zamkniętej przestrzeni, w tłumie ludzi. Wpadły w panikę. Docierało ich coraz więcej. Zabiły wszystkich tutaj, wyrwały się, wytropiły pozostałych.

– Z tego, co o nich wiemy, Joshuo, trolle by tak nie postąpiły. Przypomnij sobie, jak potraktowały szeregowego Percy'ego. Przecież z łatwością mogły go zabić.

– To nie były trolle.

– Chciałbym zasugerować, żebyśmy nazwali te stworzenia elfami. Sięgam tu do mitologii, do częściowych zapisów na temat przelotnych, niepojętych spotkań z tajemniczymi, smukłymi, człekopodobnymi istotami, które przemierzały nasz świat niczym duchy. Istnienie rozmaitych przekraczających humanoidów mogłoby wyjaśnić dużą część przekazów mitologicznych, Joshuo.

– I nie wątpię, że wnioskujesz na podstawie innych spotkań na Długiej Ziemi, o których mi nie wspomniałeś – stwierdził oschle Joshua.

– To także. A przy okazji... – dodał Lobsang niespokojnie. – Zauważyłem coś jeszcze. Jakieś pół kilometra na zachód od twojej pozycji.

– Ludzie? Trolle? Co?

– Idź, sam zobaczysz.

ROZDZIAŁ 29

Wyszedł pospiesznie z kościoła, z ulgą powracając na świeże powietrze, gdzie nie czuł zapachu krwi.

Pół kilometra na zachód, mówił Lobsang. Joshua sprawdził pozycję słońca i ruszył biegiem. Nim pokonał te kilkaset metrów, usłyszał jęki.

To była humanoidalna samica, leżała na wznak na ziemi. Nie troll; być może jakaś odmiana elfa według definicji Lobsanga. Jednak osobnik nie był identyczny z tym, którego Joshua oglądał w świątyni – więc może to nowy, nieznany mu gatunek? Jakieś metr pięćdziesiąt wzrostu, chuda, porośnięta włosami – była jakby wydłużonym szympansem o pionowej postawie i zadziwiająco ludzkiej twarzy, mimo płaskiego szympansiego nosa. Jednak, w przeciwieństwie do bestii ze świątyni, jej głowa zdawała się rozdęta, czaszka była nieproporcjonalnie wielka w stosunku do ciała – z mózgiem wyraźnie większym od ludzkiego.

Samica miała kłopot – była w mocno zaawansowanej ciąży. Ledwie przytomna, jęczała i szarpała futro na nabrzmiałym brzuchu, a wodnista krew ściekała jej między nogami.

Kiedy Joshua pochylił się nad nią, otworzyła oczy. Duże i skośne, jak mają obcy w komiksach, ale po małpiemu brązowe, bez ludzkich białek. Te oczy rozszerzyły się na moment lękliwie, a potem spojrzały na niego badawczo.

Obmacał jej brzuch.

– Dziecko powinno się już urodzić. Coś poszło nie tak.

– Zaryzykowałbym tezę – mruknął Lobsang – że wielka głowa dziecka tego stworzenia uniemożliwia normalny poród.

– Co schowałeś w tym zestawie? – Zanim Lobsang zdążył odpowiedzieć, Joshua otworzył pakiet na piersi i grzebał we wnętrzu, szukając apteczki. – Aha, ściągnij tu statek. Zanim skończymy, będę potrzebował więcej medykamentów.

– Co skończymy?

– Zamierzam wyciągnąć dziecko. – Joshua pogładził samicę po policzku. Jego matka też kiedyś leżała w bólach porodowych, zupełnie sama na całym świecie. – Nie upieramy się przy parciu, co? Załatwimy to po amerykańsku.

– Chcesz jej zrobić cesarskie cięcie? – zdumiał się Lobsang. – Nie masz takich umiejętności.

– Może i nie, ale jestem pewien, że ty je masz. A załatwimy to wspólnie. – Wysypał zawartość apteczki. Zastanowił się. – Będę potrzebował morfiny. Roztworu sterylizującego. Skalpeli, igieł, nici...

– Jesteśmy daleko od domu. Na ten wyczyn zużyjesz większą część naszych środków medycznych. Mam możliwość produkcji nowych, ale...

– Muszę to zrobić. – W żaden sposób nie mógł już pomóc Ofiarom, ale mógł uratować tę samicę. A przynajmniej spróbować. – Pomóż mi, Lobsangu.

Pauza trwająca eony... i wreszcie:

– Oczywiście, dysponuję pełnymi opisami większości głównych procedur medycznych. Nawet położniczych, choć nie wyobrażałem sobie, że będą mi potrzebne w tej wyprawie.

Joshua ustawił papugę tak, by Lobsang mógł widzieć, co robi. Rozłożył narzędzia.

– Mów do mnie, Lobsangu... Co teraz?

– Musimy zdecydować, czy wykonamy nacięcie podłużne, czy sekcję dolnej części macicy...

Joshua pospiesznie ogolił dolną połowę brzucha samicy. Potem, starając się, by nie drżała mu ręka, przysunął do skóry skalpel z brązu. Już miał wykonać nacięcie, kiedy dziecko zniknęło. Wyczuł jego brak, gdy macica nagle się zapadła.

Wyprostował się zdumiony.

– Przekroczyło! Niech to szlag! Dziecko przekroczyło!

Wtedy nadeszli dorośli. Dwie samice. Matka i siostra? Poruszały się w błyskawicznym ciągu skoków i przekroczeń, pojawiając się i znikając to tu, to tam. Gdyby tego nie widział, nie uwierzyłby, że takie tempo przekraczania jest możliwe.

– Nie ruszaj się – wymruczał Lobsang.

Samice spojrzały niechętnie na Joshuę, podniosły matkę i zniknęły z cichymi puknięciami.

Joshua odetchnął.

– Nie mogę uwierzyć. Co tu się zdarzyło?

Lobsang był zachwycony.

– Ewolucja, Joshuo! Wszystkie wyprostowane humanoidy mają problemy z porodem. Wiesz o tym, a twoja matka przekonała się osobiście. Kiedy ewoluowaliśmy, kobieca miednica zmniejszała się, by umożliwić dwunożność. Ale równocześnie mózg dziecka rósł i dlatego rodzimy się tacy bezbronni. Kiedy przychodzimy na świat, musimy jeszcze sporo urosnąć, zanim uzyskamy samodzielność. Wydaje się jednak, że ten gatunek zdołał obejść problem miednicy. Dosłownie! – Zaśmiał się cicho. – Tutaj dziecko nie przychodzi na świat przez kanał rodny. Tutaj wykracza z macicy, Joshuo! Podejrzewam, że razem z łożyskiem, pępowiną i wszystkim. To ma sens. Zdolność do przekraczania musi wpływać na wszystkie aspekty życia danej istoty, jeśli tylko damy ewolucji dość czasu, by to wykorzystać. A jeśli nie masz problemów z porodem, twój mózg może rosnąć dowolnie duży.

Joshua poczuł się pusty wewnętrznie.

– Dbają o swoich chorych. Nie przeżyłaby, gdybym rozciął jej brzuch.

– Nie mogłeś tego wiedzieć – szepnął mu Lobsang do ucha. – Starałeś się pomóc. A teraz wracaj na górę. Przyda ci się prysznic.

ROZDZIAŁ 30

Dalej na zachód Długa Ziemia stawała się stopniowo coraz bardziej zielona, a jałowe światy rzadsze. Światy leśne były porośnięte bardziej obficie, a podobne do dębów drzewa rozrastały się gęsto od rzecznych dolin i zalewały wyżej położone tereny niczym wznosząca się fala zieleni. Na nieczęsto widywanych trawiastych równinach zwierzęta w większości wyglądały znajomo: jakby konie, jakby jelenie, jakby wielbłądy. Czasami pojawiały się dziwniejsze bestie: potężne, niskie drapieżniki, które nie przypominały ani kotów, ani psów, a także wielcy roślinożercy z długimi szyjami, wyglądający jak skrzyżowanie słonia z nosorożcem.

Dziewiętnastego dnia, około Ziemi Zachodniej 460 000 Lobsang dość arbitralnie oświadczył, że dotarli do granic Pasa Uprawnego. Światy stały się wyraźnie za ciepłe, a puszcze za gęste, by uprawę ziemi uznać za sensowną.

Mniej więcej w tym samym czasie przelecieli nad europejskim wybrzeżem Atlantyku, gdzieś w okolicach szerokości geograficznej Wysp Brytyjskich. Wyprawa, która stała się nudnym lotem ponad praktycznie nieprzerwanym zielonym dywanem lasów, teraz była jeszcze nudniejsza, kiedy żeglowali nad powierzchnią oceanu.

Joshua godzinami przesiadywał na pokładzie obserwacyjnym. Lobsang odzywał się rzadko, co Joshua przyjmował z wdzięcznością. Gondola płynęła w powietrzu niemal bezgłośnie; słychać było tylko szelest pomp powietrznych i brzęczenie paneli instrumentów obracających się w różne strony. Zamknięty w tym latającym zbiorniku deprywacji sensorycznej Joshua poważnie się obawiał o utratę formy i sprawności mięśni. Czasami wykonywał ćwiczenia rozciągające, pozycje jogi albo biegi w miejscu. Jedną z wygód, jakich brakowało na statku, była sala gimnastyczna, a Joshua nie miał ochoty prosić Lobsanga o wyprodukowanie jakiegoś sprzętu. Skończyłoby się to na wyścigach z jednostką mobilną na wioślarskich ergometrach.

Lobsang zwiększył prędkość lotu nad oceanem. Dwudziestego piątego dnia przekroczyli wschodnie wybrzeże Ameryki na szerokości geograficznej Nowego Jorku. I znowu zaczęli dryfować nad lasami.

Nie mówili już o zatrzymywaniu się ani zawracaniu. Obaj rozumieli, że muszą dotrzeć jak najdalej, aż natrafią na jakieś sugestie rozwiązania tajemnicy tego, co wymusza migrację humanoidów. Joshua wciąż jeszcze drżał, wyobrażając sobie, że w Madison Podstawowym wybucha paniczna rzeź, jaką widzieli w miasteczku Ofiar Kosmicznego Przekrętu...

Kiedy znowu znaleźli się nad lądem, zawarli porozumienie. Lobsang przekraczał nocą. Nie przeszkadzało to Joshui we śnie, a zmysły Lobsanga nawet po ciemku były nieskończenie bardziej czułe niż Joshui przy świetle słonecznym. Za dnia jednak mieli się zatrzymywać przynajmniej na kilka godzin, by Joshua mógł stanąć na solidnej Ziemi, niezależnie od tego, która solidna Ziemia akurat się trafiła. Czasami Lobsang w swej jednostce mobilnej zjeżdżał windą razem z nim. Ku zdziwieniu Joshuy nawet w ciężkim terenie radził sobie bez trudu, spacerował, a nawet pływał w jeziorze – bardzo realistycznie.

Ogólnie mówiąc, ten falujący las trwał we wszystkich dalekich światach. Podczas codziennych zejść Joshua dostrzegał różniące się szczegóły, rozmaite zestawy zwierząt roślinożernych i mięsożernych, a także stopniowe zmiany charakteru w szerszej perspektywie: mniej roślin kwitnących, więcej paproci, w kolejnych światach odnosił wrażenie coraz większej monotonii. Pokonywali dwadzieścia do trzydziestu tysięcy nowych światów w każdym cyklu dobowym, ale prawdę mówiąc, kiedy przepływały kolejne tysiące, Joshua nabierał przekonania, że kto widział jeden z nich, ten widział właściwie wszystkie. Między przystankami, gdy Lobsang katalogował obserwacje i szkicował teksty naukowe, Joshua siedział na kanapie, spał albo pozwalał, by umysł dryfował wśród zielonych snów rojących się od zębów i tak realnych, że nie był pewien, czy czuwa, czy już zasnął.

Z rzadka trafiały się jakieś nowości. Raz, mniej więcej w okolicy, gdzie leżałoby Tombstone, gdyby ktoś tam trafił i je nazwał, Joshua skrupulatnie pobrał próbki z ogromnego, wysokiego jak człowiek grzyba, który stanowiłby poważną przeszkodę dla Wyatta Earpa i Doca Hollidaya, jeśli akurat nadjechaliby ulicą. Grzyb miał kolor kremowy i – nie wnikając w szczegóły – pachniał wspaniale, którego to odkrycia dokonały również niewielkie, podobne do myszy stworzenia – podziurawiły go niczym ser ementaler.

– Możesz skosztować, jeśli masz ochotę – odezwał się Lobsang w słuchawce. – A w każdym razie przynieś mi rozsądnie duży kawałek do przetestowania.

– Chcesz, żebym zjadł trochę, zanim sprawdzisz, czy jest trujący?

– Uważam, że to mało prawdopodobne. Prawdę mówiąc, zamierzam sam trochę zjeść.

– Wcale mnie to nie dziwi. Widziałem przecież, że pijesz kawę. A zatem również jesz?

– Oczywiście. Wprowadzanie pewnych ilości materii organicznej jest kluczowe. Ale kiedy będę trawił tego grzyba, rozłożę go i przeanalizuję. To stosunkowo nudny proces. Wielu ludzi o szczególnych wymaganiach żywieniowych musi przechodzić przez te same procedury, ale bez korzystania ze spektrometru masowego, będącego elementem mojej anatomii. Byłbyś zaskoczony, wiedząc, ile pokarmów rzeczywiście zawiera orzechy...

Wydany po kolacji werdykt Lobsanga brzmiał, że parę kilometrów materii gigantycznych grzybów zawiera dość białka, witamin i minerałów, by przez kilka tygodni utrzymać człowieka przy życiu, choć w kategoriach kulinarnych w stanie absolutnego znudzenia.

– Jednakże – dodał – coś, co tak szybko rośnie, zawiera wszystkie potrzebne człowiekowi składniki odżywcze i może się rozwijać właściwie wszędzie, z pewnością jest warte zainteresowania przemysłu żywnościowego.

– Zawsze z przyjemnością pomogę transEarth zarobić parę dolców, Lobsangu.

Żeby wprowadzić jakąś odmianę, tej nocy Joshua nie poszedł spać, by zobaczyć, jak wygląda nocna podróż. Czasami widział ognie rozrzucone po ciemnych równinach – ale ognie zawsze płoną, jeśli są drzewa, błyskawice i sucha trawa. Proszę się rozejść, nie ma na co patrzeć...

Skarżył się na tę monotonię za oknem.

– A czego oczekiwałeś? – spytał Lobsang. – Ogólnie biorąc, przewidywałem, że większość Ziemi będzie... przynajmniej na pierwszy rzut oka, a pamiętaj, Joshuo, ten pierwszy rzut to najczęściej wszystko, co mamy do dyspozycji... będzie raczej nudna. Pamiętasz z dzieciństwa obrazki dinozaurów z Jury? Wszystkie gatunki zebrane na jednej barwnej klatce, a na pierwszym planie tyranozaur mocuje się ze stegozaurem? Natura zwykle nie jest taka i dinozaury też takie nie były. Natura, tak ogólnie, jest albo rozsądnie milcząca, albo tak hałaśliwa, że wstrząsa gruntem. Drapieżniki i ich ofiary są mocno rozproszone. Dlatego chętnie się zatrzymuję w światach dręczonych suszą. Rozmaite gatunki gromadzą się tam przy wodopojach, choć w warunkach raczej sztucznych.

– Ale jak wiele nam ucieka, Lobsangu? Nawet jeśli zatrzymamy się w jakimś świecie, i tak ledwie zdążymy się rozejrzeć, a już ruszamy dalej. Mimo twoich sond i rakiet wszystko, co mamy do dyspozycji, to jeden po drugim pierwsze rzuty oka...

Własne doświadczenia podczas dawnych wakacji w Długiej Ziemi wzbudziły w Joshui wewnętrzne przekonanie, że aby zrozumieć świat, trzeba w nim żyć, a nie tylko zerknąć, kiedy przerzuca się całą ich talię. Był to trzydziesty trzeci dzień podróży.

– Więc gdzie teraz jesteśmy?

– Zakładam, że rozumiesz to pytanie w terminach ziemskiej geografii? Mniej więcej koło północnej Kalifornii. Czemu pytasz?

– Zróbmy sobie przerwę. Już ponad miesiąc mieszkamy w tym latającym hotelu. Spędźmy choć jeden cały dzień w jednym miejscu. Żeby, no... wyluzować. Zgoda? I przeżywać. Dzień i noc, jedną dobę. Możesz napełnić zbiorniki wodą. Inaczej zwariuję.

– Trudno mi protestować. Znajdę odpowiednio ciekawy świat i zatrzymam przekraczanie. A że jesteśmy nad Kalifornią, może chciałbyś, żebym ci wyprodukował deskę surfingową?

– Ha, ha!

– Zmieniłeś się, Joshuo. Wiesz o tym?

– Bo z tobą dyskutuję?

– Szczerze mówiąc, tak. Jestem zaintrygowany – stałeś się szybszy, bardziej stanowczy, mniej podobny do osobnika, który snuje się we własnym umyśle. Oczywiście, nadal jesteś sobą. Właściwie zastanawiam się nawet, czy nie jesteś bardziej sobą, niż byłeś od bardzo dawna. Zwłaszcza teraz, kiedy wiesz, jak przyszedłeś na świat.

Joshua wzruszył ramionami.

– Nie drąż tego, Lobsangu. Dziękuję za bransoletkę. Ale nie jesteś terapeutą. Może podróż poszerza umysł...

– Joshuo, gdyby twój umysł stał się jeszcze trochę szerszy, zacząłby ci się wylewać uszami.

Choć nadeszła już północ, Joshua nie był śpiący. Zaczął szykować sobie coś do zjedzenia.

– Co powiesz na film, Joshuo?

– Wolę poczytać. Masz jakieś sugestie?

Ekran książkowy się rozjaśnił.

– Nie znam odpowiedniejszego tytułu.

Joshua przyjrzał się.

– *Pod gołym niebem*?

– To pod wieloma względami najlepsze dzieło Twaina. Tak uważam, chociaż zawsze zachowam ciepłe uczucia dla *Życia na Missisipi*. Przeczytaj. Jest o tym, co zapowiada: o wyprawie na nowe terytoria. Często bardzo zabawna, w dość zgryźliwym stylu. Baw się dobrze.

I Joshua dobrze się bawił. Czytał i drzemał, i tym razem śnił o atakach Indian.

* * *

Następnego dnia, koło południa, przekraczanie zatrzymało się ze znajomym szarpnięciem. Joshua wyjrzał i zobaczył powierzchnię jeziora – szaroblękitną tarczę przełamującą zieleń lasu.

– Fala idzie, koleś – oznajmił Lobsang.

– Niech to licho…!

Na poziomie ziemi las okazał się bardzo przyjemny. Eskadry nietoperzy pędziły za muchami w podświetlonym zielenią powietrzu – powietrzu pachnącym wilgotnym drewnem i gnijącymi liśćmi. Ciche odgłosy dookoła wydawały się – to dziwne – o wiele spokojniejsze, niż byłaby cisza. Joshua nauczył się już, iż absolutna cisza jest w naturze stanem wyjątkowym, nie tylko dostrzegalnym, ale wręcz groźnym. Jednak pomruki tego gęstego lasu tworzyły naturalny biały szum.

– Joshuo, spójrz na lewo – odezwał się Lobsang. – Tylko bądź cicho.

Joshua zobaczył podobne do koni, płochliwe z wyglądu stworzenia z dziwnie wygiętymi szyjami i miękkimi stopami, rozmiarów mniej więcej szczeniaków. Był też jakby słoń z krótką trąbą, ale malutki.

– Słodkie – stwierdził Joshua.

– Jezioro jest na wprost – poinformował Lobsang.

Wodę otaczał wał drzewnych pni i pasek odkrytej ziemi. Nieruchomą powierzchnię jeziora porastały trzciny i sitowie, a w blasku słońca, pod błękitnym niebem, w chmurach różowo-białego trzepotu zniżały się stada egzotycznych ptaków. Na drugim brzegu Joshua zauważył zwierzę podobne do psa, ale niewiarygodnie wielkie – musiało mieć ze cztery metry wysokości w kłębie, a jeszcze wyżej sterczała masywna głowa i wysunięte wielkie szczęki.

Zanim wyjął lornetkę, zwierzę wsunęło się w cień lasu.

– To był z pewnością ssak – powiedział. – Ale paszczę miał jak krokodyl.

– Ssak, owszem. Prawdę mówiąc, podejrzewam dalekiego krewnego wieloryba. Naszego wieloryba, oczywiście. Ale w wodzie, Joshuo, są prawdziwe krokodyle, jak zwykle. Ogólna norma.

– To całkiem jakby ktoś pomieszał części różnych zwierząt. Jakby się bawił w ewolucję.

– Jesteśmy wieleset tysięcy kroków od Podstawowej. Na tym odległym świecie oglądamy przedstawicieli wielu rzędów zwierząt, jakie mamy w naszym odgałęzieniu drzewa prawdopodobieństwa, ale jakby wyobrażone na nowo. Ewolucja najwyraźniej jest chaotyczna, jak pogoda...

Rozległo się stęknięcie – jak gdyby wielka świnia z potężną piersią zbliżała się od tyłu.

– Nie uciekaj. Za tobą. Odwróć się bardzo powoli.

Joshua posłuchał. Zwizualizował sobie broń, jaką miał przy sobie: nóż u pasa, pistolet gazowy w pakiecie na piersi. A nad sobą – sterowiec Lobsanga z całym arsenałem.

Spróbował poczuć się pewnie.

Wielkie dziki – takie było jego pierwsze wrażenie. Było ich sześć, każdy w kłębie wysoki jak człowiek, na potężnych nogach, z porośniętymi szczeciną garbami; miały malutkie czarne jak węgiel oczka i długie, mocne szczęki. A każdy z nich niósł na karku humanoida – nie trolla, ale chudą figurę z małpią twarzą i rdzawymi włosami, siedzącą okrakiem, jakby dosiadała wielkiego i brzydkiego konia.

Joshua znajdował się daleko od osłony drzew.

– Znowu elfy – szepnął Lobsang.

– Takie jak te, które wymordowały Ofiary?

– Albo ich bliscy kuzyni. Długa Ziemia to ogromny obszar, Joshuo, mogło na nim wystąpić wiele zjawisk specjacyjnych.

– Posłałeś mnie na dół, żebym spotkał te kreatury, prawda? To nazywasz chwilą odpoczynku?

– Nie zaprzeczysz chyba, że to interesujące.

Jeden z elfów zakrzyknął – coś pośredniego między dyszeniem i gwizdnięciem, jak u szympansów. Potem kopnął wierzchowca w żebra. Sześć bestii ruszyło truchtem w stronę Joshuy, pochrząkując gardłowo.

– Co mi radzisz, Lobsangu?

Dziki przyspieszały.

– Lobsangu...

– Uciekaj!

Joshua pobiegł, ale dziki były szybsze. Nie zdążył znacząco się zbliżyć do opadającego już sterowca ani do lasu, kiedy obok przemknęło wielkie cielsko. Wyczuł brud, krew, odchody i jakby mdlące piżmo, a potem mała pięść trafiła go w plecy i powaliła na ziemię.

Dzikie wieprze ruszyły w podskokach wokół niego, zadziwiająco swobodnie, mimo swego rozmiaru i masy. Ten ich pęd sprawiał przerażające wrażenie. Joshua był pewien, że go zgniotą albo rozprują sterczącymi z ryjów kłami. Ale bestie przebiegały obok, a humanoidy – te elfy – pokrzykując i gwiżdżąc, pochylały się, by go zaatakować. Ostrza błyskały tuż nad nim – kamienne ostrza!

Joshua kulił się i przetaczał na boki.

Wreszcie odstąpiły i otoczyły go nieregularnym kręgiem. Wstał drżący i sięgnął po broń. Uświadomił sobie, że nie jest ranny, jeśli nie liczyć kilku skaleczeń na twarzy i na ramieniu, gdzie cięcie przez materiał bluzy sięgnęło skóry. Elfy za to odcięły mu pakiet z piersi, a nawet nóż od pasa. Został fachowo ogołocony ze sprzętu – pozostała tylko papuga na ramieniu i pakiet procesora na plecach.

Elfy się z nim bawiły.

Po chwili stanęły na grzbietach swych wierzchowców. Nie przypominały trolli, były o wiele szczuplejsze, pełne gracji, gibkie i silne – ich owłosione wyprostowane ciała kojarzyły się z młodziutkimi gimnastykami. Miały długie ręce, wygodne przy wspinaniu się na drzewa, bardzo ludzkie nogi i małe głowy o pomarszczonych twarzach, podobnych do szympansów. Zdawało się, że wszystkie są samcami; kilka demonstrowało nawet niezbyt imponujące erekcję.

Joshua szukał pozytywów.

– Są mniejsze ode mnie. Jakieś metr pięćdziesiąt?

– Nie doceniasz ich – ostrzegł w słuchawce głos Lobsanga. – Są od ciebie silniejsze. I pamiętaj, to jest ich świat.

Okrzyki i świsty zabrzmiały znowu, osiągając crescendo. A potem jeden z elfów kopnął piętami żebra wierzchowca i bestia, wpatrzona w Joshuę, ruszyła truchtem. Elf wyszczerzył całkiem ludzkie zęby i zasyczał. Tym razem nie miał zamiaru się bawić.

Są takie chwile, kiedy groza jest niczym gęsty miód, który spowalnia czas. Joshua, jeszcze jako dziecko, zsunął się kiedyś ze skały w kamieniołomach, ledwie dziesięć minut jazdy rowerem od Domu, i koledzy nie potrafili go wyciągnąć. Musiał tak wisieć, dopóki nie sprowadzili pomocy. Ręce bolały go potwornie. Ale najlepiej zapamiętał drobne szczegóły skały tuż przed oczami. Były w niej drobiny miki i mech, miniaturowy, wysuszony słońcem żółty las. Ten maleńki pejzaż stał się całym jego światem, dopóki ktoś gdzieś nie zaczął krzyczeć, a jakiś człowiek złapał go za nadgarstki i pociągnął w górę…

Elf skoczył i zniknął. Dzik truchtał dalej, przyspieszając. Joshua – z całą wyrazistością plamek miki na skale – uświadomił sobie, że elf na niego poluje. I że przekroczył.

Dzik nadal się zbliżał. Joshua nie ruszał się z miejsca. W ostatniej chwili bestia zawahała się, straciła rytm, skręciła lekko…

Elf powrócił, stał na karku dzika i sięgał rękami do szyi Joshuy, z dłońmi gotowymi, by zacisnąć się na gardle.

Joshuę zaszokowała precyzja tego manewru.

Niemal natychmiast runął na ziemię bez tchu. Próbował uderzyć przeciwnika, ale machał tylko ramionami chaotycznie. Czerń zaczęła przesłaniać mu wzrok. Starał się myśleć. Broń i cały sprzęt zostały mu odebrane i rozrzucone, ale wciąż miał na ramieniu papugę… Chwycił ją oburącz i uderzył w małpią twarz. Prysnęły odłamki szkła i plastiku, elf cofnął się z wrzaskiem, a śmiertelny uścisk na gardle ustał.

Pozostałe elfy na swoich dzikach krzyknęły i zbliżyły się groźnie.

– Joshua! – zahuczały głośniki.

Sterowiec zniżał się powoli, ociężale, powiewając sznurową drabinką.

Joshua poderwał się, oddychając z trudem przez obolałą krtań, ale krąg elfów na dzikach stał między nim a drabinką, a ten ranny na ziemi wrzeszczał wściekle. Jedyną luką w pierścieniu było miejsce, skąd zaatakował przywódca.

Dlatego Joshua pognał w tamtą stronę, oddalając się od sterowca. Rozbita papuga wciąż była umocowana przewodami do kurtki i wlokła się za nim po ziemi. Wrzeszczące elfy ruszyły w pogoń. Gdyby udało mu się jakoś zawrócić albo dotrzeć do lasu...

– Joshua! Nie! Uważaj...

Nagle stracił grunt pod nogami.

Spadł mniej więcej o metr i znalazł się w zagłębieniu, otoczony przez psy... nie, raczej krzyżówkę psów z niedźwiedziami, widział już takie wcześniej: zwinne psie ciała z wielkimi głowami i niedźwiedzimi pyskami. Pokryte czarną sierścią, przewalały się dookoła, samice, szczeniaki... To był rodzaj legowiska, nie pułapka. Ale nawet szczeniaki kłapały groźnie – warczące kłębki agresji. Najmniejszy, niemal słodki kudłaty kłębuszek, zacisnął niedźwiedzie szczęki na jego nodze. Joshua kopnął mocno, próbując się go pozbyć. Inne pso-niedźwiedzie szczekały i warczały, lada chwila rzucą się na niego całym stadem...

Wtedy jednak zjawiły się elfy na świńskich wierzchowcach. Dorosłe psy poderwały się z legowisk i skoczyły na dziki. Rozpętała się walka pełna skowytów, szczeknięć, chrząkań, krzyków, świstów, kłapiących zębów, wrzasków bólu i sikającej krwi, gdy elfy migotały, znikając i pojawiając się znowu, jakby oglądane w świetle lampy stroboskopowej.

Joshua wydostał się z zagłębienia i uciekł biegiem – a przynajmniej spróbował. Uparty szczeniak wciąż wisiał mu na nodze i wciąż wlókł się za nim idiotyczny wrak papugi. Sterowiec wisiał niemal wprost nad głową. Joshua skoczył do drabinki sznurowej, chwycił ją i gwałtownym kopnięciem pozbył się szczeniaka.

Sterowiec wzniósł się natychmiast.

W dole psy otoczyły wielkie dzikie świnie, które jednak broniły się zacięcie. Joshua widział, jak jeden z pso-niedźwiedzi wbił zęby w kark wrzeszczącego wieprza, który zwalił się ciężko. Inny jednak nabił psa na wielkie kły i podrzucił w górę, skowyczącego, z rozdartą klatką piersiową. Tymczasem elfy migotały wśród rzezi. Joshua zauważył, jak jeden z nich walczy z psem, który skoczył mu do gardła. Elf zniknął i pojawił się znowu obok sunącego w powietrzu napastnika, zakręcił się z baletową gracją i wąską kamienną klingą wypruł mu flaki.

Elfy walczyły o życie, ale Joshua miał wrażenie, że działają indywidualnie, nie pomagając sobie nawzajem. Nie była to właściwie bitwa, ale ciąg osobnych pojedynków. Każdy dla siebie i bóg przeciw wszystkim, można by powiedzieć, gdyby ten świat miał jakiegoś boga.

Sterowiec wznosił się coraz wyżej w słoneczne niebo. Starcie zmieniło się teraz w pylisty, pochlapany krwią element krajobrazu, przez który płynął cień statku. Joshua, wciąż oddychając z wysiłkiem, wspiął się po drabince i zwalił na podłogę gondoli.

– Kopnąłeś szczeniaczka! – stwierdził oskarżycielsko Lobsang.

– Dopisz mi to do rachunku – wysapał Joshua. – Kiedy następnym razem będziesz szukał miejsca na wypoczynek, myśl raczej o czymś w stylu Disneylandu.

Ciemność, która od czasu bliskiego spotkania z elfem tworzyła ramę dla jego pola widzenia, zamknęła się nad nim całkowicie.

ROZDZIAŁ 31

Był mocno poraniony, jak się później dowiedział. Odniósł sporo drobnych urazów, których początkowo nie zauważył. Krwiaki na szyi, obolałe gardło. Zadrapania, skaleczenia, nawet ślad po ugryzieniu – nie tego szczeniaka, który mu wisiał u kostki, ale odcisk niemal ludzkich zębów na ramieniu. Jednostka mobilna Lobsanga opatrzyła skaleczenia, zaaplikowała antybiotyk i podała środki przeciwbólowe.

Odpłynął w niebyt. Czasami budził się na krótko, nie całkiem przytomny, widząc jasnożółte gwiazdy na niebie albo sunące w dole zielone dywany. Równy rytm przekroczeń uspokajał. Właściwie Joshua przesypiał całe dnie.

Ale im dalej docierali, kierując się ciągle na zachód, tym bardziej był świadom dziwnego ucisku w głowie – nawet kiedy drzemał. I rodzaj duszności, jakie go dręczyły za każdym razem, kiedy wracał na Ziemię Podstawową; to był efekt ciśnienia mnóstwa stłoczonych umysłów zagłuszających Ciszę. Czy to możliwe, że – jak twierdzili niektórzy – Długa Ziemia tworzy rodzaj zamkniętej pętli i teraz wracają do punktu wyjścia, do Podstawowej? To byłoby dziwne. Ale jeśli nie, to co leży przed nimi? Co pcha te trolle wzdłuż łuku światów?

Kiedy wreszcie rozbudził się całkowicie, przekraczanie znów było wstrzymane. Usiadł.

– Spokojnie, Joshuo – zabrzmiał bezcielesny głos Lobsanga.

– Zatrzymaliśmy się…

Głos miał chrapliwy, ale zrozumiały.

– Głęboko spałeś, Joshuo. Cieszę się, że jesteś przytomny. Musimy porozmawiać. Zdajesz sobie sprawę, że ani przez moment nie groziło ci prawdziwe niebezpieczeństwo?

Potarł gardło.

– Wtedy nie miałem takiego wrażenia.

– W każdej chwili mogłem zdjąć te elfy, każdego z nich. Mam zaawansowany celownik laserowy na...

– To czemu nie zdjąłeś?

– Prosiłeś o przepustkę na ląd. Myślałem, że dobrze się bawisz.

– Jak już kiedyś wspomniałeś, musimy popracować nad komunikacją, Lobsangu.

Joshua odsunął narzutę, wstał i przeciągnął się. Miał na sobie szorty i koszulkę, choć nie pamiętał, żeby je wkładał. Pewnie nie pobiegłby dzisiaj maratonu, ale z drugiej strony nie mdlał przy każdym wysiłku. Wszedł ostrożnie pod prysznic. Niewielkie rany goiły się, a gardło najwyżej kłuło.

Wyjął z szafy czystą odzież.

Przez okno kabiny zobaczył, że statek kotwiczy nad gęstwiną tropikalnego lasu ciągnącego się aż po horyzont. Mgła okrywała doliny. Słońce wisiało nisko – Joshua zgadywał, że jest wczesny ranek. Sterowiec zawisł na wysokości około trzydziestu metrów.

– Nie zatrzymywaliśmy się codziennie – poinformował Lobsang. – Ale i tak trudno zbyt wiele zaobserwować z góry.

– Bo las jest za gęsty?

– Posyłałem na dół jednostkę mobilną. Jesteśmy daleko od domu, Joshuo. Odeszliśmy na ponad dziewięćset tysięcy kroków. Zastanów się nad tym. Widzisz, jak to tutaj wygląda: typowy las jak daleko sięgnąć wzrokiem. Ten las porasta prawdopodobnie cały kontynent. Trudno dokonywać obserwacji.

– Ale najwyraźniej jest tu coś, co cię zainteresowało, prawda?

– Obejrzyj przekaz na żywo.

Obraz na ściennym ekranie był rwany, niewyraźny. Oddalona kamera ukazywała lukę w lesie, głęboką szramę w zieleni, wyraźnie spowodowaną upadkiem ogromnego drzewa, którego pień leżał teraz pośrodku polanki, porośnięty mchem i egzotycznymi grzybami. Dostęp do światła pozwolił, by w górę wystrzeliły młode pędy i niskie krzaki.

A te nowe rośliny przyciągnęły humanoidy. Joshua zauważył coś, co wyglądało jak stado trolli. Siedziały na otwartej przestrzeni ciasną grupką i iskały się cierpliwie; każdy wygrzebywał insekty z pleców siedzącego przed nim. Śpiewały bez przerwy – urywki melodii jak na wpół zapomniane pieśni, chóry na dwa, trzy, cztery głosy, improwizowane i porzucane, a wszystkie wychwytywane niezbyt wyraźnie przez dalekie mikrofony.

– Trolle?

– Najwyraźniej – potwierdził Lobsang. – Muzykolodzy będą potrzebowali stu lat, żeby rozpracować strukturę tego śpiewu. Patrz uważnie.

Kiedy wzrok przyzwyczaił się do szarpanych obrazów, Joshua zaczął dostrzegać kolejne grupy humanoidów na polanie i w cieniu lasu; niektórych nie rozpoznawał. Wszystkie bawiły się, pracowały, iskały się nawzajem, może polowały. Zdawało się, że są tam wyłącznie humanoidy, nie małpy; za każdym razem, gdy któryś wstawał, widać było swobodę ich dwunożnej postawy.

– Chyba sobie nie przeszkadzają – zauważył. – Różne odmiany.

– Ewidentnie nie. Właściwie to przeciwnie.

– Ale dlaczego się tam zgromadziły? W końcu to różne gatunki.

– Podejrzewam, że w tej konkretnej społeczności stały się współzależne. Prawdopodobnie mają nieco odmienne zakresy działania zmysłów, więc jeden z gatunków może wykryć zagrożenie przed innymi. Wiemy na przykład, że trolle używają ultradźwięków. Podobnie spotyka się pływające razem różne gatunki delfinów. Jak widzisz, zastosowałem się do twojej rady, Joshuo. Więcej czasu poświęcam na badanie cudów Długiej Ziemi, takich jak to zbiorowisko humanoidów. Zadziwiający obrazek, prawda? To jak sen o ewolucyjnej przeszłości człowieka: wiele typów hominidów razem.

– Ale co z przyszłością, Lobsangu? Co się stanie, kiedy ludzcy koloniści na poważnie zajmą się tym światem? Jak coś takiego zdoła przetrwać?

– To już całkiem inny problem. A co się stanie, jeśli coś pchnie je wszystkie na wschód, w ramach wielkiej migracji? Masz ochotę zejść na dół?

– Nie.

Później, kiedy sterowiec żeglował dalej, rozmawiali o niezwykłej wyjątkowości człowieka na Długiej Ziemi. Lobsang opowiedział, jak wkrótce po Dniu Przekroczenia zainicjował poszukiwania kuzynów ludzi na tysiącach Ziemi – i opowiedział Joshui historię Nelsona Azikiwe.

ROZDZIAŁ 32

Według oficjalnej historii rodzinnej ochrzczono go imieniem Nelson na cześć słynnego admirała. W rzeczywistości jednak otrzymał imię po Nelsonie Mandeli. Jego matka wierzyła, że Nelson siedzi teraz po prawicy Boga Ojca, a Nelson junior, dorastając, doszedł do wniosku, że to dobrze, Mandela bowiem może powstrzymać mściwego Boga Izraelitów przed zrzuceniem na barki ludzkości kolejnych problemów.

Matka wychowała go w Jezusie, jak to określała, i ze względu na nią wytrwał w wierze. W końcu, po dość skomplikowanej ścieżce kariery i jeszcze bardziej skomplikowanej wędrówce filozoficznej, przyjął święcenia kapłańskie. Jakiś czas później zaproszono go do Wielkiej Brytanii, by głosił Dobrą Nowinę wśród pogan: wyraźny dowód na to, że historia lubi się powtarzać, choć niekiedy na odwrót.

Właściwie to całkiem lubił Anglików. Często zapewniali, jak im przykro, co wydawało się całkiem zrozumiałe, biorąc pod uwagę dziedzictwo popełnianych przez ich przodków zbrodni. Z jakiegoś powodu arcybiskup Canterbury wysłała go do wiejskiej parafii, tak białej, że oczy bolały. Być może arcybiskup miała poczucie humoru, postanowiła coś wykazać albo zwyczajnie chciała sprawdzić, co się stanie.

Nie było to Zjednoczone Królestwo, o którym opowiadała mu matka, kiedy był mały – to oczywiste. Teraz, wiele lat po jej śmierci,

spacerował po Londynie mieszczącym ogromną, wielobarwną populację. Rzadko kiedy widziało się wiadomości przekazywane nie przez
spikera, którego niedawni przodkowie spacerowali pod afrykań-
skim niebem. Do diabła, czarnoskórzy mężczyźni i kobiety mówili
nawet, kiedy nad kolebką demokracji spadnie deszcz! Dostrzegał to
mimo niesamowitego wrażenia pustoszejącego kraju i stolicy porzu-
canej przez jedno przedmieście po drugim.

Powiedział o tym spostrzeżeniu odchodzącemu beneficjentowi
Świętego Jana Nad Wodami, którym był wielebny David Blessed,
wyraźnie wspierający teorię determinizmu nominatywnego. Kiedy
pierwszy raz zobaczył Nelsona Azikiwe, stwierdził:

– Mój synu, przez najbliższe sześć miesięcy, co najmniej, nie
zbraknie ci zaproszeń na obiady.

Okazało się to trafnym proroctwem ze strony wielebnego Bles-
seda, który dzięki skromnemu rodzinnemu majątkowi wcześniej
odchodził na emeryturę i przenosił się do własnego domku, aby
– jak to wyraził – „boki zrywać, gdy będziesz odprawiać swoje pierwsze nabożeństwo".

Mieszkanie na probostwie pozostawił Nelsonowi, który miał
teraz całą plebanię dla siebie, jeśli nie liczyć starszej kobiety, codziennie szykującej mu lunch i zajmującej się sprzątaniem. Nie była zbyt
rozmowna, a on ze swej strony nie bardzo wiedział, o czym mógłby z nią rozmawiać. Zresztą miał na głowie dość kłopotów, jako że
budynek plebanii był całkiem otwarty dla przeciągów, natomiast
hydrauliki chyba sam Bóg Ojciec by nie zrozumiał – bywało, że
woda spuszczała się w środku nocy bez żadnych widocznych powodów.

Ta część Anglii w cudowny sposób nie została dotknięta przez
fenomen Długiej Ziemi. Czy nawet – o ile Nelson mógł to ocenić
– przez dwudziesty pierwszy wiek. Mieszkańcy Anglii Środkowej byli
Zulusami Brytyjczyków, uznał. Odnosił wrażenie, że co drugi mężczyzna we wsi był w przeszłości wojownikiem, często wysokiej rangi.
Teraz, na emeryturze, doglądali swoich ogródków, musztrując zago-
ny zamiast żołnierzy. Zaszokowała go jednak ich uprzejmość. Ich

żony piekły mu tyle ciasta, że musiał się nim dzielić z wielebnym Blessedem (w stanie spoczynku). Nelson podejrzewał, że Blessed dostał polecenie, by czekać i meldować o jego postępach do Pałacu Lambeth, siedziby arcybiskup Canterbury.

Teraz gawędzili przyjaźnie w domku Davida, którego żona wyszła akurat na spotkanie w Instytucie Kobiecym.

– Oczywiście, zawsze znajdą się ludzie wiecznie zacofani – tłumaczył David. – Ale w tej okolicy nie znajdziesz ich wielu, ponieważ zaczynają tu dominować odruchy brytyjskiego systemu klasowego. Jesteś wysoki, przystojny i mówisz po angielsku znacznie lepiej niż ich własne dzieci. A kiedy na pogrzebie starego Humphreya zacytowałeś fragmenty *Życia pasterza* W.H. Hudsona, już po nabożeństwie... które, nawiasem mówiąc, odprawiłeś znakomicie... niektórzy podeszli do mnie dyskretnie i spytali, czy to ja ci poradziłem. Oczywiście zapewniłem, że nie. I możesz mi wierzyć, kiedy wiadomość o tym się rozeszła, wtedy zdałeś. Zrozumieli, że nie tylko świetnie znasz angielski, ale też świetnie znasz Anglię, a tutaj ma to znaczenie. Później, żeby dopełnić obrazu, wziąłeś sobie działkę i widziano, jak kopiesz, sadzisz i ogólnie uprawiasz ziemię. Tym przeciągnąłeś wszystkich na swoją stronę. Widzisz, byli odrobinę nerwowi, kiedy usłyszeli o twoim przyjeździe. Jak by to określić... Spodziewali się, że będziesz trochę bardziej... gorliwy? Ale sprawiasz wrażenie zadziwiająco dobrze przygotowanego do misji wśród nas.

– W pewnym sensie całe moje życie przygotowywało mnie do niej, to prawda – zgodził się Nelson. – Widzisz, jako dziecko miałem szczęście, wielkie szczęście jak na takiego *bongani* biegającego po Afryce Południowej w tamtych czasach. Ale moi rodzice widzieli lepszą przyszłość dla tych, którzy gotowi są na nią zapracować. Można by ich uznać za surowych, pewnie słusznie, ale nie puścili mnie na ulicę i zmusili, żebym chodził do szkoły. Potem oczywiście zjawiła się Korporacja Blacka z ich programem „Szukamy przyszłości". Mama wyłapała to na swoim radarze i postarała się, żebym trafił na rozmowę, po której miałem wrażenie, że los wskazał mnie palcem. Najwyraźniej trafiałem w dziesiątkę na każdym teście, jaki przeprowadzili. Nagle Korporacja znalazła swojego chłopca na plakaty: ubogiego afrykańskiego dzieciaka z IQ 210. Praktycznie biorąc, powiedzieli, że mogę żądać, czego tylko zechcę. Ale ja nie wiedziałem wtedy, co chciałbym robić. Aż do Dnia Przekroczenia... Gdzie byłeś w Dniu Przekroczenia, Davidzie?

Starszy mężczyzna podszedł do wielkiego dębowego biurka i wyjął duży terminarz. Przewrócił strony.

– Widzę, że kiedy usłyszałem, co się dzieje, szykowałem się akurat do wieczornego nabożeństwa. Co wtedy pomyślałem? A kto miał wtedy czas, żeby jakoś rozsądnie myśleć? Tutaj nie było zresztą tak źle. Ludzie niełatwo wpadają w panikę, a nie wydaje mi się, żeby zbyt wiele tutejszych dzieciaków miało ochotę na majstrowanie przy elektronice. Zresztą pewnie się nie da kupić części bliżej niż w Swindon. Wszyscy jednak widzieli w telewizji, co się dzieje. W tej okolicy ludzie spoglądali w niebo, żeby sprawdzić, czy zobaczą inne światy... Tak mało wtedy rozumieliśmy. Ale wiatr wciąż szumiał wśród drzew, krowy były wydojone... Wydaje mi się, że w tamtym czasie głównie słuchaliśmy wiadomości, z przerwami na *The Archers*. Nie pamiętam, żebym formułował jakiekolwiek opinie w tej kwestii, dopóki nie potwierdzono z całą pewnością, że istnieją inne Ziemie, są ich miliony, oddalonych o grubość myśli i najwyraźniej czekających, żebyśmy je opanowali. To dopiero sprawiło, że ludzie tutaj zastrzygli uszami: chodziło o ziemię. Na wsi ziemia zwraca uwagę.

David zajrzał do kieliszka brandy i przekonał się, że jest pusty. Wzruszył ramionami.

– Krótko mówiąc, przyznaję, że zacząłem się zastanawiać „Co Bóg uczyni?".

– Księga Liczb – stwierdził odruchowo Nelson.

– Doskonale, Nelsonie. A także, co miłe, były to pierwsze słowa przesłane przez Samuela Morse'a telegrafem elektrycznym.

Dolał sobie brandy i wykonał skomplikowany dyskretny gest, by ustalić, czy Nelson też się jeszcze napije.

Jednak młodszy mężczyzna był wyraźnie zamyślony.

– Co Bóg uczyni? Powiem ci, co uczynił, Davidzie, o tak... Nadszedł Dzień Przekroczenia i dowiedzieliśmy się o Długiej Ziemi. Nagle pojawiło się mnóstwo nowych pytań. W owym czasie przeczytałem już wszystko na temat Louisa Leakeya i prac, jakie z żoną prowadzili w wąwozie Olduvai. Byłem podniecony myślą, że wszyscy ludzie na świecie mają afrykańskie korzenie. Dlatego powiedziałem Korporacji Blacka, że chciałbym odkryć, jak człowiek stał się człowiekiem. Chciałem wiedzieć dlaczego. A przede wszystkim byłem ciekaw, co powinniśmy tu robić w nowym kontekście Długiej Ziemi. Krótko mówiąc, dowiedzieć się, po co jesteśmy. Oczywiście, moja matka i jej wiara już mnie wtedy straciły. Byłem za mądry dla mojego Boga, że tak powiem. Znalazłem czas, by poczytać o sprawach dziejących się przez cztery stulecia od narodzin dzieciątka Jezus, a nawet przyjrzeć się kapryśnym postępom chrześcijaństwa od tego czasu. Nabrałem przekonania, że jakakolwiek byłaby prawda o wszechświecie, z pewnością nie rozstrzygnie o niej banda kłótliwych antycznych eklezjastów.

David parsknął śmiechem.

– Kochałem też paleontologię – mówił dalej Nelson. – Fascynowały mnie kości i wszystko, co mogą nam opowiedzieć. Zwłaszcza teraz, kiedy mamy narzędzia, o których dwadzieścia lat temu badacze nawet nie marzyli. To uważałem za drogę do poznania prawdy. I dobrze sobie z tym radziłem. Wręcz znakomicie, całkiem jakby te kości do mnie śpiewały...

Wielebny Blessed rozsądnie zachował milczenie.

– No więc wkrótce po Dniu Przekroczenia skontaktowali się ze mną ludzie z Korporacji Blacka. Powiedzieli, że mają dla mnie zadanie: miałem sformować i poprowadzić ekspedycje do tylu iteracji wąwozu Olduvai, na ile pozwolą fundusze. Do miejsca narodzin ludzkości w nowych światach. Otóż w stosunkach z Korporacją Blacka fundusze są zasadniczo nieograniczone. Problemem był raczej brak doświadczonych ludzi. Czas sprzyjał paleontologom i sami wykształciliśmy wielu młodych. Każdy z odpowiednim stopniem i szpachelką mógł dostać do pracy własny wąwóz. Łowcy kości znaleźli swoje Eldorado.

Nelson zamyślił się na chwilę.

– Cóż, coś w rodzaju afrykańskiego Wielkiego Rowu Wschodniego istnieje w prawie całej Długiej Ziemi; geologia nowych światów jest mniej więcej ustalona. Tak jak się spodziewaliśmy, w wielu przypadkach znaleźliśmy w badanym obszarze kości zdecydowanie należące do hominidów. Pracowałem nad tym projektem przez cztery lata. Poszerzyliśmy zakres poszukiwań i ciągle trafialiśmy na to samo. Tak, były kości, zawsze jakieś kości. Wybrałem na całym świecie inne prawdopodobne lokalizacje, które mogły się okazać domem innej Lucy... Na przykład odnoga chińska, efekt wczesnego wyjścia z Afryki. Jednak po niemal dwóch tysiącach wykopalisk w przyległych Ziemiach, prowadzonych przez ekspedycje finansowane przez Korporację Blacka i inne, nigdy nie znaleźliśmy późniejszych śladów rozwoju powstającej ludzkości; jedynie te bardzo wczesne kości, niektóre zdeformowane, inne nadgryzione przez zwierzęta, w większości bardzo drobne. Po tych australopitekach, tych Lucy, nie było już nic. Kolebki ludzkości okazały się puste. Badacze wciąż tam pracują, wciąż szukają, jeszcze w zeszłym roku sam kierowałem tym projektem. Ale w końcu pustka Długiej Ziemi... a w każdym razie całkowity brak ludzi zniechęcił mnie tak, że zrezygnowałem. Przyjąłem szczodrą sumę, jaką Korporacja wypłaciła mi na pożegnanie, choć wiem, że wciąż żywią nadzieję na mój powrót do owczarni. Ale ja miałem już dość pustych czaszek. Dość tych drobnych kostek. Odkrywaliśmy starania, ale nie osiągnięcia. I pewnego dnia zastanowiłem się, w którym miejscu wszystko poszło nie tak w tamtych innych światach. A może u nas? Może cała ewolucja człowieka to jakaś upiorna kosmiczna pomyłka?

– I wtedy wróciłeś na łono Kościoła? Ostra zmiana kursu.

– Mówiono mi, że nikt w najnowszej historii nie został wyświęcony tak szybko jak ja. Rozumiem, że w czasach minionych Kościół anglikański łaskawie traktował ludzi, których wtedy nazywano filozofami naturalnymi. Niejeden pastor w niedzielne popołudnia ochoczo zamykał w słojach nowe gatunki motyli. Zawsze myślałem, że to wspaniałe życie: z Biblią w jednej ręce i solidną butlą eteru w drugiej.

– Czy nie tak zaczynał Darwin?

– Darwin nie doszedł do etapu święceń. Chrząszcze go rozproszyły... W każdym razie dlatego dzisiaj widzisz mnie tutaj. Przypuszczam, że potrzebowałem nowej struktury. Pomyślałem więc: czemu nie wziąć się za bary z teologią? Potraktować ją poważnie. Przekonać się, co zdołam z niej wycisnąć. Nawiasem mówiąc, tymczasowe, wstępne wnioski są takie, że Boga nie ma. Bez urazy.

– Nie uraziłeś mnie.

– To znaczy, że muszę zbadać, co istnieje zamiast Niego. Ale w tej chwili, co do mojej osobistej filozofii, jest taki cytat, który dobrze ją podsumowuje: „Budząc się rano, pomyśl, jaki to wspaniały skarb żyć, oddychać i móc się radować".

Wielebny Blessed uśmiechnął się dobrotliwie.

– Ach, stary dobry Marek Aureliusz. Ale on był poganinem!

– Co raczej wspiera mój punkt widzenia. Mogę się poczęstować jeszcze kropelką brandy, Davidzie?

* * *

– Nelson miał zasadniczo rację – stwierdził Lobsang. – Linia hominidów i małpy, z których się rozwinęła, wyraźnie miały wielki potencjał ewolucyjny. Jeśli jednak zdolność do przekraczania wykształciła się najpierw na Ziemi Podstawowej, to przekraczające humanoidy szybko wyniosły się daleko stąd, pozostawiając jedynie rzadkie skamieliny. Tylko na Podstawowej znajdziesz kości ilustrujące powolny marsz do człowieczeństwa.

– Ale co to oznacza, Lobsangu? O to pytał Nelson. Po co jest Długa Ziemia?

– Wydaje mi się, że tego właśnie próbujemy się dowiedzieć. Ruszamy dalej?

ROZDZIAŁ 33

Pozostawili za sobą tę różnorodną społeczność humanoidów. Równocześnie podróżowali w kierunku wschodnim, oddalając się od wybrzeża Pacyfiku, z powrotem w głąb kontynentu.

Niemal go nie dostrzegając, minęli kolejny kamień milowy: milion kroków od Podstawowej. Nie było żadnej dramatycznej zmiany, żadnej nowej perspektywy, jedynie bezgłośna zmiana cyfry na kolejnym miejscu dziesiętnym w ziemiometrach. A jednak znaleźli się teraz w światach, które pierwsi pionierzy nazywali Wysokimi Megerami. Nikt, nawet Lobsang, nie wiedział na pewno, czy ktokolwiek tak daleko wcześniej dotarł.

Dżungla porastająca Amerykę Północną stopniowo stawała się gęściejsza, wyższa, bardziej wilgotna. Z powietrza widzieli głównie zielony dywan, z leżącymi tu i tam plamkami zbiorników wodnych. Powietrzne sondy Lobsanga sugerowały, że w tych światach lasy mogą sięgać aż po wolne od lodu bieguny.

Jak poprzednio, Lobsang zatrzymywał się codziennie, by Joshua mógł zejść na dół, rozejrzeć się i rozprostować nogi. Joshua lądował w gęstym lesie paproci wszelkich rozmiarów i drzew, znanych mu lub nie, oplecionych pnączami, takimi jak winorośle czy kapryfolium. Kwiaty zawsze tworzyły burzę kolorów. Niekiedy wracał na pokład z kiśćmi owoców podobnych do winogron, małych i twardych w porównaniu z odmianami hodowlanymi, ale słodkich. Gęsta roślinność blokowała rozwój dużych zwierząt, zdarzały się jednak dziwne skaczące stworzenia, podobne trochę do kangurów, ale z długimi i giętkimi ryjkami. Joshua nauczył się im wierzyć – ich wydeptane w poszyciu ścieżki niezawodnie prowadziły do wody. W samym baldachimie liści widywał też stworzenia powietrzne – wielkie trzepoczące skrzydła... Raz dostrzegł wijącego się stwora, który wyglądał zupełnie jak ośmiornica wirująca wśród gałęzi niczym frisbee. Jak, u licha, się tam znalazła?

Kilka nocy spędził poza statkiem, przez pamięć dawnych czasów. To było całkiem jak jego wakacje, zwłaszcza kiedy przekroczył o świat czy dwa od Lobsanga, choć wiedział, że jego pan i władca nie aprobuje takiego postępowania. Kiedy tylko miał okazję, siadywał przy ognisku i wsłuchiwał się w Ciszę. W spokojne noce miał wrażenie, że wyczuwa inne Ziemie – ogromne puste przestrzenie wokół siebie, tuż poza granicą maleńkiego kręgu światła. Niezbadane możliwości... A potem wspinał się z powrotem do gondoli sterowca, pozostawiając cały świat z jego ledwie zbadanymi tajemnicami.

Po czym wędrowali dalej, do następnego, i jeszcze następnego.

Aż nagle, po pięćdziesięciu dniach, ponad milion trzysta tysięcy światów od domu, ląd i powietrze jakby zamigotały, a puszcza rozpłynęła się wraz z kolejnymi światami, ukazując morze sięgające aż po horyzont, usiane strzępkami białej piany i lśniące w samym sercu Ameryki Północnej.

* * *

Wciąż przekraczając, Lobsang skręcił na południe, by szukać stałego lądu.

Na kolejnych światach morze trwało ciągle; roiło się życiem, zielenią wykwitów alg, bladymi kształtami, być może rafami koralowymi, a także pełne stworzeń, które pływały, wyskakiwały nad powierzchnię i mogły być delfinami. Ostrożnie pobierane próbki wykazały, że woda jest słona. Nie oznaczało to koniecznie, że to Morze Amerykańskie łączy się ze światowym oceanem – zasolenie mórz śródlądowych może wzrastać przez parowanie. Próbki wody, jakie zdobył Lobsang, zawierały egzotyczne wodorosty i skorupiaki – w każdym razie egzotyczne dla specjalistów. Lobsang wykonał fotografie i zakonserwował egzemplarze.

W końcu, wciąż sunąc na południe, dotarli do wybrzeża. Lobsang zatrzymał przekraczanie i zbadali jeden konkretny, przypadkowo wybrany świat z ostatniego pasa. Najpierw zobaczyli obłoki mgły, potem pikujące nisko nad wodą wielkie ptasie formy, aż wreszcie sam ląd i gęsty las porastający go niemal do linii wody. Lobsang podejrzewał, że wyższe tereny, do których się zbliżali, mogą być jakimś odpowiednikiem Wyżyny Ozark.

Od tego miejsca ruszyli na wschód, aż dotarli do gigantycznej doliny, zapewne wyrytej przez daleką kuzynkę Missisipi albo Ohio. Podążyli nią na północ, aż do ujścia, gdzie rzeka wlewała swe wody do morza wewnętrznego. Słodka woda wpychająca się do zasolonego zbiornika widoczna była jako muliste przebarwienie ciągnące się daleko od brzegu.

Na otwartej przestrzeni zwierzęta przychodziły nad brzegi rzeki, by się napić. Kiedy lecieli przed siebie, znów przekraczając kolejne światy, Joshua oglądał pojawiające się i znikające natychmiast gigantyczne stada czworonogów i dwunogów, stworzeń, które mogłyby prawie uchodzić za słonie, czy innych, które prawie że mogły być ptakami nielotami, z mniejszymi zwierzakami biegającymi u ich stóp. Kilkusekundowa wizja, a potem następna niezwykła, nieziemska scena, i kolejna...

– Całkiem jak taśma demonstracyjna Raya Harryhausena – stwierdził Lobsang.

– Kto to jest Ray Harryhausen? – zapytał Joshua. – I co to jest taśma demonstracyjna?

– Dzisiejszym filmem będzie oryginalna wersja *Jazona i Argonautów*, a po niej ilustrowany wykład. Nie przegap. Ale cóż to za znalezisko, Joshuo! Mówię o Morzu Amerykańskim. I całym wybrzeżu! Co za wspaniałe miejsce do kolonizacji! Ta Ameryka Północna ma drugie Morze Śródziemne, obiecuje fantastyczne wzajemne wpływy kulturowe... Swym potencjałem dla kolonistów bije na głowę cały Pas Uprawny! Przecież może się stać miejscem powstania całkiem nowej cywilizacji. Że nie wspomnę o możliwościach dla turystyki. I to wszystko na jednym tylko świecie, a przecież minęliśmy ich już setki.

– Może je nazwą Pasem Lobsanga? – rzucił ironicznie Joshua. Jeśli Lobsang zrozumiał żart, nie dał tego po sobie poznać.

* * *

Kolejna noc, kolejny lekki sen dla Joshuy.

Kiedy zbudził się rankiem, monitor w jego kabinie pokazywał coś, co wyglądało jak zbliżenie ogniska.

Wyskoczył z łóżka. Wciągał spodenki, kiedy Lobsang wszedł do kabiny. Joshua uznał, że będzie musiał Lobsangowi wyjaśnić znaczenie słowa „pukać".

Lobsang uśmiechnął się szeroko.

– Witaj, Joshuo, w tym pomyślnym dniu!

– Tak, tak...

Joshua nie miał teraz czasu na Lobsangowe głupoty. Elektryzowała go myśl o towarzystwie – autentycznym, niezaprzeczalnie ludzkim towarzystwie. Skarpety, mocne buty...

– W porządku, jestem gotów do zejścia. Lobsangu, to ognisko... Kto je rozpalił? Ludzie?

– Tak się wydaje. Znajdziesz ją, jak opala się wśród dinozaurów.

– Dinozaury? Ona? Opala się?

– Musisz sam to zobaczyć. Tylko uważaj, Joshuo. Dinozaury wydają się całkiem przyjazne. No, przynajmniej niektóre. Ale ona może ugryźć...

Oprócz windy mieli teraz drugi sposób zejścia na powierzchnię – zaawansowane technicznie urządzenie złożone ze starej opony samochodowej (wygrzebanej z magazynu przypadkowych rupieci w przestronnej ładowni sterowca), długiej liny i prostego przycisku alarmowego w pakiecie na piersi Joshuy. Przyciskiem mógł wezwać oponę na dół albo, co ważniejsze, posłać ją szybko z powrotem na górę, gdyby był ścigany. Dobrze pamiętając spotkanie z elfami, lepiej się czuł po zamontowaniu rezerwowego systemu ucieczkowego. Ostatnio upierał się, by opona zawsze była na poziomie gruntu, by w razie zagrożenia mógł do niej dobiec.

A teraz po raz kolejny zjeżdżał na nową Ziemię. Była tu inna istota ludzka... gdzieś. Wyczuwał to. Naprawdę. Ludzie sprawiali, że świat stawał się inny – dla Joshuy.

Lobsang, jak miał ostatnio w zwyczaju, postanowił opuścić Joshuę w pewnej odległości od celu, by umożliwić ostrożne podejście zamiast zjazdu z jasnego nieba. Dlatego też sterowiec unosił się przy ujściu rzeki, nad okolicą porośniętą rzadkimi drzewami i krzewami, pełną mokradeł i niedużych jeziorek. Powietrze było czyste, choć ciężkie od zapachów soli, dobiegającego z dżungli fetoru wilgoci i zgnilizny, a także jakiegoś subtelniejszego, suchego zapachu, którego zjeżdżający w dół Joshua nie potrafił zidentyfikować. Gęstszy las spływał ku tym bagnistym równinom z wyżej położonych terenów na południu. A smużka dymu wznosiła się w głębi lądu.

Joshua wylądował niedaleko brzegu, w lesie. Kiedy stanął na ziemi, natychmiast ruszył naprzód, ostrożnie kierując się w stronę dymu.

– Czuję... suchość. Rdzę. Jakbym był w pawilonie gadów w zoo...

– Ten świat może się bardzo różnić od Podstawowej, Joshuo. Mocno się oddaliliśmy po drzewie ewentualności.

Las cofnął się, odsłaniając wąski pasek plaży i wolno płynącą wodę. A na skałach na cyplu Joshua zobaczył leżącą w słońcu grupkę tłustych i wielkich stworzeń podobnych do fok. Było ich ponad dziesięć, w tym kilka młodych. Jasne włosy leżały gładko na ciężkich tułowiach, a głowy były nieduże, prawie stożkowe, z czarnymi oczkami, niedużymi ustami i nozdrzami płaskimi jak u szympansów – te foki miały twarze humanoidów! Papuga na ramieniu Joshuy, naprawiona po tym, jak użył jej zamiast maczugi, zaszumiała cicho, kiedy obiektywy przesuwały się i zmieniały ogniskowe.

Fokowate zwierzęta zauważyły gościa, zanim jeszcze się zbliżył. Uniosły małpie głowy i z nerwowym pokrzykiwaniem zsunęły się z kamieni, by po piasku prześliznąć się do wody – cielęta za osobnikami dorosłymi. Joshua dostrzegł, że ich kończyny stanowiły rodzaj kompromisu między małpimi rękami i nogami a prawdziwymi płetwami: krótkie dłonie i stopy z błoną pławną między palcami.

Najwyraźniej w wodzie były zwinniejsze niż na lądzie. Zanurzyły się, a wtedy trysnęła fontanna kropel i spod powierzchni wysunęła się gwałtownie górna szczęka rozmiarów małej łódki. Niby-foki rozpierzchły się w panice, piszcząc i chlapiąc.

– Krokodyl – mruknął Joshua. – Gdziekolwiek by się człowiek ruszył...

Podniósł płaski kamień i podszedł do wody.

– Bądź ostrożny, Joshuo...

– Hej, ty!

Z całej siły cisnął kamień tuż nad wodą. Pocisk odbił się od powierzchni i trafił w prawe oko bestii. Gad odwrócił się, warcząc.

A potem wystrzelił z wody w pionowej pozycji, na potężnych tylnych łapach. Musiał mieć ponad dziesięć metrów długości; wyglądało to, jakby nagle wypadł na brzeg pojazd typu amfibii. Joshua poczuł, jak dygoce grunt, kiedy uderzyły w niego krokodyle łapy.

Bestia z wściekłością skoczyła ku niemu.

– Szlag! – mruknął Joshua i rzucił się do ucieczki.

Wcisnął się między drzewa, głęboko w ich cień. Zatrzymany gąszczem potwór zaryczał, zdumiony odwrócił wielką głowę – a potem odbiegł wzdłuż brzegu, szukając innej zdobyczy.

Dysząc ciężko, Joshua oparł się o pień. Na gałęziach drzew i na ziemi kwitły kwiaty, więc mimo cienia wszędzie jaśniały plamy kolorów. Wszędzie też rozbrzmiewały rozmaite odgłosy, wołania w gąszczach, pisklive wrzaski wśród gałęzi i głębokie porykiwania gdzieś dalej.

– Miałeś szczęście z tym superkrokodylem – stwierdził Lobsang. – Postąpiłeś jak dureń, ale miałeś szczęście.

– Lecz jeśli teraz robi sobie przekąskę z tych humanoidów, to jest moja wina. Bo to były humanoidy, prawda, Lobsangu?

– Tak sądzę. Ale tylko częściowo zaadaptowane. Dwa miliony lat nie wystarczą, żeby dwunogą małpę zmienić w fokę. Te humanoidy są jak nielotne kormorany Darwina.

Padł cień – ogromny. Coś przesunęło się po niebie Joshuy, gigantyczna masa, jakby maszerujący budynek. O ziemię uderzyła stopa okrągła jak słoniowa. Noga gruba niczym pień dębu była wyższa niż Joshua, który bał się wyjść spod osłony drzew. Zobaczył cielsko pokryte skórą ciężką, pomarszczoną, poznaczoną starymi bliznami podobnymi do kraterów, jakby ranami zadanymi przez ostrzał artylerii.

I zaraz jak znikąd nadbiegł drapieżnik – podobny trochę do tyranozaura, z masywnymi tylnymi łapami i krótkimi przednimi, uzbrojonymi w szpony, z łbem jak ciężka kruszarka. Wielkością i szybkością bestia zbliżona była do parowozu.

Joshua cofnął się głębiej pod drzewa. Łowca skoczył na giganta, zacisnął szczęki i wyrwał kawał mięsa wielkości torsu Joshuy. Wielki zwierz zaryczał – przypominało to buczek mgłowy supertankowca. Kroczył jednak przed siebie, nie dbając o wielką ranę, tak jak Joshua mógłby zlekceważyć ukąszenie pchły.

– Lobsangu…

– Widziałem to. Widzę. Jurajski obiad.

– Raczej przekąska. Czy spotkaliśmy dinozaury?

– To nie dinozaury. Choć spodziewałem się, że użyjesz tej nazwy. W tym przypadku jednak zbyt długo trwała ewolucja. Niektóre z nich są może wyewoluowanymi potomkami gadów okresu kredy w tym pasie światów, gdzie nie spadła zabójcza dla dinozaurów asteroida. Może tylko musnęła Ziemię, gady otarły się o śmierć… Ale cały obraz nie jest taki prosty, Joshuo. Ten wielki roślinożerca, który o mało cię nie rozdeptał, wcale nie jest gadem, ale ssakiem.

– Poważnie?

– To była samica. Rodzaj torbacza, jak sądzę. Gdybyś miał

szansę, zauważyłbyś w torbie na brzuchu jej młode rozmiaru cię
żarówki. Później pokażę ci zdjęcia. Z drugiej strony morfologia:
naprawdę wielkie roślinożerne, na które polują naprawdę wielkie
drapieżniki, były całkiem powszechne w epoce dinozaurów i może
to stanowić kolejną stałą uniwersalną. Natomiast zawsze powinieneś
pamiętać, Joshuo, że nie podróżujesz w czasie, ani w przeszłość, ani
w przyszłość. Przesunąłeś się daleko po drzewie ewentualności tego,
co możliwe, na planecie, gdzie dramatyczne, ale quasi-losowe wydarzenia prowadziły okresowo do zagłady dużej części istot żywych,
robiąc miejsce dla ewolucyjnych innowacji. Jednak na każdej Ziemi
rezultaty będą się różniły, odrobinę albo bardzo... Jesteś już blisko
ogniska. Kieruj się do wody.

Z chrzęstem deptanego poszycia jakieś zwierzęta przesuwały
się między drzewami, zmierzając do ujścia i świeżej wody. Zza pni
Joshua widział nisko zawieszone cielska, rogi, ogromne kolorowe
grzebienie. Dorosłe osobniki miały nogi długie na wzrost Joshuy,
a młode biegały między tymi ruchomymi kolumnami. Wielkie
bestie, ale prezentujące się raczej skromnie w porównaniu z gigantycznym torbaczem, jakiego widział wcześniej. Zmierzały we właściwym kierunku, więc podążył za nimi.

Dotarł na skraj lasu, nad rzekę. Po jej drugiej stronie, na mokradłach, stroszyły pióra, walczyły między sobą i szukały jedzenia wielkie stada ptaków albo stworzeń do nich podobnych. Bagienne kwiaty tworzyły wielkie plamy kolorów pod ciemnobłękitnym niebem.
Joshui zdawało się, że widzi nierówne grzbiety sunących pod wodą
krokodyli. Przy brzegu wielkie grzebieniaste zwierzęta przystanęły,
by się napić.

A na krawędzi pasa białego piasku wygrzewały się w słońcu
wyprostowane dwunogie jaszczurki. Mniejsze egzemplarze śmigały
po piasku do wody i z powrotem, niekiedy nurkując w niewielkich
falach. W tej zabawie zadziwiająco przypominały ludzi; zachowywa
ły się jak nastolatki w Kalifornii. Po chwili jeden z większych osobników zauważył Joshuę i szturchnął najbliższego sąsiada. Nastąpi
ła wymiana syknięć, po czym drugi z miniaturowych dinozaurów

powrócił do drzemki, a pierwszy obserwował Joshuę oczami błyszczącymi ciekawością.

– Zabawne są, prawda?

Głos kobiecy... Joshua odwrócił się gwałtownie, serce mu biło mocno.

Kobieta była niewysoka, mocno zbudowana, jasne włosy ściągnęła z tyłu w wygodny kok. Nosiła praktyczną kamizelkę, uszytą chyba z samych kieszeni. Wydawała się starsza od Joshuy, może trochę po trzydziestce, z ogorzałą twarzą. Przyglądała mu się badawczo.

– Są całkiem niegroźne, jeśli się ich nie atakuje – powiedziała. – I całkiem inteligentne. Mają podział obowiązków i używają przedmiotów, które można by nazwać narzędziami. A przynajmniej patyków do wykopywania małży. Na dodatek budują prymitywne, ale trwałe łódki i całkiem skomplikowane pułapki na ryby. To oznacza obserwację, dedukcję, refleksję, pracę zespołową i koncepcję dzisiejszego wysiłku dla lepszego jutra...

Joshua wytrzeszczał oczy.

Roześmiała się.

– Nie sądzisz, że warto by było już zamknąć usta?

Wyciągnęła rękę. Joshua spojrzał na nią, jakby była to groźna broń.

– Znam cię. Jesteś Joshua Valienté, prawda? Wiedziałam, że prędzej czy później na siebie wpadniemy. Światy są małe, przyznasz...

Joshua stał jak skamieniały.

– Kim jesteś?

– Możesz mnie nazywać... Sally.

W jego uchu głos Lobsanga nalegał:

– Zaproś ją na statek! Skuś ją! Mamy tu świetną kuchnię, choć muszę zauważyć, że ty nie potrafisz tego docenić. Zaproponuj seks! Wszystko jedno, ale sprowadź ją na ten przeklęty statek!

– Naprawdę nie masz pojęcia o ludzkich relacjach... – szepnął Joshua.

– Przeczytałem każdy traktat o ludzkiej seksualności, jaki napisano – odpowiedział Lobsang z urazą. – I miałem kiedyś ciało. Jak myślisz, skąd się biorą mali Tybetańczycy? Słuchaj, to bez znaczenia. Musimy sprowadzić tę damę na pokład. Zastanów się tylko! Co taka miła dziewczyna robi w Wysokich Megerach?

Lobsang miał trochę racji. Kimkolwiek była, w jaki sposób dotarła aż tutaj, ponad milion kroków od domu? Czy była naturalnym kroczącym, kimś, kto nie doznaje nudności, tak jak Joshua? Świetnie. Ale ile razy dziennie można przekraczać? On potrafił osiągnąć tysiąc światów na dobę, bez żadnej pomocy. No a przecież każdy musi jeść i spać. Można krokową metodą upolować nieostrożną sarnę, kiedy już człowiek nabierze doświadczenia, ale oprawienie jej w polu i przygotowanie jedzenia zabiera czas i spowalnia podróż... Dotarcie tak daleko wymagałoby lat.

– O czym tak myślisz? – zapytała Sally podejrzliwie. – Z kim rozmawiałeś?

– Umm... Z kapitanem mojego statku.

To było nie całkiem kłamstwo, a że siostry nigdy nie uznawały kłamstwa, Joshua poczuł ulgę.

– Naprawdę? Chodzi ci o ten śmieszny latający worek gazu? A jak duża jest załoga tego potwora? Nawiasem mówiąc, Roburze Zdobywco, mam nadzieję, że nic nie planujesz w związku z tym światem. Dosyć polubiłam te maluchy.

Joshua spojrzał w dół. Miniaturowe dinozaury utworzyły krąg wokół nich i balansowały wyprostowane jak surykatki. Wyraźnie ciekawość zwyciężyła u nich z ostrożnością.

– Kapitan chciałby, żebyś weszła na pokład – wykrztusił w końcu.

Uśmiechnęła się.

– Na pokład tego czegoś? Nie ma żadnych szans, drogi panie. Bez urazy. Jednakże... – dodała z lekkim wahaniem – ...może macie mydło? Oczywiście, robię własne z ługu, ale nie odmówiłabym czegoś delikatniejszego dla skóry.

– Jestem pewien...

– Może o zapachu różanym.

– To wszystko?

– I kawałek czekolady.

– Oczywiście.

– W zamian proponuję... informacje. Zgoda?

– Zapytaj ją – polecił głos w uchu Joshuy – jakie informacje może nam dać, których sami nie moglibyśmy odkryć.

Joshua zadał to pytanie na głos i Sally prychnęła.

– Nie wiem. A co możecie sami odkryć? Z tych wszystkich anten i dysków na górze wnioskuję, że pewnie możecie zhakować e-maile Pana Boga.

– Posłuchaj – rzekł Joshua. – Wrócę teraz na górę po trochę mydła i czekolady. Zaraz tu wracam. Dobrze? Tylko nie odchodź.

Ku jego zakłopotaniu Sally wybuchnęła śmiechem.

– Coś podobnego, prawdziwy dżentelmen! Założę się, że należałeś do skautów.

Kiedy wznosił się już do „Marka Twaina", Lobsang szeptał mu do ucha:

– Jeżeli istnieje bardziej efektywna metoda przekraczania, koniecznie musimy się dowiedzieć jaka.

– Wiem, Lobsangu. Wiem. Pracuję nad tym.

Jednak w tej chwili tajemnice przekraczania były najdalsze myślom Joshuy.

* * *

Na plaży zjedli lunch – świeżo złowione ostrygi na ogniu.

Spotkanie poruszyło Joshuę bardziej niż trochę. Nie był przyzwyczajony do towarzystwa kobiet, a w każdym razie kobiet bez kornetów. W Domu wszystkie dziewczęta były mniej więcej jego siostrami, a wszystkie zakonnice dysponowały laserowym wzrokiem i słuchem sięgającym poza horyzont; kiedy chodziło o płeć przeciwną, człowiek znajdował się pod ciągłym nadzorem. A jeśli człowiek dużo czasu spędzał na nowych Ziemiach, rzadko widując innych, to każda spotkana osoba była utrapieniem, gdyż zajmowała miejsce.

Natomiast w tej chwili dodatkowo rozpraszał go krąg miniaturowych dinozaurów wyciągających szyje i kręcących łebkami, żeby niczego nie przeoczyć. Jakby gapiły się na niego ciekawskie dzieciaki. Miał wrażenie, że powinien dać im po parę dolarów na kino.

Musiał porozmawiać z tą enigmatyczną Sally. Czuł w sobie jakieś napięcie, wielką i niespełnioną potrzebę. I czuł, że ona reaguje tak samo.

– Nie przejmuj się dinozaurami – powiedziała. – Nie są groźne, choć całkiem bystre. I bardzo sprytne, kiedy chodzi o unikanie tych większych gadów i krokodyli. Staram się zjawiać tutaj co jakiś czas, żeby sprawdzić, jak sobie radzą.

– Jak się tu dostałaś, Sally?

Sally pogrzebała w żarze ogniska, a małe stworzonka odskoczyły wystraszone.

– Nie twój interes. Taki był kodeks Dzikiego Zachodu i pewne jak diabli, że obowiązuje i tutaj. Te ostrygi pięknie się przypiekły, nie sądzisz?

Rzeczywiście pięknie – Joshua właśnie zjadał czwartą.

– Wyczuwam smak podobny do bekonu. Widziałem dużo zwierząt podobnych do świń, stanowią chyba powszechne zjawisko. Ale to smakuje, jakby było przyprawione sosem worcestershire. Mam rację?

– Mniej więcej. Wędruję przygotowana. – Sok z ostryg Kilpatrick ściekał jej z warg. – Zawrzemy umowę? Ja będę szczera z tobą, a ty ze mną. No, w pewnych granicach. Pozwól, że powiem ci teraz, co myślę, że już o tobie wiem. Po pierwsze, w tym wielkim dziwadle w górze przebywa tylko jedna osoba. Tak podejrzewam. Bo kiedy mnie znalazłeś, cała załoga powinna kręcić się po tym świecie i wokół mnie. Ten ktoś plus ty daje załogę dwuosobową. Wielki statek jak na dwójkę ludzi, prawda? Po drugie, wygląda na bardzo kosztowny. Uniwersytety nie dysponują takimi funduszami, a rządom brakuje wyobraźni, więc musi należeć do tej czy innej korporacji. Zgaduję, że to Douglas Black. – Uśmiechnęła się. – Nie miej wyrzutów sumienia, niczego nie zdradziłeś. Black jest sprytny i coś takiego jest w jego stylu.

W słuchawce Joshuy panowała cisza.

Sally poprawnie odczytała chwilę jego wahania.

– Ani słowa z dowództwa? Daj spokój. Prędzej czy później każdy, kto posiada interesujący dla Douglasa Blacka talent, zaczyna dla niego pracować. Tak jak mój ojciec. Choć tak naprawdę nie pieniądze są tu przynętą. Bo jeśli rzeczywiście jesteś dobry, to twój przyjaciel Douglas Black daje ci worek gadżetów do zabawy, jak choćby ten sterowiec nad nami. Mam rację?

– Nie jestem pracownikiem Blacka.

– Pracujesz na umowie, tak? To jest twój listek figowy? – rzuciła lekceważąco. – Wiesz, w ich sztabie w New Jersey każdy nosi w uchu małą słuchawkę, taką jak twoja, żeby Douglas, kiedy tylko zechce, mógł porozmawiać z nim osobiście. Mówią, że nawet jego milczenie brzmi groźnie. Ale pewnego dnia mój ojciec powiedział: „Nie mam zamiaru dłużej tego nosić". I w tej chwili, Joshuo, wyświadczysz mi uprzejmość i wyjmiesz to. Mogę rozmawiać z tobą. Słyszałam o tobie i o tym, jak uratowałeś dzieci w Dniu Przekroczenia. Najwyraźniej jesteś porządnym człowiekiem. Ale zdejmij już tę współczesną obrożę niewolnika.

Joshua posłuchał, choć z lekkim poczuciem winy. Sally z satysfakcją kiwnęła głową.

– Teraz możemy rozmawiać.

– Nie ma w nas niczego groźnego – zapewnił Joshua, choć nie był całkowicie pewien, czy to prawda. – Przybyliśmy jako badacze. Żeby oglądać i się uczyć, żeby opisywać Długą Ziemię. Taki jest cel naszej wyprawy.

W każdym razie był, pomyślał, zanim się skupiliśmy na kwestii migracji humanoidów, na zakłóceniach wykrywanych na Długiej Ziemi.

– Nie twój cel. Kimkolwiek jesteś, Joshuo Valienté, na pewno nie jesteś badaczem. Co tutaj robisz?

Wzruszył ramionami.

– Jestem zabezpieczeniem, jeśli chcesz znać prawdę. Wynajętą siłą roboczą.

Uśmiechnęła się szeroko.

– Ha!

– Mówiłaś, że twój ojciec pracował dla Blacka – przypomniał.

– Tak.

– A co robił?

– Wynalazł kroker. Chociaż poza godzinami pracy.

– Twój ojciec to William Linsay?

Joshua wytrzeszczył oczy. Pomyślał o Dniu Przekroczenia i o tym, jak jego życie zmieniło się wskutek tego, co zrobił Linsay.

– Tak – powiedziała Sally. – Chcesz poznać pełną wersję tej historii? Jesteśmy rodziną kroczących. Naturalnych kroczących. Och, zamknij usta, Joshuo. Mój dziadek potrafił przekraczać, moja matka potrafiła i ja też. Ale ojciec nie. Dlatego musiał stworzyć jakiś rodzaj krokera. I tak zrobił. Pierwszy raz przekroczyłam, kiedy miałam cztery lata. I szybko odkryłam, że kiedy trzymam tatę za rękę, on też może. Zrobili nam zdjęcie. Nigdy nie miałam problemów z taką zabawą w czarodziejskie drzwi. Dzięki mamie. Lubiła czytać i przeczytała mi Tolkiena, Larry'ego Nivena, Edith Nesbit, praktycznie całą podobną literaturę. I dorastałam z własną Narnią! Prawdę mówiąc, po Dniu Przekroczenia strasznie mnie wkurzyło, że moją tajną kryjówką muszę się podzielić z resztą świata. Ale już wtedy mama mi tłumaczyła, żebym nigdy nikomu nie zdradzała, co potrafię.

Joshua słuchał osłupiały. Ledwie mógł sobie wyobrazić, jakie byłoby życie w rodzinie naturalnych kroczących, takich jak on.

– Wiodłam wtedy całkiem szczęśliwy żywot. Często kręciłam się przy ojcu w warsztacie, ponieważ ten warsztat znajdował się w innym świecie. Chociaż oczywiście musiałam tatę przeprowadzać tam i z powrotem do tego innego Wyoming. Tyle że rzadko tam bywał, bo zawsze gdzieś leciał, gdziekolwiek potrzebowali go ludzie Blacka, a to znaczy naprawdę gdziekolwiek, od MIT poczynając, aż na laboratoriach badawczych w Skandynawii czy Afryce Południowej kończąc. Czasami, późno w nocy, pojawiał się helikopter, tato wsiadał, a potem, może po godzinie, był już z powrotem w domu, a helikopter odlatywał. Kiedy pytałam, co robił, odpowiadał: „Takie tam sprawy, nic ważnego". Nie miałam pojęcia o jego pracy. Ale nie zdziwiłam się, kiedy udało mu się zbudować kroker. Wiedział wszystko, był niezwykłym połączeniem wybitnego teoretyka z doświadczonym inżynierem. Uważam, że bardziej niż ktokolwiek inny zbliżył się do odkrycia prawdziwej natury Długiej Ziemi... Tylko że nic mu z tego nie przyszło, kiedy umarła mama. To był jedyny problem, którego nie zdołał rozwiązać metodami technicznymi. Potem wszystko zrobiło się dziwne... to znaczy dziwniejsze niż przedtem. Ojciec ciągle pracował, jednak miałam wrażenie, że przestał się przejmować, nad czym właściwie pracuje ani czemu to ma służyć. Zawsze był człowiekiem etycznym, rozumiesz: prawdziwy hippis, potomek hippisów. A teraz już się nie przejmował.

Westchnęła.

– Prowadził podwójne życie. Ukrywał swoje prace nad krokerem. Tato lubił mieć sekrety. Podobno nauczył się tego za swoich hippisowskich czasów, kiedy w piwnicy trzymał plantację marihuany. Kiedyś mi pokazał. Były tam tajne drzwi, które otwierały się, kiedy wcisnąłeś odpowiednio pewien gwóźdź, a jedną z puszek farby odwróciłeś o dziewięćdziesiąt stopni. Wtedy odsuwała się płyta i odsłaniała przestrzeń tak dużą, że aż trudno było uwierzyć, że tam jest. I ciągle dało się wyczuć zapach tych roślin... Taka jest moja historia. Zawsze przekraczałam; dorastałam, przekraczając. Tymczasem ty musiałeś sam odkryć przekraczanie, prawda? Słyszałam, że wychowały cię zakonnice. To część twojej legendy.

– Nie chcę legendy.

– Więc zakonnice, tak? Biły cię, a może próbowały czegoś... nieprzyzwoitego?

Joshua zmrużył oczy.

– Nic z tych rzeczy. No, poza siostrą Mary Joseph, ale siostra Agnes wyrzuciła ją błyskawicznie. Trafiła pod zły numer. Ale owszem, kiedy teraz na to patrzę, było to dziwne miejsce. Jednak dziwne we właściwy sposób. Dobrze dziwne. Zakonnice miały dużo swobody. Carla Sagana czytaliśmy przed Starym Testamentem.

– Swoboda... Tak, to by mi się podobało. Właśnie dlatego tato zostawił Douglasa Blacka. Któregoś dnia Douglas dowiedział się o krokerze; w jakiś sposób to z taty wyciągnął. Po śmierci mamy, podejrzewam, tato i tak zaczynał nienawidzić ludzi. Ale to, co zrobił Black, było ostatnią kroplą. I pewnego dnia tato zniknął. Sfałszował referencje i dostał posadę w Princeton. Ale był tam zbyt widoczny, więc kiedy zwąchał pogoń Blacka, wyjechał do Madison i pod innym fałszywym nazwiskiem zaczął pracować w college'u. Zabrał ze sobą plany krokera, którego ciągle rozwijał. Pojechałam za nim i zaczęłam uczęszczać do college'u. Rzadko go widywałam, ale starałam się na niego uważać. Nawiasem mówiąc, naprawdę nie nazywa się William Linsay.

– Tak myślałem.

– Podejrzewał, że Korporacja Blacka znów depcze mu po piętach, więc postanowił dać możliwość przekraczania całemu światu, żeby nikt nie mógł schować jej pod klosz ani obłożyć podatkiem. Naprawdę nie lubił wielkiego przemysłu i nie lubił rządów. Miał chyba nadzieję, że świat będzie lepszy, jeśli każdy uzyska szansę, by wyrwać się spod ich władzy. O ile wiem, wciąż żyje gdzieś na Długiej Ziemi.

– Dlatego tu jesteś? Próbujesz go znaleźć?

– To jeden z powodów.

Nastąpiła dziwna zmiana w atmosferze. Małe dinozaury wyprężyły się i skierowały spojrzenia na niebo. Joshua zerknął na Sally, ale nie reagowała. Ostrożnie zdejmowała patykiem z patelni ostatnią zapomnianą ostrygę.

– Myślisz, że miał rację, kiedy opublikował plany krokera? – zapytał.

– Może i tak. Przynajmniej dał ludziom nowe możliwości. Chociaż mówił, że na Długiej Ziemi będą musieli nauczyć się myśleć. Powiedział: „Daję ludzkości klucz do nieskończonych światów.

Koniec z niedostatkiem oraz, miejmy nadzieję, z wojną. Może znajdą nowy sens życia. Badanie tych wszystkich światów zostawiam twojemu pokoleniu, moja droga, choć prywatnie uważam, że spieprzycie to dramatycznie". Dlaczego tak na mnie patrzysz?

– Własny ojciec ci to powiedział?

Sally wzruszyła ramionami.

– Przecież tłumaczyłam: był hippisem, potomkiem generacji hippisów. Zawsze tak mówił.

W tym momencie nad plażą zahuczał z głośników głos Lobsanga, strasząc małe dinozaury.

– Joshua! Wracaj na pokład! Zagrożenie!

W powietrzu pojawił się nowy zapach, jakby palonego plastiku. Nad zachodnim horyzontem Joshua dostrzegł szarą chmurę, która z każdą chwilą rosła.

– Nazywam je ssawkami – oświadczyła spokojnie Sally. – Są podobne do ważek. Do wszystkiego, co organiczne, pompują jad. Zaskakująco szybko rozbija komórki i człowiek zmienia się w worek zupy, którą wysysają jak przez słomkę. Z jakiegoś powodu nie atakują dinozaurów. Twój elektroniczny przyjaciel nie myli się co do zagrożenia, Joshuo. Biegnij już, bądź grzecznym chłopcem.

I zniknęła.

ROZDZIAŁ 34

Kiedy przekroczyła, Joshua również zrobił krok wstecz, na wschód, w kierunku przeciwnym do wędrówki sterowca. Była to reakcja instynktowna – w sytuacji zagrożenia lepiej się cofnąć do świata, z którego człowiek przybył, bo świat dalszy może się okazać jeszcze gorszy od obecnego. Znalazł się więc w świecie drewna, dość typowym: nic oprócz drzew, jak daleko sięgał wzrokiem... czyli na jakieś sto metrów z powodu wspomnianych wcześniej drzew. Żadnej dziewczyny, żadnych dinozaurów, żadnego sterowca.

Po prawej stronie widział chyba więcej światła niż gdzie indziej, więc tam się skierował. Dotarł do ogromnego obszaru wypalonych pni i popiołu. Pożar zdarzył się dość dawno, gdyż młode pędy przeciskały się już przez cuchnącą czarną masę, a tu i tam widział zielone listki. Zwykły pożar lasu, chwilowa zagłada. Wszystko to było częścią wielkiego cyklu życia, który – kiedy człowiek oglądał go już jeden koma trzy miliona razy – potrafił naprawdę wkurzyć.

Sterowiec pojawił się nagle, a jego cień przesłonił wypalony teren niczym nieoczekiwane zaćmienie słońca. Joshua wcisnął do ucha słuchawkę.

Głos Lobsanga miał irytujący ton marudzenia.

– Zgubiliśmy ją! Nie mogłeś jakoś ściągnąć jej na statek? Przecież ona wyraźnie znalazła nowy sposób przekraczania! A co więcej...

Joshua znów wyjął słuchawkę. Usiadł na pniu pośród masy kolorowych grzybów. Czuł się oszołomiony spotkaniem z Sally.

Podróżowała samotnie, jak on kiedyś. Ta myśl okazała się delikatnie elektryzująca.

I nagle przyszło mu do głowy, że nie potrzebuje już i nie chce tego wściekle wielkiego sterowca nad głową.

Włożył słuchawkę do ucha i zastanowił się, co powiedzieć. Co mówiła siostra Agnes, kiedy ten czy inny zadufany dostojnik kościelny próbował w Domu rozstawiać wszystkich po kątach?

– Słyszysz mnie, Lobsangu? Nie jesteś moim szefem, to na pewno. Jedyne, co możesz teraz zrobić, to mnie zabić, ale nawet wtedy nie staniesz się moim szefem.

Nie było odpowiedzi.

Wstał i ruszył powoli w dół zbocza, o ile w ogóle można to nazwać zboczem. Jednak spadek był wyraźny, a to oznaczało rzekę, a to z kolei otwarty teren, potencjalne schronienie i prawie na pewno możliwość upolowania czegoś. Bo przecież będzie musiał jakoś tu przetrwać.

W końcu Lobsang się odezwał.

– Masz rację, Joshuo. Nie jestem twoim szefem i nie chciałbym nim zostać. Z drugiej strony nie chce mi się wierzyć, że na poważnie zamierzasz porzucić statek. Nasza wyprawa ma cel, zapomniałeś?

– Niezależnie od celu, nie mam zamiaru nikogo porywać. – Joshua przystanął. Sterowiec znajdował się teraz wprost nad jego głową. – No dobrze. Wrócę na pokład pod pewnymi warunkami. Najważniejszym jest ten, że schodzę na ziemię i wracam, kiedy tylko zechcę. Zgoda?

Tym razem Lobsang odpowiedział przez głośniki: potężny głos z niebios.

– Próbujesz ze mną negocjować?

Joshua podrapał się po nosie.

– Prawdę mówiąc, raczej stawiam żądania. Tak sądzę. A co do Sally, mam przeczucie, że wkrótce znów ją zobaczymy, niezależnie od ciebie i twoich planów. Ty nigdy nie znajdziesz pojedynczego człowieka we wszystkich tych zalesionych światach, ale jej łatwo będzie zauważyć na niebie taki wielki sterowiec. Odszuka nas.

– Przecież wędruje samotnie, tak jak ty. Dotarła o wiele dalej od ciebie. Może wcale nie potrzebuje ludzi i nie zechce nas szukać.

Joshua szedł przez wilgotne popioły w stronę kręgu windy, który już opadał na ziemię.

– Nie potrzebuje ludzkiego towarzystwa. Ale uważam, że pragnie ludzkiego towarzystwa.

– Skąd możesz to wiedzieć?

– Z tego, w jaki sposób ze mną rozmawiała. Słowa wylewały się z niej, bo musiały być wypowiedziane. Ci twoi wyjątkowi ludzie z gór Tybetu prawdopodobnie byli tacy sami, kiedy się spotykali. Bo ja jestem taki sam. Bo ludzka istota o imieniu Joshua co jakiś czas wraca do domu w odwiedziny, żeby być z ludźmi. Żeby być człowiekiem, do cholery, nie precyzując tego zbyt ściśle, a Daniel Boone może mnie pocałować w tyłek.

– Mówiłem to już wcześniej, Joshuo: podróże wyraźnie poszerzyły twoje horyzonty myślowe, a może i słownictwo.

– Zresztą jest coś jeszcze, Lobsangu. Coś, czego nie dostrzegasz. Czy wyobrażasz sobie, że tylko przypadkiem znalazła się ze swoim ogniskiem akurat pod naszym kilem?

– No...

– Wiedziała, że nadlatujemy. Tego jestem pewien. Ona czegoś od nas chce. Problem tylko, czego konkretnie.

– To interesująca opinia. Rozważę ją. Przy okazji, schwytałem i przeprowadziłem sekcję kilku tych latających stworzeń. Wydają się zadziwiająco podobne do os, ale działają raczej jak pszczoły. Nowa rodzina. Należy uważać z odruchowym stosowaniem takich etykiet, jak na przykład „dinozaury".

– Zmieniłeś głos?

– Tak, w samej rzeczy. Jest teraz ciepły i refleksyjny, nieprawdaż?

– Mówisz jak rabin!

– Jesteś bliski prawdy. W rzeczywistości to głos Davida Kossoffa, żydowskiego aktora znanego w latach pięćdziesiątych i sześćdziesiątych zeszłego wieku. Uważam, że momenty wahania od czasu do czasu, a także lekki ton przyjaznego zaskoczenia dają efekt uspokajający i przyjacielski.

– Owszem, dają, ale chyba nie powinieneś mi tego mówić! To jakby iluzjonista tłumaczył, jak wykonuje sztuczkę... – Niech to diabli! Lobsang znów go rozbawił. Bardzo trudno było się na niego gniewać. – No dobra, wracam na pokład. Ale zawarliśmy umowę?

Pierścień windy opadał płynnie.

* * *

Na pokładzie jednostka mobilna Lobsanga czekała na Joshuę w jego kabinie. Dokonała kolejnych udoskonaleń.

Joshua wybuchnął śmiechem.

– Wyglądasz jak portier w hotelu! Co to ma niby znaczyć?

– Miałem nadzieję uzyskać efekt brytyjskiego kamerdynera z mniej więcej 1935 roku, proszę pana – odpowiedział grzecznie Lobsang. – I wyszło całkiem przyzwoicie, jeśli wolno mi zauważyć. Moim zdaniem jestem teraz mniej przerażający niż ta zabójcza laska replikantka z *Blade Runnera*, którą testowałem wcześniej. Pozostaję jednak otwarty na propozycje.

Całkiem nieźle.

– W każdym razie to inny rodzaj przerażenia. W zasadzie może być. Ale odpuść sobie to „proszę pana", co?

Kamerdyner skłonił głowę.

– Dziękuję... Joshuo. Pozwolę sobie zauważyć, że w tej wyprawie obaj się uczymy. Chwilowo ograniczę szybkość przekraczania do przeciętnego dziennego tempa człowieka, dopóki ta młoda dama nie zechce zdradzić nam swojej obecności.

– Dobry plan.

Nastąpiło zwykłe przelotne uczucie lekkiej dezorientacji, kiedy znowu zaczęli przekraczać. Mijana w spacerowym tempie zaledwie kilku kroków na godzinę Długa Ziemia przypominała staroświecki zestaw do slajdów, jaki Joshua znalazł kiedyś wśród rupieci na strychu Domu. Kliknij raz i widzisz Maryję Dziewicę, kliknij drugi, a pokazuje się Jezus. Człowiek pozostawał w bezruchu, a światy przesuwały się przed nim. Mógł sobie wybrać, który zechciał.

Tej nocy na wielkim ekranie na pokładzie wypoczynkowym Lobsang wyświetlił stary angielski film *Mysz na Księżycu*. W swoim mobilnym wcieleniu siedział obok Joshuy i oglądał, co pewnie wyglądałoby dziwnie, uznał Joshua, myśląc, jak oceniłaby ich Sally. Ta wyprawa jednak dawno już przekroczyła granicę dziwności i zmierzała raźno w stronę groteski. Mimo to obejrzeli ten film razem – parodię wyścigu kosmicznego z dwudziestego wieku – a Joshua od razu rozpoznał Davida Kossoffa. Trzeba przyznać, że Lobsang skopiował go bardzo udanie.

Kiedy film się skończył, Joshua był niemal pewien, że zauważył mysz, która przebiegła po pokładzie i zniknęła.

– Mysz na Ziemi Milion – zażartował.

– Napuszczę na nią Shi-mi.

– Tę kotkę? Zastanawiałem się, gdzie się podziewa. Sally mówiła, że wychowała się w rodzinie kroczących. To znaczy naturalnych kroczących. Nie była zawsze samotna w tych wykrocznych światach. Ale rodzina kazała jej tego nie rozgłaszać i trudno się dziwić.

– Rzeczywiście trudno, Joshuo. Ty też próbowałeś. To wrodzony instynkt.

– Pewnie nikt nie chce się wyróżniać.

– To także. Kiedyś, dysponując umiejętnością przekraczania, człowiek mógł trafić na stos jako czarownik. Nawet dzisiaj na Podstawowej żyje coraz większa liczba ludzi czująca się nieswojo z całym tym przekraczaniem i Długą Ziemią.

– Kto to taki?

– Nie masz żadnego instynktu politycznego, prawda? To przecież ci, którzy nie mogą przekraczać. Żywią niechęć do Długiej Ziemi, do wszystkich, którzy po niej wędrują, i do tego, co przyniosło to wielkie otwarcie. Są wśród nich także ludzie, którzy w tej nowej sytuacji tracą pieniądze. Tych nigdy nie brakuje…

ROZDZIAŁ 35

Oto Monica Jansson z policji, piętnaście lat po Dniu Przekroczenia; jej życie uległo zmianie w rezultacie wystąpienia fenomenu Długiej Ziemi, tak samo jak życie wszystkich ludzi. Próbowała zrozumieć sens tych zmian, kiedy świat w ten czy inny sposób ulegał transformacjom wokół jej starzejącego się fizycznego ciała – a policja cały czas usiłowała pilnować ładu. Tego wieczoru Jansson patrzyła ponuro na ekran ukazujący Briana Cowleya, coraz szerzej znanego reprezentanta toksycznego ruchu nazywającego się Najpierw Ludzkość. Zapluwał się żółcią i wyrzucał z siebie te swoje manipulacyjne, proste anegdotki skrywające dość sprytną, ale bardzo konfliktową i niebezpieczną politykę. Odruchowo wyłączyła dźwięk. Mimo to nienawiść sączyła się z twarzy tego typa niczym pot.

Ale przecież cały fenomen Długiej Ziemi przesycony był nienawiścią i przemocą, od samego początku.

Ledwie dwa dni po Dniu Przekroczenia terroryści zaatakowali Pentagon i brytyjski Parlament. Mogło być gorzej. Chłopak, który przekroczył do Pentagonu, nie wyliczył porządnie odległości i kątów, więc jego prymitywna bomba wybuchła na korytarzu, a jedyną ofiarą śmiertelną okazał się jej konstruktor. Brytyjski terrorysta wyraźnie bardziej uważał na szkolnych zajęciach z geometrii, więc wyskoczył z (natychmiastowym) hukiem w sali obrad Izby Gmin – ale nie odrobił do końca pracy domowej, więc ostatnim widokiem, jaki zobaczył, było pięciu członków Parlamentu debatujących nad dość nieistotną ustawą dotyczącą połowów śledzi. Gdyby wpadł na pomysł, by zjawić się w barze Izby Gmin, zebrałby obfitsze żniwo.

Mimo to obie eksplozje odbiły się szerokim echem na całym świecie. Władze wpadły w panikę, niepokój zapanował również wśród osób prywatnych – w końcu nie trzeba geniusza, by wymyślić, że teraz każdy może wejść do dowolnego domu, nie budząc spokojnie śpiącego właściciela. A kiedy wybucha panika, szybko przychodzi za nią chęć zysku. Wszędzie w warsztatach i prywatnych domach powstawały urządzenia antyprzekroczeniowe, niektóre bardzo sprytne, wiele wręcz głupich – a całkiem sporo śmiertelnie groźnych, częściej nawet dla właścicieli niż dla potencjalnych złodziei. Próby zabezpieczenia wolnych przestrzeni pustych pokoi tego rodzaju urządzeniami antyprzekroczeniowymi skutkowały uwięzionymi dziecięcymi palcami i okaleczeniami zwierząt domowych. Najskuteczniejszym środkiem, jak szybko stwierdzono, było zapchanie pokoju meblami, jak za czasów wiktoriańskich, tak by przekraczający nie mieli już miejsca.

W rzeczywistości obawa przed masowymi włamaniami metodą przekraczania wiązała się raczej z typowymi miejskimi lękami niż realnym zagrożeniem. Pewnie, wielu ludzi zmieniało świat pobytu, by uniknąć wierzycieli, zobowiązań czy zemsty, i nie brakowało agentów, którzy ich ścigali; zawsze też znalazło się kilku takich, którzy w swej drodze poprzez światy rabowali, gwałcili i zabijali, dopóki ktoś ich nie zastrzelił. Ogólnie jednak liczba przestępstw na Długiej Ziemi utrzymywała się na niskim poziomie w stosunku do liczby mieszkańców, ponieważ radykalnie zmalało ciśnienie społeczne, prowadzące do tak wielu występków na Ziemi Podstawowej.

Oczywiście rządy nie były zachwycone, kiedy podatnicy zaczęli znikać poza ich zasięg. Początkowo większość krajów wolnego świata przyjęła jakiś odpowiednik amerykańskiego planu egidy, ogłaszając swoją suwerenność w cieniu, jakie terytorium ich kraju rzuca na nieskończone światy. Francja na przykład oświadczyła, że wszystkie cienie Francji dostępne są dla kolonizacji przez wszystkich, którzy chcą zostać Francuzami i skłonni są uznać starannie przygotowany dokument mówiący, co to znaczy być Francuzem. Był to śmiały plan, którego realizację nieco utrudnił fakt, że mimo ogólnonarodowej dyskusji najwyraźniej żadnych dwóch Francuzów nie mogło się zgodzić, co to znaczy być Francuzem. Chociaż inna szkoła utrzymywała, że kłótnie na temat tego, co czyni człowieka Francuzem, to ważny element tego, co czyni człowieka Francuzem. W praktyce jednak, jakikolwiek reżim został narzucony, człowiek nie potrzebował wiele czasu, by przekroczyć do miejsca, gdzie rząd nie miał już nic do powiedzenia, ponieważ zwyczajnie go tam nie było, życzliwego czy nie.

A ludzie? Po prostu przekraczali, tutaj, tam i wszędzie, kierując się nie tyle w miejsca, gdzie chcieliby się znaleźć, ile raczej daleko od miejsc, gdzie stanowczo nie chcieli. Co nieuniknione, wielu wyruszało bez przygotowania i bez zastanowienia, i wielu w konsekwencji cierpiało. Stopniowo jednak docierały do nich lekcje, jakie dawno temu opanowały takie społeczności jak choćby amisze: zawsze potrzebni są inni ludzie i zawsze potrzebne jest właściwe przygotowanie.

Po piętnastu latach na dalekich pustych światach Długiej Ziemi kwitły już udane społeczności. Uważano, że fala emigracji zaczyna opadać, ale oceniano, że pełna piąta część ziemskiej populacji odeszła, by poszukać własnego świata. Takie wahnięcie demograficzne porównywalne było do wojny światowej albo do pandemii.

Jednak, zdaniem Jansson, wciąż byli na początkowym etapie. W pewnym sensie ludzkość dopiero zaczynała się przystosowywać do idei nieskończonej obfitości. Bez niedostatku ziemi czy zasobów możliwe stały się całkiem nowe style życia. Wczoraj w telewizji Jansson obejrzała specjalistkę od antropologii teoretycznej, która przeprowadziła widzów przez eksperyment myślowy.

– Zastanówmy się. Jeśli Długa Ziemia naprawdę jest praktycznie nieskończona, a na to zaczyna wyglądać, to cała ludzkość może sobie pozwolić na życie w społecznościach zbieracko-łowieckich: łowić ryby i zbierać małże, i przenosić się dalej, kiedy tylko zabraknie małży albo kiedy komuś przyjdzie ochota. Bez rolnictwa Ziemia mogłaby w ten sposób utrzymać może milion osobników. Jest nas dziesięć miliardów, więc potrzebujemy dziesięciu tysięcy Ziemi... jednak nagle mamy ich tyle, a nawet więcej. Nie potrzebujemy rolnictwa, aby wyżywić naszą ogromną populację. Czy zatem potrzebne są nam miasta? A nawet umiejętność czytania i liczenia?

Jednak w miarę jak coraz głębiej sięgały zaburzenia ludzkich losów, stawało się coraz bardziej wyraźne, że całe mnóstwo jest takich, dla których skarby Długiej Ziemi pozostaną na zawsze niedostępne, a oni byli z tego powodu coraz bardziej niezadowoleni.

I to właśnie budziło coraz większe obawy Moniki Jansson, kiedy piętnaście lat po Dniu Przekroczenia z rosnącym niepokojem patrzyła na występ Briana Cowleya.

ROZDZIAŁ 36

Sterowiec zatrzymał się znowu nad jałowym światem, z powietrzem ledwie zdatnym do oddychania, ale śmierdzącym popiołem. W zachmurzone niebo wystrzeliły zwykłe sondy rakietowe.

– Świat po katastrofie – stwierdził Lobsang. – Może zderzenie z asteroidą, ale moim zdaniem to raczej wybuch Yellowstone. Chyba że sto lat temu. Być może istnieje życie na południowej półkuli, ale sprzątanie zajmie naturze jeszcze wiele czasu.

– To pustynia!

– Oczywiście. Ziemia nieraz zabijała swoje dzieci. Ale teraz sytuacja jest inna. Wiemy na pewno, że wulkan pod Parkiem Yellowstone w niedalekiej przyszłości znowu stanie się agresywnie aktywny. Co wtedy? Ludzie przekroczą. Po raz pierwszy w historii ludzkości taka katastrofa będzie raczej niedogodnością niż tragedią. Dopóki słońce nie zgaśnie, zawsze będą inne światy i ludzkość przetrwa gdzieś na Długiej Ziemi, odporna na zagładę.

– Zastanawiam się, czy po to istnieje Długa Ziemia.

– Nie mam jeszcze dostatecznej wiedzy, by odpowiedzieć.

– Dlaczego się zatrzymaliśmy, Lobsangu?

– Ponieważ wykrywam sygnał na falach krótkich. Słaby odbiór, ale nadajnik musi być całkiem blisko. Chciałbyś zobaczyć, kto nas wywołuje?

Twarz Lobsanga była idealną symulacją kpiącego uśmieszku.

* * *

Restauracja na pokładzie miała całkiem wygodny stół, co Joshua musiał przyznać – o wiele lepszy niż prowizoryczna półka, której używał, kiedy nie miał towarzystwa. Głównym składnikiem posiłku, jaki miał na talerzu przed sobą, było białe mięso, całkiem delikatne.

Uniósł oczy na Sally. Ona dostarczyła jedzenie.

– To rodzaj dzikiego indyka, jakie spotyka się w okolicznych światach – powiedziała. – Całkiem smaczny, chociaż trzeba się naprawdę postarać, bo ma licznych wrogów i zdarza mu się prześcignąć wilka. Czasami łapię ich trochę i sprzedaję pionierom.

Jak na prawie że pustelniczkę dużo mówiła, zauważył Joshua. Ale rozumiał dlaczego. On sam tymczasem po prostu jadł i czuł się świetnie. Może zaczynał się przyzwyczajać do towarzystwa kobiet. A przynajmniej tej konkretnej kobiety.

Wszedł Lobsang, niosąc tacę.

– Sorbet pomarańczowy. Pomarańcze nie rosną naturalnie w Nowym Świecie, ale zabrałem nasiona, żeby posadzić je w sprzyjających okolicach. Smacznego.

Podał im puchary, odwrócił się i zniknął za niebieskimi drzwiami.

Kiedy już Sally poznała naturę Lobsanga, była dla niego raczej grzeczna. W każdym razie kiedy już przestała się śmiać. Teraz zniżyła głos.

– O co mu chodzi z tym numerem na kamerdynera?

– Chce chyba, żebyś czuła się mile widziana. Wiedziałem, że wyślesz sygnał...

– Skąd wiedziałeś?

– Sam bym to zrobił na twoim miejscu. Bądźmy szczerzy, Sally. Wróciłaś do nas i uważamy, że czegoś od nas chcesz. Możemy pohandlować. Wiesz, czego my chcielibyśmy się od ciebie dowiedzieć: jak dotarłaś tak daleko?

Przyjrzała mu się.

– Dam ci wskazówkę. Nie jestem sama. Jest nas więcej, niż ci się wydaje. Od czasu do czasu aparatura krokera zająknie się, można powiedzieć. Kiedyś, dwadzieścia tysięcy klików od Podstawowej, spotkałam człowieka, który wierzył, że jest o jeden krok od Pasadeny. I dziwił się, że nie może wrócić do domu. Doprowadziłam go do poczekalni i tam zostawiłam.

– Zawsze się dziwiłem, czemu spotykam tak wielu zdezorientowanych ludzi. Myślałem, że są zwyczajnie głupi.

– Możliwe, że wielu z nich jest.

Głos Lobsanga zabrzmiał w powietrzu:

– Jestem świadomy fenomenu, o którym mówisz, Sally. I chciałbym skorzystać z okazji, by ci podziękować za nadanie mu najbardziej stosownej nazwy: jąkanie. Ale nie udało mi się go odtworzyć.

Sally spojrzała gniewnie w górę.

– Słuchasz wszystkiego, co tutaj mówimy?

– Oczywiście. Mój statek, moje reguły. Może będziesz tak uprzejma i zechcesz odpowiedzieć na pytanie Joshuy? Bo twoje wyjaśnienie jest tylko częściowe. Nadal dzieli nas tajemnica. Jak się tu dostałaś? Bo chyba bardziej celowo niż wskutek zająknięcia.

Sally wyjrzała przez okno. Na zewnątrz panowała ciemność, ale gwiazdy błyszczały jak szalone.

– Wciąż nie całkiem wam ufam. Na Długiej Ziemi każdy potrzebuje pewnej przewagi, a to właśnie jest moja. Ale coś wam zdradzę: jeśli polecicie dużo dalej, spotkacie kłopoty nadchodzące z przeciwnej strony.

Pulsowanie pod czaszką Joshuy zawsze wydawało się niemal wyczuwalne.

– Co nadchodzi?

– Nawet ja tego nie wiem. Jeszcze nie.

– To coś spowodowało migrację trolli i innych humanoidów, prawda?

– Czyli wiecie o niej? Myślę, że trudno jej nie zauważyć.

– Lobsang i ja uważamy, że należy to zbadać. Odkryć, co jest przyczyną.

– I co, uratować świat?

Joshua przyzwyczajał się już do jej kpin. Stanowczo nie zrobił na niej wrażenia imponujący sterowiec ani pompatyczne przemowy Lobsanga, a także, jak się zdawało, reputacja Joshuy.

– Dlaczego do nas wróciłaś? Żeby się z nas nabijać, czy żeby nam pomóc? Czy z powodu tego, co możemy dla ciebie zrobić?

– Między innymi. Ale to może zaczekać. – Wstała. – Dobranoc, Joshuo. Niech Jeeves przygotuje dla mnie kabinę. Taką, która nie sąsiaduje z twoją, jeśli można. Och, nie bądź taki przerażony, twój honor jest bezpieczny. Chodzi o to, że chrapię, rozumiesz...

ROZDZIAŁ 37

Statek przekraczał przez całą noc. Tym razem Joshua miał wrażenie, że wyczuwa każdy krok. Tuż przed świtem zapadł w coś w rodzaju drzemki. Przespał najwyżej godzinę, kiedy Sally zaczęła dobijać się do drzwi.

– Wstawaj, marynarzu!

– Co się dzieje? – stęknął.

– Wczoraj wieczorem podałam Lobsangowi współrzędne, do których powinien się kierować. Wygląda na to, że dotarliśmy.

Ubrał się i pospieszył na pokład obserwacyjny.

Sterowiec wisiał nieruchomo. Zatrzymali się w pobliżu wybrzeża Pacyfiku, w tutejszej wersji stanu Waszyngton. A pod nimi, daleko, bardzo daleko w głębi Długiej Ziemi, o wiele dalej, jak się powszechnie zgadzano, niż mogła dotrzeć fala kolonizacji, leżało miasteczko – w miejscu gdzie żadne miasteczko nie miało prawa się znaleźć. Joshua patrzył zdumiony. Wzdłuż brzegu przyzwoicie szerokiej rzeki rozciągało się bezładne skupisko budynków i plątanina ścieżek przecinających gęsty, wilgotny las. Nie było tam jednak pól, przynajmniej w zasięgu wzroku – żadnych śladów rolnictwa. Wszędzie stali ludzie i robili to, co zwykle ludzie, kiedy nad ich głowami pojawia się sterowiec, to znaczy pokazywali go palcami i rozmawiali podnieceni. Ale jak bez farm mogli przetrwać w tak gęsto zaludnionej okolicy?

Tymczasem nad rzeką zbierały się znajome potężne sylwetki – nie całkiem ludzkie i nie całkiem zwierzęce.

– Trolle.

Sally spojrzała na niego zaskoczona.

– Tak je tutaj nazywają. O czym najwyraźniej wiedziałeś.

– O czym wiedział Lobsang, zanim jeszcze ruszyliśmy.

– Przypuszczam, że powinno mi to zaimponować. Spotkaliście je wcześniej, prawda? Joshuo, jeśli chcesz zrozumieć trolle, jeśli chcesz zrozumieć Długą Ziemię, musisz zrozumieć to miejsce. Dlatego was tutaj ściągnęłam. Co do orientacji... Gdyby to była Ziemia Podstawowa, wisielibyśmy nad miasteczkiem Humptulips w okręgu Grays Harbor. Jesteśmy niezbyt daleko od brzegu Pacyfiku. Oczywiście, szczegóły terenu trochę się różnią, bieg rzeki jest inny... Mam nadzieję, że potrawka z małży już się gotuje.

– Potrawka z małży? Tak dobrze znasz to miejsce?

– Oczywiście.

Na swój sposób potrafiła być równie zarozumiała jak Lobsang.

Sterowiec zniżył się nad wydeptanym placem w sercu miasteczka. Stojące wokół budynki wydawały się stare, zbudowane z popękanych belek, niektóre na kruszących się kamiennych fundamentach. Joshua nabrał przekonania, że miasteczko – może parę setek mieszkańców – stało tutaj na długo przed Dniem Przekroczenia. Wśród niedużych domków wyrastała niska drewniana budowla, według Sally nazywana magistratem, co wyjaśniła, kiedy szli w tamtą stronę. Budynek był wzniesiony na ramie imponujących cedrowych bali, a w środku mieścił salę o wysokim sklepieniu, wypolerowanych drewnianych podłogach i lśniących meblach, oknach bez szyb. Do sali prowadziło dwoje dużych drzwi po obu jej końcach. Palenisko na środku jarzyło się jasno.

Lobsang zszedł na ziemię razem z nimi – na tę okazję jednostka mobilna nosiła szafranową szatę. Mimo ciała godnego kulturysty z lat osiemdziesiątych nigdy jeszcze nie wyglądał bardziej tybetańsko. Wydawał się skrępowany – nic dziwnego, skoro sala pełna była patrzących na nich, uśmiechniętych ludzi i trolli, tak niedostrzegalnych jak psy na pikniku. W powietrzu unosił się ich wyraźny, lekko nieprzyjemny zapach.

W magistracie rzeczywiście czekała gęsta zupa gotująca się w wielkich garnkach – poczęstunek zaskakujący, biorąc pod uwagę odległość od Podstawowej.

Powitał ich burmistrz. Był niewysoki i szczupły, a jego akcent sugerował kogoś z Europy Środkowej mówiącego dobrze po angielsku. Oczywiście, Sally go znała. Jak tylko wyszedł im na spotkanie, wręczyła mu małą paczuszkę. Kiedy poprowadził ich do głównego stołu, zauważyła, że Joshua zerka z zaciekawieniem na jej prezent.

– Pieprz.

– Często prowadzisz handel wymienny?

– Raczej tak. I wychodzę na swoje. Nie tylko tutaj. Kiedy spotkam osadników, których uznam za ciekawych, zostaję z nimi na jakiś czas, pomagam w zasiewach czy co tam akurat wypadnie. Tylko tym sposobem można poznać świat, Joshuo. Podczas gdy wy dwaj, turkoczący wciąż naprzód w tym wielkim penisie na niebie, nie poznajecie niczego.

– Mówiłem ci – mruknął Joshua, zwracając się do Lobsanga.

– Możliwe – odparł cicho Lobsang. – Ale jeśli nawet, to przecież mimo wszystkich naszych wad jednak wróciła. Miałeś rację, Joshuo. Czegoś od nas chce. I cokolwiek by się działo, musimy konsekwentnie próbować odkryć, co to takiego.

– To miejsce jednak jest wyjątkowe wśród moich przystanków – tłumaczyła dalej Sally. – Nazwałam je Szczęśliwym Portem.

– Najwyraźniej istnieje tutaj od dawna – zauważył Lobsang.

– Od bardzo dawna. Ludzie tak jakby sami tutaj trafiają... Wydaje się, że działa jak magnes. Zobaczycie.

Burmistrz przedstawił się tylko jako Spencer. Nad talerzami zupy chętnie rozmawiał o swojej niezwykłej społeczności.

– Magnes, tak... Magnes na ludzi. Rzeczywiście, coś w tym rodzaju. Ale przez stulecia, kiedy ludzie tu przybywali, nadawali temu miejscu inne nazwy albo przeklinali je w wielu językach. Mamy tutaj bardzo stare zabudowania, znajdujemy kości, niektóre w prymitywnych trumnach. Stulecia, owszem. Ludzie trafiają tu od bardzo dawna. Może od tysięcy lat. Oczywiście, większa część mieszkańców, których widzicie, urodziła się tutaj, ja też, ale zawsze dociera wąski strumyk nowych przybyszów. Żaden z tych ludzi nie wie, skąd się tu wziął, lecz wszyscy opowiadają tę samą historię: pewnego dnia byli na Ziemi, na Podstawowej, jak ją teraz nazywają, a potem nagle znaleźli się tutaj. Czasami wiąże się z tym stres, próba ucieczki przed czymś, ale często nie. – Zniżył głos. – Czasami zjawiają się samotne dzieci. Zabłąkane. Zagubieni chłopcy i zagubione dziewczęta. Nawet niemowlaki. Często takie, które nigdy jeszcze nie przekraczały. Zawsze serdecznie je witamy, możecie być pewni. Skosztujcie piwa, chcę wierzyć, że dobrze nam się udaje. Jeszcze zupy, panie Valienté? O czym to ja mówiłem?

Zastanowił się.

– Oczywiście w dzisiejszych czasach naukowcy wśród nas zaczynają popierać teorię, że istnieje jakaś fizyczna osobliwość, tunel w przestrzeni, który ściąga tu ludzi. W przeciwieństwie do dawnego przekonania, że to miejsce jest sercem jakiejś tajemniczej klątwy... Możliwe też, biorąc pod uwagę okoliczności, że chodzi o błogosławieństwo. W każdym razie żyjemy tu jak rozbitkowie, można powiedzieć, choć trzeba też przyznać, że żaden marynarz z rozbitego statku nie wylądował na bardziej gościnnym brzegu. Nie możemy narzekać. Po tym, co słyszymy od niedawno przybyłych, starsi mieszkańcy są na ogół zadowoleni, że ominęła ich większość aspektów dwudziestego wieku. – Spencer westchnął. – Niektórzy uważają, że trafili do nieba. Większość przychodzi zdezorientowana, czasem wystraszona. Ale wszyscy, którzy tu przybywają, są przyjmowani serdecznie. Od nich się dowiadujemy, jak sobie radzą wszystkie inne Ziemie. Cieszą nas wszelkie nowe informacje, koncepcje, idee i talenty, a szczególnie gorąco witamy inżynierów, lekarzy i naukowców. Ale z satysfakcją mogę stwierdzić, że tworzymy już własną kulturę.

– Fascynujące – szepnął Lobsang, ostrożnie wsuwając łyżkę zupy między sztuczne wargi. – Miejscowa ludzka cywilizacja tworząca się spontanicznie na rubieżach Długiej Ziemi...

– I nowa metoda podróżowania – dodał Joshua, lekko oszołomiony tym ostatnim odkryciem. – Sposób ominięcia człapania krok
za krokiem.

A właściwie kolejny sposób, pomyślał, przypominając sobie
o Sally i o „jąkaniu" krokerów, o którym wspominała.

– Tak. Długa Ziemia jest najwyraźniej jeszcze dziwniejsza,
niż się wydaje. Badając to miejsce, wiele możemy się dowiedzieć
o jej łączach. Jednak musimy dopiero się przekonać, jak użyteczne
będzie to nowe zjawisko.

– Użyteczne?

– Mniej, jeśli mamy do czynienia z ustalonym tunelem łączą-
cym dwa stałe punkty...

– Jak królicza nora w Krainie Czarów – podpowiedział Joshua.

– Musimy się dowiedzieć, ile zdołamy.

Sally tymczasem z rozdziawionymi ustami gapiła się na jedzą-
cego Lobsanga.

– Joshuo... to je?

Uśmiechnął się.

– Dziwnie by chyba wyglądało, gdyby nic nie jadł, zwłaszcza
w tym towarzystwie. W ten sposób nie zwraca niczyjej uwagi. Później pogadamy.

Spencer oparł się wygodnie na swoim krześle.

– Sally znamy bardzo dobrze. Natomiast was, panowie, chciałbym prosić, żebyście coś o sobie opowiedzieli. Świat wyraźnie się
zmienia, a ta zmiana przynosi nam pięknego zeppelina! Ty pierwszy,
Lobsangu. Wybacz naszą ciekawość co do twojej cudownej obecności...

Chyba po raz pierwszy – tutaj, w tym tłocznym i przyjaznym
miejscu, z trollami wpatrującymi się w nich niczym publiczność
kabaretu – zdawało się, że Lobsang jest zdenerwowany. Była to
jedna z tych chwil, kiedy Joshua nie potrafił zdecydować, czy Lobsang jest naprawdę i do końca człowiekiem, czy tylko wybitnie inte-
ligentną symulacją, która potrafi naśladować tak subtelne aspekty
człowieczeństwa jak zakłopotanie.

Lobsang odchrząknął.

– Zacznijmy od tego, że jestem ludzką duszą, choć w sztucznym ciele. Znana jest wam zapewne koncepcja protetyki? Wykorzystanie sztucznych kończyn, organów podtrzymujących życie... Możecie mnie uznać za przypadek ekstremalny.

Spencer przyjął to z całkowitym spokojem.

– Zadziwiające! Cóż za postęp. W moim wieku człowiek zaczyna się już zastanawiać, dlaczego wszechświat umieszcza inteligencję w tak kruchych naczyniach jak ludzkie ciała. Chciałbym zapytać, czy masz jakieś szczególne talenty, którymi mógłbyś się z nami podzielić. Pytamy o to wszystkich nowo przybyłych, więc nie czuj się urażony.

Joshua jęknął w duchu, przewidując reakcję Lobsanga.

– Szczególne talenty? Łatwiej będzie wyliczyć wyjątki. Nie wychodzą mi zbytnio akwarele... jak dotąd... – Rozejrzał się z zaciekawieniem. – Widzę wyraźnie, że jesteście niezwykłą społecznością z niezwykłą historią rozwoju. Jak stoi u was przemysł? To jasne, że macie żelazo. Stal? Dobrze. Ołów? Miedź? Cynę? Złoto? Radio? Na pewno przekroczyliście już etap telegrafu. Dodatkowo druk, jeśli macie papier...

Spencer przytaknął.

– Owszem, ale niestety, tylko czerpany ręcznie. Produkcji nauczyli nas przybywający już w czasach elżbietańskich. Wprowadziliśmy rozmaite udoskonalenia, naturalnie, ale od dłuższego czasu nie trafił do nas nikt, kto znałby się dobrze na produkcji papieru. Musimy polegać na talentach osób, które docierają do nas raczej przypadkowo.

– Jeśli dostarczycie mi żelazo, zbuduję wam płaską prasę drukarską wykorzystującą energię wody... Potraficie używać energii wody?

– Mamy młyny wodne od czasów rzymskich – rzekł Spencer z uśmiechem.

I znowu Joshuę zdumiała głębia czasu, z jaką miał tu do czynienia. Sally wydawała się rozbawiona jego reakcją.

255

– W takim razie mogę skonstruować porządny alternator. Prąd elektryczny... Burmistrzu, mogę wam zostawić encyklopedię odkryć w medycynie i technice aż do dnia dzisiejszego... choć radziłbym korzystać po trochu. Szok przyszłości, rozumie pan.

Sally, która słuchała niecierpliwie, wreszcie mu przerwała.

– To bardzo ładnie z twojej strony, Lobsangu, ale cała ta godna Heinleina akcja będzie musiała zaczekać. Jesteśmy tutaj z powodu ważnego problemu... Zapomnieliście? – Zwróciła się do Spencera. – A wy wszystko o tym wiecie.

– Hm... Migracja trolli? Niestety, Sally ma rację. Wyraźnie istnieje powód do niepokoju. Problem narasta powoli, to fakt, lecz uważamy, że będzie miał poważne reperkusje na innych światach. Na Długiej Ziemi, jak je nazywacie. Ale to może zaczekać do jutra, Sally. Wyjdźmy teraz, by skorzystać ze słonecznego ciepła.

Wyprowadził ich z budynku.

– Cieszymy się, że nas odwiedziliście. Nie potrafię wyrazić jak bardzo. Przekonacie się, że z radością witamy tutaj wędrowców ze wszystkich odłamów ludzkości. Sally nazywa nasze miasteczko Szczęśliwym Portem, co jest całkiem miłe. Dla nas to po prostu dom. W magistracie zawsze znajdą się miejsca noclegowe, ale jeśli wolicie prywatność, wszystkie chaty w rodzinie są bardzo przestronne. Cieszymy się, że jesteście, bardzo się cieszymy...

ROZDZIAŁ 38

Goście szli wolno wśród tłumu życzliwie uśmiechniętych mieszkańców.

Joshua uznał, że rozkład osady jest nietypowy, podobnie jak architektura. Zdawało się, że system dróg powstał bez żadnego planu: był plątaniną przecinających się alejek, które skręcały w las – jak gdyby naturalnie ewoluował. Natomiast budynki stały często na bardzo starożytnych z wyglądu fundamentach. Naprawdę sprawiało to wrażenie miasta, które rozrastało się powoli, ale nieustannie, przez bardzo długi czas, dlatego nowsze struktury wznoszono na starszych, jak słoje drzew. Dało się jednak zauważyć wyraźną przewagę stosunkowo nowoczesnych budynków przesłaniających starożytne podłoże, tak jakby ostatnio ludzie zjawiali się w większej liczbie – od kilkuset lat mniej więcej. Przypuszczał, że właśnie wtedy na Ziemi Podstawowej populacja zaczęła szybko rosnąć, z pewnością wysyłając do Szczęśliwego Portu szerszy strumień zbłąkanych wędrowców.

Idąc wzdłuż rzeki, zaczął pojmować, jak ludzie tu żyją. Na brzegu stały ramy z suszącymi się rybami – podobnymi do łososi, dużymi i zdrowymi, wyfiletowanymi dokładnie – a więcej jeszcze wisiało wewnątrz budynków. Niektóre się wędziły. Zdawało się, że nikt nie pracuje zbyt ciężko, widział jednak groble na rzece, pułapki, sieci, a także kilku ludzi naprawiających haczyki, linki i harpuny. Przekonał się też, że dalej od centrum leżą niewielkie pola uprawne – rosły tam głównie ziemniaki jako rezerwa żywności na niespodziewane sytuacje oraz jako energia dla krokerów, dla tych nielicznych gości, którzy ich potrzebowali. Rzeka dostarczała większość niezbędnego pożywienia. W czasie corocznej wędrówki łososi na tarło – jak wyjaśnili mu przyjaźnie miejscowi, z licznymi niezwykłymi akcentami – cała populacja ludzi i trolli zbiera się przy rzece, by chwytać migrujące ryby, płynące tak gęsto, że aż woda chlapie na brzegi. Oczywiście, trafiały się też inne ryby, a Joshua zauważył wielkie stosy pustych muszli małży i ostryg. Las także był szczodry, co wydedukował z koszy jagód, żołędzi, orzechów, a także udźców jakichś zwierząt, których nie rozpoznał.

– Dlatego prawie nikt tu nie zajmuje się rolnictwem – odezwała się cicho Sally. – Nie potrzebują, bo okolica hojnie ich zaopatruje. Na tym obszarze Podstawowej w epoce prekolumbijskiej ludy zbieracko-łowieckie tworzyły społeczeństwa tak złożone, jak gdzie indziej rolnicze, ale wymagające tylko ułamka tej pracy. I żadnych bólów krzyża. Tak samo jest tutaj. – Zaśmiała się, kiedy zaczął kropić deszcz. – Może dlatego Szczęśliwy Port leży w tym właśnie miejscu, w jednym z najbardziej obfitujących w żywność regionów ze wszystkich światów. Gdyby tylko bez przerwy nie padało, byłby to prawdziwy raj.

Wszędzie kręciły się trolle, a czegoś takiego człowiek z pewnością by nie zobaczył w stanie Waszyngton na Podstawowej. Humanoidy omijały ludzkich gapiów z ostrożnością i uwagą, jakiej Joshua nie spodziewał się po istotach wyglądających jak skrzyżowanie niedźwiedzia i wyprostowanej dwunogiej świni. Wyraźnie dobre relacje między ludźmi i trollami tworzyły tu atmosferę spokoju.

Paradoksalnie to właśnie wzbudziło u Joshuy niepewność. Nie miał pojęcia dlaczego. Po prostu z trollami, mającymi tak pewną pozycję, cała społeczność wydawała się zbyt spokojna. Nie całkiem ludzka... Nie po raz pierwszy w życiu czuł się zagubiony i niezdecydowany. Wiele tutaj jeszcze musiał zrozumieć.

Kiedy przechodzili przez główny plac, jeden z trolli przykucnął nagle i zaśpiewał. Po chwili przyłączyły się inne. Ich pieśń jak zawsze była niezwykła; słuchając jej, Joshua czuł się tak, jakby nie wiadomo jakim sposobem wrastał w ziemię. Zdawała się trwać i trwać, potężne głosy odbijały się echem od dalekiego lasu... Chociaż, kiedy dobiegła końca i spojrzał na zegarek, okazało się, że minęło zaledwie dziesięć minut.

Sally klepnęła go w ramię.

– To, młody człowieku, nazywane jest „krótkim wołaniem trolli". Długie wołanie może potrwać i miesiąc. Rozgrzewa serce, prawda? Chociaż trochę przeraża. Czasami spotyka się je na jakiejś polanie, całe setki, i wszystkie śpiewają, z pozoru niezależnie, z pozoru nie zwracając uwagi na resztę... aż wreszcie kończą jedną wspaniałą nutą. Jak Thomas Tallis. Jakby dźwięki dochodziły do ciebie w czterech wymiarach jednocześnie.

– Znam cały kanon Tallisa, Sally – odezwał się Lobsang. – Bardzo stosowne porównanie.

Joshua postanowił, że nie da się wykluczyć z rozmowy.

– Słyszałem o Tallisie. Siostra Agnes uważała, że gdyby żył współcześnie, jeździłby harleyem. Z drugiej strony, w jej opinii większość bohaterów jeździłaby harleyami.

– Wykrywam pewne schematy w tej melodii – stwierdził Lobsang. – Ich analiza zajmie trochę czasu.

– No to życzę szczęścia – odparła Sally. – Znam trolle od lat i mogę tylko zgadywać, o czym rozmawiają. Ale jestem w miarę pewna, że w tym przypadku mówią o nas i o sterowcu. Do wieczora każdy troll na kontynencie będzie powtarzał wołanie, aż osiągną doskonałość. Pieśni zapewne stanowią coś w rodzaju wspólnej pamięci. Istnieje w nich nawet odpowiednik sumy kontrolnej, jakiś mechanizm autokorekcji, więc za każdym razem wszystkie trolle otrzymują poprawną informację. W końcu dotrze ona na inne światy, zależnie od ich schematów migracyjnych. Prędzej czy później każdy troll, który mógł ją usłyszeć, będzie wiedział, że dzisiaj tu byliśmy.

Przyjęli to w milczeniu. Joshua pomyślał, że to szokująca, niesamowita idea: pieśń pamięci przekraczająca granice między światami.

Szli dalej. Popołudnie było bezwietrzne i ciepłe, choć często zdarzały się krótkie, przelotne deszcze. Zdawało się, że nikt nie zwraca na nie uwagi. Nie było tu żadnych pojazdów ani zwierząt pociągowych, jedynie parę ręcznych wózków i wszędzie ramy do suszenia ryb.

– Pogadajmy szczerze – zaproponował Lobsang. – Sporo wiesz o trollach, Sally. Właściwie to chyba je lubisz. Wiesz o migracji humanoidów. Sprowadziłaś nas w to miejsce, gdzie kwitnie niezwykła, trollowo-ludzka społeczność. Czegoś od nas chcesz, to oczywiste. Czy ma to związek z migracją?

Z początku milczała. Dopiero po chwili jakby podjęła decyzję.

– Tak, rzeczywiście. Nie miałam zamiaru niczego przed wami ukrywać. Po prostu byłoby lepiej, gdybyście sami do wszystkiego doszli. Faktycznie niepokoi mnie ta migracja. To zakłócenie, które dociera do wszystkich zakątków Długiej Ziemi. I owszem, nie sądzę, żebym mogła i powinna samodzielnie badać jego przyczyny. Ale przecież ktoś musi, prawda?

– W takim razie mamy zbieżne cele – przyznał Lobsang.

– No dalej, powiedz, co wiesz, Sally – naciskał Joshua. – Pora na uczciwą wymianę. Pomożemy ci, ale oczekujemy całkowitej szczerości. Wiedziałaś, że to miejsce jest tutaj i jak do niego trafić. Jakim cudem? I w ogóle jak dotarłaś aż tak daleko?

– Mogę wam zaufać? – spytała podejrzliwie. – To znaczy naprawdę zaufać?

– Tak – zapewnił Joshua.

– Nie – rzekł Lobsang. – Wszystko, co powiesz i co może być wykorzystane dla dobra ludzkości jako takiej, zostanie użyte według mojego uznania. Jednakże nie uczynię niczego, co mogłoby zaszkodzić tobie albo twojej rodzinie. W tej kwestii możesz mi ufać. Wiesz coś, czego my nie wiemy, na temat łączy Długiej Ziemi, prawda?

Jakaś para przeszła obok, trzymając się za ręce. Kobieta wyglądała na Szwedkę, mężczyzna był matowoczarny.

Sally nabrała tchu.

– Moja rodzina nazywała je czułymi punktami.

– Czułe punkty? – zdziwił się Joshua.

– Skróty. Zwykle, chociaż nie zawsze, można je znaleźć w głębi lądu, w sercach kontynentów. Zwykle znajdują się w pobliżu wody i są silniejsze o zmierzchu. Nie mogę wam dokładnie opowiedzieć, jak wyglądają ani jak je znajduję. To raczej przeczucie niż cokolwiek innego.

– Chyba nie rozumiem...

– To miejsca, które pozwalają na szybki przeskok wielu Ziemi naraz.

– Siedmiomilowe buty...

– Myślę, że tunele przestrzenne byłyby lepszym porównaniem – mruknął Lobsang.

– Tyle że się przemieszczają – tłumaczyła Sally. – Otwierają i zamykają. Trzeba znaleźć ścieżkę i podążać nią... Trzeba się nauczyć, czego szukać. Nie, to nie jest coś, czego człowiek się uczy, raczej coś, co pamięta... dowiedział się czegoś dawno temu i kiedy jest potrzebne, nagle sobie przypomina. Nie chodzi o zacięcie krokera, raczej o coś w rodzaju... bo ja wiem... pomocnej dłoni. Tak jakby organiczne, rozumiecie... Wyobraźcie sobie żeglarzy, którzy znają prądy na morzu, odpływy i przypływy, wiatry i fale, nawet zasolenie wody. I te czułe punkty też dryfują, otwierają się i giną albo łączą z czymś innym. Na początku to była metoda prób i błędów, ale teraz potrafię się przedostać w dowolne miejsce w trzech, może czterech krokach, jeśli fala sprzyja.

Joshua spróbował jakoś to ogarnąć. Wyobraził sobie Długą Ziemię jako rurę ze światami, węża ogrodowego, wzdłuż którego przekraczał po jednym świecie naraz. A te czułe punkty były jak... co? Otwory w ścianach tej rury, pozwalające ominąć długie łańcuchy możliwych Ziemi?

A może Długa Ziemia to coś w rodzaju sieci metra, niewidocznej pod ulicami miasta, mającej własną topologię, niezależną od tego, co widać na powierzchni? W tej sieci występują węzły, stacje przesiadkowe...

– Jak te twoje czułe punkty działają? – zapytał bezceremonialnie Lobsang.

– A skąd mam wiedzieć? Mój ojciec miał pewne hipotezy co do struktury Długiej Ziemi. Mówił o solenoidach, chaotycznych strukturach matematycznych. Nie pytajcie. Jeśli go kiedyś znajdę...

– Ilu znasz ludzi mających takie zdolności jak ty?

Wzruszyła ramionami.

– Nawet w naszej rodzinie nie wszyscy. Ale wiem, że są też inni: niekiedy takich spotykam. I właściwie mogę powiedzieć tylko tyle, że umiem rozpoznać czuły punkt, kiedy na niego trafię, oraz że zwykle mam mniej więcej pojęcie, jak daleko sięga i w którą stronę. Mój dziadek ze strony matki był prawdziwym kroczącym, a czułe punkty wykrywał na dwa kilometry. Nazywał je ścieżkami wróżek. Pochodził z Irlandii i mawiał, że jeśli człowiek wejdzie w czuły punkt, to przekracza z życiem, jak to określał. Mama uważała, że jeśli ktoś przekracza z życiem, to zaciąga dług, który pewnego dnia będzie musiał spłacić.

– A co ze Szczęśliwym Portem? – zapytał Joshua. – Jak to się dzieje, że ludzie odchodzą ze swoich światów i trafiają tutaj, jak mówił burmistrz? Może ma to związek z siatką czułych punktów? Ludzie dryfują i opadają tu jak płatki śniegu zbierające się w zagłębieniu...

– Tak, może to coś w tym rodzaju – zgodził się Lobsang. – Wiemy, że kluczem do Długiej Ziemi jest stabilność, więc może Szczęśliwy Port stanowi coś jakby studnię potencjału. Najwyraźniej działającą długo przed Dniem Przekroczenia, od bardzo dawna.

– No tak... – przyznała sceptycznym tonem Sally. – Ale posłuchajcie, przecież nie o to chodzi. Trolle są nerwowe, tutaj także. Ja to widzę. I na tym musimy się skupić. Dlatego trzymam się was, dwóch błaznów, i waszej idiotycznej powietrznej barki. Bo dostrzegacie to samo co ja: że na całej Długiej Ziemi coś wzbudza lęk u trolli i innych humanoidów. Mnie to też przeraża. I jak wy chcę odkryć, co się dzieje.

– Ale co cię najbardziej niepokoi, Sally? – zapytał Joshua. – Zagrożenie dla ludzi czy dla trolli?

– A jak myślisz? – burknęła gniewnie.

* * *

O zmroku zaczęło się wieczorne nabożeństwo w wersji trolli. Pieśń była dla nich koniecznością – żyły w świecie bezustannych pogawędek.

Ludzie mieszkający w Szczęśliwym Porcie także o zmierzchu kręcili się ciągle na zewnątrz, spacerowali, machali do siebie, śmiali się i ogólnie cieszyli swoim towarzystwem. Wszędzie płonęły ogniska – na zachodnich wersjach północnego wybrzeża Pacyfiku drewna nie brakowało. Joshua zauważył też, że wieczór ściągnął ludzi z okolicznych osad; większość przyszła pieszo, niektórzy ciągnęli małe wózki z dziećmi albo staruszkami. A zatem humptulipsowe jądro Szczęśliwego Portu nie było odizolowane.

Niektórzy tutaj, jak się dowiedzieli, przybyli z daleka, aż z tutejszego cienia Seattle. Ten region na tej Ziemi nazywany był Seattle od roku 1954, kiedy to pewna dama, niejaka Kitty Hartman, myśląc o swoich sprawach w drodze z targu przy Pike Place, przekroczyła nieświadomie i zdumiała się zniknięciem wszystkich budynków dookoła. Wędrowcy z „Marka Twaina" zostali przedstawieni pani Montecute, gdyż tak nazywano ją obecnie: była siwowłosa, niezwykle żwawa i wyraźnie lubiła mówić.

– Pewno, że to był szok, sami wiecie. Pamiętam, że pomyślałam: Nie wiem nawet, w jakim jestem stanie! Na pewno nie w Waszyngtonie, to jasne. Zastanawiałam się nawet, czy nie powinnam mieć ze sobą małego pieska i pary czerwonych bucików! Pierwszą osobą, jaką tu spotkałam, był François Montecute, rzeczywiście tak słodki, jak wynikało z nazwiska. Trzeba przyznać, że ściągał spojrzenia i był prawdziwym artystą w pościeli, jeśli rozumiecie, o co mi chodzi.

Powiedziała to z tą pogodną bezpośredniością starszej damy, która postanowiła uświadomić młodym, że także uprawiała seks – i to chyba dość często.

Zdawało się, że panią Montecute otacza aura zadowolenia, i Joshua miał wrażenie, że jest to wspólna cecha wszystkich mieszkańców Szczęśliwego Portu, przynajmniej w pewnym zakresie. Trudno było precyzyjnie to określić.

Spróbował opowiedzieć o tym Sally.

– Wiem, o co ci chodzi – przyznała. – Wszyscy wydają się tacy, no... rozsądni. Byłam tu już wiele razy i zawsze wygląda to tak samo. Nigdy nie słyszysz narzekań, nie ma konkurencji... Właściwie to nie potrzebują rządu. Można powiedzieć, że burmistrz Spencer jest pierwszym pośród równych. Kiedy trzeba zrealizować jakieś duże przedsięwzięcie, po prostu zakasują rękawy i biorą się do pracy.

– Wszystko to kojarzy mi się z *Żonami ze Stepford*.

Zaśmiała się.

– I to cię martwi, tak? Szczęśliwa ludzka społeczność niepokoi Joshuę Valienté, wielkiego samotnika, który sam ledwie jest człowiekiem. Ale owszem, to... dziwne. Chociaż w pozytywnym sensie. I nie mówię tu o żadnej telepatii ani podobnych bzdurach.

Joshua uśmiechnął się drwiąco.

– W przeciwieństwie do bzdur o przeskakiwaniu ze świata do świata dla kaprysu?

– No dobra, masz trochę racji. Lecz ja też czuję, że wszystko tu jest takie... milutkie. Rozmawiałam z nimi o tym. Twierdzą, że to świeże powietrze, brak tłoku, dostatek żywności, brak niesprawiedliwych podatków, bla, bla, bla.

– A może to trolle? – próbował zgadywać Joshua. – Trolle i ludzie razem?

– Możliwe – przyznała. – Zastanawiam się czasem...

– Nad czym się zastanawiasz?

– Zastanawiam się, czy nie zmierza w tę stronę coś tak ogromnego, że nawet Lobsang będzie musiał przekalibrować swój sposób myślenia. To tylko przeczucie, rozumiesz. Jestem zwyczajnie podejrzliwa. Chociaż z drugiej strony kroczący, który nie jest podejrzliwy, szybko staje się martwym kroczącym.

ROZDZIAŁ 39

Następnego dnia Joshua wstał wcześnie i postanowił sam się rozejrzeć. Ludzie byli przyjaźni, chętni do spacerów, pogawędki, a nawet częstowania kubkami lemoniady. Pokonując swoją wrodzoną milkliwość, rozmawiał z nimi i słuchał.

Okolica była już całkiem przyzwoicie zamieszkana, jak się dowiedział – osiedla rozwijały się na wybrzeżu i wzdłuż rzeki. Żadne nie miało więcej niż kilkuset mieszkańców, choć ludzie zbierali się razem podczas świąt albo kiedy przybyli ciekawi wędrowcy – na przykład Lobsang i jego sterowiec. Wskutek większej liczby przybywających społeczność musiała się rozprzestrzenić, więc w pobliżu zakładano nowe osady.

Tak szybka ekspansja była możliwa, jak się dowiedział, dzięki trollom. Trolle były użyteczne, przyjazne, towarzyskie – a co najważniejsze, zawsze chętne przenieść ciężki ładunek, co najwyraźniej sprawiało im satysfakcję. Ich wkład pracy pozwolił kolonistom przezwyciężyć niedostatek robotników, zwierząt pociągowych i maszyn.

Ale w pewnym sensie trolle były także przyczyną rozbudowy i tworzenia nowych osiedli. Okazało się, że alergicznie reagują na tłumy – a ściślej mówiąc, na tłumy ludzi. Nieważne, ile zebrało się trolli, wszystkie stawały się nerwowe, jeśli w pobliżu przebywało więcej niż tysiąc osiemset dziewięćdziesięciu ludzi, którą to liczbę najwyraźniej określono w rezultacie prowadzonych w przeszłości ostrożnych eksperymentów. Nie wpadały w złość, po prostu odchodziły pokornie i nie wracały, dopóki kilkadziesiąt osób nie znalazło sobie innego miejsca pobytu i liczba ludzi spadała poniżej tej granicy. A że sympatia trolli była niezwykle cenna, Szczęśliwy Port wciąż dalej rozciągał się na południe jako konfederacja niewielkich, przyjaznych trollom miasteczek. Nie stanowiło to większego problemu, jako że człowiek zawsze mógł w niecałą godzinę dojść do sąsiedniej osady, a w okolicy rzeki nie brakowało miejsca na kolejne.

Trochę później tego ranka Joshua dowiedział się, że wielkość miasteczek bardzo interesuje młodego człowieka imieniem Henry. Wychowywał się wśród amiszów, aż pewnego dnia trafił na czuły punkt i wylądował, można powiedzieć, wśród wybrańców innego typu. Joshua miał wrażenie, że Henry szybko pogodził się z tym wyróżnieniem. Wyjaśnił Joshui, że jego bliscy w domu zawsze uważali, iż sto pięćdziesiąt osób to akurat właściwa wielkość przyjaznej społeczności, i dlatego czuł się tutaj jak u siebie. Był też przekonany, że umarł i trafił jeśli już nie do raju, to przynajmniej w jakieś miejsce zbiórki przed dalszą podróżą. Zresztą niespecjalnie się przejmował swoją śmiercią. Znalazł miejsce wśród osadników: był sprawnym hodowcą, dobrym dla zwierząt, i bardzo lubił trolle.

Tego samego dnia, kiedy na prośbę Lobsanga Joshua przyprowadził na pokład Henry'ego z kilkoma trollami, chłopak uznał, że w końcu znalazł się w niebie. I że rozmawia z Bogiem.

Są pewne kwestie, z którymi człowiek się nie godzi, jeśli był wychowany przez zakonnice, nawet takie podobne do siostry Agnes. Joshua próbował więc wyprowadzić Henry'ego z błędu i przekonać, że imponujący osobnik w szafranowej szacie, którego spotkał po wędrówce ku niebu, nie jest naprawdę Bogiem. Jednak wobec wielkości ego Lobsanga i wrażenia wszechwiedzy, jakie wywoływał, perswazja okazała się niezwykle trudna.

Tymczasem Lobsang aż się palił, by lepiej poznać język trolli. Właśnie z tego powodu na pokładzie obserwacyjnym dwie samice stały po obu stronach jednostki mobilnej, a cztery czy pięć młodych osobników z wielką radością bawiło się z Shi-mi. Henry'ego zaprosili, by pomógł uspokajać trolle – co zasugerowała Sally – ale trolla ze Szczęśliwego Portu najwyraźniej nic nie mogło wyprowadzić z równowagi. Cała grupa chętnie weszła do windy; na pokładzie przyjęły wszystko z marszu, a właściwie z człapania swymi wielkimi i płaskimi stopami – łącznie ze sztucznym człowiekiem i mechanicznym kotem.

– Trolle są oczywiście ssakami – stwierdził Lobsang. – A ssaki kochają potomstwo i się o nie troszczą... no, w większości. Matki uczą swoje dzieci. Teraz ja uczę się jak dziecko; posuwam się naprzód dziecięcymi kroczkami. I skoro już gram rolę dziecka, wydaje mi się, że z pewną ostrożnością mogę opanować słownik elementarnych pojęć: dobrze, źle, góra, dół. W ten sposób dokonuje się postęp.

Wyraźnie świetnie się przy tym bawi, uznał Joshua.

– Jesteś zaklinaczem trolli, Lobsangu.

Ale Lobsang nie zwrócił na niego uwagi. Spacerował wśród radosnej grupy humanoidów.

– Patrzcie, wręczam wam teraz ładną błyszczącą piłkę. Dobrze! Zauważ, Joshuo, odgłosy radości i zaciekawienia. Patrzcie, jaka jest śliczna, jak ładnie świeci... A teraz ją zabiorę. Ach, głosy smutku i żalu po stracie. Zwróć jednak uwagę, że dorosła samica nadal jest czujna i emituje dźwięki oznaczające niepewność, z delikatną sugestią, że gdybym spróbował czegoś naprawdę paskudnego, wyrwie mi rękę i zatłucze na śmierć tym krwawiącym końcem. Cudownie! Patrz, Joshuo, teraz znowu daję dzieciakowi piłkę; matka jest mniej zatroskana, wszystko znowu układa się słodko i miło.

Rzeczywiście się układa, pomyślał Joshua. Cumujący nad Szczęśliwym Portem „Mark Twain" kołysał się łagodnie w porannej bryzie, a drewniana gondola trzeszczała leciutko, akurat na tyle, by ukołysać człowieka, całkiem jakby leżał w hamaku. Miłe miejsce pełne szczęśliwych trolli.

Czar prysnął, kiedy Lobsang zapytał:

– Henry, czy mógłbyś mi zdobyć martwego trolla?

Henry zrobił bardzo zakłopotaną minę.

– Wie pan, kiedy któryś z nich umiera, wykopują bardzo głęboki dół i grzebią ciało, a wcześniej posypują je kwiatami. Myślę, że chcą mu zapewnić zmartwychwstanie.

– Aha. W takim razie sekcja raczej nie wchodzi w grę? Tego się obawiałem... Bardzo cię przepraszam – dodał, zdaniem Joshuy prezentując niezwykły dla siebie takt. – To nie przez brak szacunku, po prostu takie badania byłyby bardzo cenne. Oto spotkałem nieznany dotychczas gatunek, nieposiadający tego, co lubimy nazywać cywilizacją, i pozbawiony naszego typu inteligencji, a jednak dysponujący metodą komunikacji o złożoności i głębi nieosiągalnej wśród ludzi przed rozwojem internetu. Dzięki tym umiejętnościom wszystko, czego dany troll dowie się ciekawego czy pożytecznego, bardzo szybko staje się znane pozostałym. Wydaje się, że mają powiększone płaty czołowe i podejrzewam, że wykorzystują je jako ośrodki pamięci, zarówno osobniczej, jak gatunkowej. Och, co bym dał za ciało do autopsji... Ale w tej sytuacji zrobię, co mogę, to znaczy wszystko, co możliwe.

Henry parsknął śmiechem.

– Nie ceni pan skromności, panie Lobsangu, prawda?

– Absolutnie nie, Henry. Skromność to tylko zamaskowana arogancja.

Joshua rzucił piłkę małemu trollowi.

– Neandertalczycy też układali kwiaty na ciałach zmarłych. Nie jestem ekspertem, widziałem to na Discovery. Czy zatem trolle są prawie ludźmi? – Miał dość rozsądku, by się uchylić, gdy entuzjastycznie ciśnięta przez młode piłka przeleciała mu nad głową i uderzyła o przegrodę, aż pękło drewno.

– Dzieci lubią eksperymentować – stwierdził Lobsang. – „Prawie ludzie" to dobre określenie, Joshuo. Jak delfiny, orangutany oraz, gdybym był łaskawy, także inne małpy naczelne. Tylko wąska szczelina oddziela je od nas. I nikt nie wie, w jaki sposób Homo sapiens, człowiek myślący, stał się, no... myślący. Sally, czy trolle używają narzędzi?

Obejrzała się, porzucając zabawę z młodymi.

– O tak. Z dala od ludzi widziałam, że używają patyków i kamieni jako improwizowanych narzędzi. A jeśli do Szczęśliwego Portu przybędą nowe i zobaczą, jak człowiek naprawia groblę, jakiś troll może chwycić piłę i pomóc, o ile mu się pokaże, co ma robić. I jeszcze przed nocą wszystkie trolle z tej grupy będą to potrafiły.

Lobsang pogłaskał któregoś po głowie.

– Czyli mamy sytuację określaną często jako: małpa widzi, małpa powtarza.

– Nie – sprzeciwiła się Sally. – Tutaj sytuacja jest taka: troll widzi, troll siada, troll się nad tym zastanawia, potem, jeśli to właściwe, robi przyzwoity lewar czy co tam jeszcze, a wieczorem opowiada innym trollom, jakie to użyteczne. Ta ich długa pieśń to poza wszystkim innym także trollowa Wikipedia. Gdybyś chciał się czegoś dowiedzieć, na przykład: „Czy będę wymiotował, jeśli zjem tego fioletowego słonia?", inny troll ci powie.

– Czekaj – wtrącił się Joshua. – Moment. Chcesz powiedzieć, że widziałaś fioletowe słonie?

– Nie tak dokładnie. Ale w jednej z Afryk żyje taki słoń, który, przysięgam, do perfekcji opanował sztukę kamuflażu. Gdzieś na Długiej Ziemi znajdziesz prawie wszystko, co możesz sobie wyobrazić.

– Wszystko, co możesz sobie wyobrazić… – mruknął Lobsang. – Interesujący dobór słów. A tak między nami, Sally, nie mogę się pozbyć uczucia, że Długa Ziemia jako całość posiada coś zbliżonego do tego, co da się określić tylko jako składowa metaorganiczna. Czy może metaanimistyczna?

– Hm… Możliwe. – Sally podrapała małego trolla za uchem.

– Ale cały układ mnie irytuje. Długa Ziemia jest dla nas zbyt łagodna. Zbyt miękka. Akurat kiedy Podstawową zmieniliśmy w śmietnik, kiedy unicestwiliśmy połowę życia, z którym ją dzieliliśmy, i właśnie mieliśmy się pogrążyć w wojnach o surowce, nagle *shazam!* – otwiera się nieskończoność nowych światów. Jaki bóg robi takie numery?

– Nie podoba ci się takie zbawienie? Naprawdę jesteś mizantropem, Sally.

– Mam wiele powodów do mizantropii.

Lobsang pogłaskał trolle obok siebie.

– Ale może nie ma to nic wspólnego z żadnym bogiem. My, to znaczy ludzkość, dopiero zaczynamy nasze badania Długiej Ziemi. Newton, jak wiesz, mówił o sobie, że jest jak chłopiec, który bawi się na brzegu morza. Jego uwagę zwraca gładki kamyk czy ładna muszla, podczas gdy ocean prawdy leży obok nieodkryty. Newton! Tak mało jeszcze rozumiemy! Dlaczego wszechświat miałby się otworzyć na staranne, zaangażowane badania? Dlaczego miałby być tak łaskawy, tak płodny, tak opiekuńczy wobec życia, a nawet inteligencji? Może w pewnym sensie Długa Ziemia jest wyrazem tej właśnie opiekuńczości?

– Jeśli tak, to nie zasłużyliśmy na nią.

– Cóż, tę dyskusję odłożymy na kiedy indziej... Wiecie, moje badania będą bardzo utrudnione, jeśli nie uda mi się zdobyć ciała trolla.

– Nawet o tym nie myśl!

Lobsang wyraźnie się zirytował.

– Nie mów mi, proszę, o czym mam myśleć. Myślę, więc jestem; to moje zajęcie. Proponuję, żebyście oboje poszli sobie i poznawali przyjemności życia w Szczęśliwym Porcie, a mnie zostawili, żebym mógł w spokoju konwersować z przyjaciółmi. Obiecuję ich nie zabić i nie pokroić.

Na pokładzie wejściowym, na dole, klapa windy otworzyła się z trzaskiem – wyraźna sugestia, że powinni wyjść.

Gdy znaleźli się znowu na ziemi, Sally zachichotała.

– Strasznie nerwowy się robi, nie sądzisz?

– Możliwe... – Joshua był szczerze zatroskany. Nigdy jeszcze nie widział Lobsanga tak wytrąconego z równowagi.

– Czy naprawdę jest tam gdzieś istota ludzka?

– Tak – odparł krótko. – I sama wiesz, że tak, bo powiedziałaś, że zrobił się nerwowy. On, nie to.

– Bardzo sprytnie. Chodź, obejrzymy sobie jeszcze kilka szczęśliwych osad.

* * *

Dla Sally ten wieczór był niczym ciągłe witanie się z kolejnym dawno niewidzianym przyjacielem. Joshui wystarczało, że szedł jej śladem i starał się przeanalizować swoje uczucia do Szczęśliwego Portu.

Lubił to miejsce. Dlaczego? Bo wydawało się jakoś... właściwe. Może pasowała tu cała ludzkość? A może dlatego, że on także jakoś wykrywał czułe punkty, miękkie szlaki zbiegające się tutaj, w lobsangowej studni stabilności. Te wszystkie „może" trochę go irytowały, kiedy tak szedł samotnie. Irytowało też wrażenie, że nie lubi Szczęśliwego Portu tak samo mocno, jak go lubi. Jakby mu nie ufał.

Słuchał dyskusji Sally z Lobsangiem – w takich kwestiach była bardziej wartościowym rozmówcą, choć niekoniecznie lepiej poinformowanym. Próbował jakoś sobie poukładać to, co usłyszał. Gdzie jest miejsce człowieka? Na Ziemi Podstawowej – to pewne; skamieliny przodków leżą tam pod powierzchnią aż po skałę macierzystą. Ale teraz rodzaj ludzki rozprzestrzeniał się szybko po Długiej Ziemi i niezależnie od prób polityków, niezależnie od egidy, nikt nie mógłby tego powstrzymać. Nikt nie mógłby tego kontrolować, nieważne, ilu bogobojnych i zaplutych ze złości, „samych w domu" wrzaskliwych kaznodziejów na Podstawowej by próbowało. Ludzie skończą się szybciej niż Ziemie. Ale jaki jest sens tego wszystkiego? Siostra Agnes mawiała zwykle, że celem ludzkiego życia jest, by być wszystkim, czym człowiek może się stać – oczywiście z dodatkiem pomagania innym, by osiągnęli to samo. Może więc Długa Ziemia jest miejscem, gdzie – jak by to określił Lobsang – ludzki potencjał może być maksymalnie wyrażony... Czy jest jakiś sens w tym, że to właśnie byłoby celem istnienia Długiej Ziemi? Pozwolić ludzkości stać się czymś możliwie największym? A w samym środku tej kosmicznej łamigłówki tkwił Szczęśliwy Port, do którego dryfowali i trafiali zagubieni włóczędzy? O co w tym wszystkim chodziło?

Oczywiście, nie znał żadnych odpowiedzi.

W zapadającym zmierzchu uważał, żeby nie wpaść na jakiegoś trolla. Same trolle rzadko wpadały na ludzi. Ogólna etykieta Szczęśliwego Portu nakazywała, że każdy powinien się starać, by nie wpadać na nikogo innego.

Ale Joshua, całkiem nagle, wpadł na słonia.

Na szczęście słoń nie był ani fioletowy, ani pokryty kamuflażem. Właściwie to był całkiem mały, mniej więcej rozmiarów wołu, i porośnięty sztywną brązową sierścią. Miał też jeźdźca – krępego, siwiejącego mężczyznę.

– Jeszcze jeden nowy! – odezwał się ten jeździec pogodnie. – Skąd cię tu przywiało, kolego? Jestem Wally i siedzę tu od jedenastu lat. Dziwnie się układa, nie? Trudno zaprzeczyć. Trochę kłopot, ale dobrze się składa, żem nie był żonaty! Nie z braku okazji, rozumiesz, przedtem i potem. – Wally zsunął się z grzbietu swego miniaturowego słonia i wyciągnął zasuszoną dłoń. – Przybij tu.

Uścisnęli sobie ręce i Joshua się przedstawił.

– Jestem tu dopiero od paru dni. Przyleciałem. Tą latającą machiną – dodał szybko.

– Naprawdę? Rewelacja! A kiedy odlatujecie? Macie wolne miejsce?

Joshua zastanowił się, czemu tak niewielu mieszkańców Szczęśliwego Portu zadawało to pytanie, czemu tak nieliczni chcieli się stąd wynieść.

– Obawiam się, że w tej sprawie nie mogę decydować. Mamy taką jakby misję do wypełnienia.

– Nie ma sprawy – odparł Wally, nie zdradzając rozczarowania. – Spławiałem pnie po rzece i znalazłem tego tu Jumbo. Miły typek, nie? Akurat dobry na długie trasy i całkiem niegłupi. Przybywają tu z równin. – Westchnął. – Ja tam lubię przestrzeń, prywatnie, a lasy to nie za bardzo, wywołują dreszcze. Lubię czuć wiatr na twarzy.

Szli wolno w stronę ratusza, Jumbo podążał grzecznie za nimi.

– Pracowaliśmy przy nowym trakcie na południe. Oczyszczaliśmy trasę. Nie przeszkadzają mi drzewa, jak mogę je ścinać! Ale uważam, że odpracowałem już swoje utrzymanie tutaj, więc pora zbudować sobie łódź i odkryć Australię. Wybrać się w najdalszą trasę z możliwych.

– To na drugim końcu świata, Wally. I to nie będzie Australia, którą pamiętasz.

– Jasna sprawa. Każda Australia się nada. Pewnie, nie załatwię tej trasy jednym skokiem. Ale najprościej będzie pożeglować wzdłuż lądu, trzymać się blisko brzegu... dużo tam dobrego jedzenia... a potem odbić na Hawaje. Mogę postawić własne buty, że to jedno z pierwszych miejsc, jakie przekraczający spróbują skolonizować. A potem, wiadomo, poczekamy i zobaczymy. Ale gdzie są ludzie, tam musi być pub, a gdzie jest pub, tam prędzej czy później znajdzie się Wally.

Joshua uścisnął Wally'emu dłoń i życzył szczęśliwej drogi.

Sally znalazł w magistracie, jak zwykle otoczoną przyjaznymi twarzami. Podeszła do niego.

– Ludzie zaczynają już zauważać. Nawet tutaj.

– Co?

– Że coraz więcej trolli przekracza od zachodu. Przechodzą tędy grupy dzikich. Nawet niektóre tutejsze, które można by nazwać udomowionymi, też by chciały odejść, ale są tak jakby zbyt grzeczne. Miejscowi się niepokoją.

– Hm... Czyżby zmarszczki na spokojnej sadzawce Szczęśliwego Portu?

– Czy Lobsang skończył już zabawę w doktora Dolittle'a? Pora znów podjąć lot na zachód.

– Przekonajmy się.

* * *

Pokład obserwacyjny w gondoli wydawał się pusty, była tu tylko sterta trolli wtulonych w siebie jak szczeniaki. Po chwili sterta się poruszyła i wysunęła się głowa rozpromienionego Lobsanga.

– Futro jest cudowne w rejonach czułych na dotyk, prawda? Czuję się wybrańcem. I one mówią! Ekstremalnie wysoka częstotliwość, minimalne słownictwo... Najwyraźniej mają wiele metod komunikacji; wydaje się, że komunikacja to esencja bycia trollem. Choć podejrzewam, że prawdziwa wymiana informacji przebiega w pieśniach. Poznałem już terminy na dobre/złe, akceptację/odmowę, przyjemność/ból, noc/dzień, ciepło/zimno, poprawne/błędne oraz „Chciałbym teraz possać", choć przypuszczam, że to ostatnie nie na wiele mi się przyda. Więcej się dowiemy, kiedy znów wyruszymy w drogę, co, nawiasem mówiąc, ochoczo uczynimy jutro o świcie. Zamierzam zabrać ze sobą te trolle. Mam nadzieję, że moi nowi przyjaciele nie mają nic przeciwko podróżom powietrznym. Chyba mnie lubią.

– Wszystko to świetnie, Lobsangu – stwierdziła Sally, której twarz była starannie kontrolowaną maską. – Ale czy robisz jakieś realne postępy w pracy?

– Dochodzę do wstępnych wniosków. Trolle są najwyraźniej bardzo wszechstronne i wszystkożerne. Nic dziwnego, że tak powszechnie występują na Długiej Ziemi. Idealni nomadzi. A także produkt paru milionów lat ewolucji, odkąd pierwsi habilinowi praludzie nauczyli się przekraczać.

– Habilinowi?

– *Homo habilis*, człowiek zręczny. Pierwsi wytwarzający narzędzia w linii ewolucyjnej człowieka. Mam taką teorię, rozumiecie, że umiejętność przekraczania wyewoluowała równolegle do umiejętności wytwarzania narzędzi. Niezbędna jest zbliżona moc wyobraźni, żeby zobaczyć, jak kamień staje się siekierą albo jak jeden świat różni się od drugiego, by potem do niego przekroczyć. Albo może jest to powiązane ze zdolnością wyobrażania sobie alternatywnych przyszłości, uzależnionych od dokonywanych wyborów: pójdziemy dziś na polowanie czy wrócimy do tej bogatej kępy leszczyny?... Tak czy tak, kiedy już ta zdolność się rozwinie, gatunek się rozdzieli na coraz sprawniejszych kroczących, którzy odejdą, i tych mniej sprawnych czy w ogóle niezdolnych do przekraczania, którzy zostaną w domu i może nawet zaczną aktywnie stawiać opór kroczącym, którzy mają przewagę ewolucyjną.

– I ta gałąź pozostających w domu dała początek ludzkości na Ziemi Podstawowej? – domyślił się Joshua.

– Możliwe. Badania archeologiczne mojego kolegi, Nelsona, rzeczywiście zdają się na to wskazywać. Ale to tylko domysły. Być może zdolność przekraczania pojawiła się jeszcze wcześniej, w erze przedludzkich małp. Takie stworzenia należy zatem określać jako humanoidy, nie hominidy, przynajmniej do czasu przeprowadzenia odpowiednich badań i ustalenia relacji ewolucyjnych.

– Powiedziały ci, dlaczego migrują? – spytała Sally.

– Mam pewne pojęcie... Wnioski muszą być jedynie prowizoryczne, chociaż samica alfa jest niezwykle sprawna w pantomimie. Wyobraźcie sobie ucisk w głowach. Burzę w umyśle.

Joshua cały czas był świadom burzy wzbierającej w jego własnej głowie, ucisku rosnącego, kiedy zmierzali na zachód, całkiem jakby przed nimi czekała sama Ziemia Podstawowa ze swoimi miliardami umysłów. Tak, zła pogoda dla myśli. Ale co ją powoduje?

Lobsang nie powiedział nic więcej. Wśród popiskiwań małych trolli raz jeszcze pogrążył się w stosie futra.

– Ach, powierzchnie dotykowe...

I nagle jakby zniknął. Jednostka mobilna wciąż była fizycznie obecna, ale rozwiał się jakiś subtelny aspekt statku.

Joshua spojrzał na Sally.

– Też to czujesz? – spytała. – Czegoś już nie słyszymy ani nie widzimy. Gdzie on się podział? Przecież nie może umrzeć, prawda? Ani się zepsuć?

Joshua nie wiedział, co odpowiedzieć. Statek kontynuował swą dyskretną aktywność, miriady mechanizmów cykały i terkotały cicho, jakby nic się nie stało. Jednak we wnętrzu tego jaskrawo oświetlonego kompleksu nie dało się dostrzec kontrolującego umysłu, nie dało się wykryć Lobsanga. Brakowało kluczowego elementu. Całkiem jak wtedy, kiedy umarła stara siostra Regina. Od lat nie wstawała z łóżka, ale lubiła widywać się z dziećmi i wciąż znała wszystkie ich imiona. Spotykali się z nią kolejno, zdenerwowani zapachem, jej cienką jak papier skórą... A potem zdawało się, że coś, o czym nie wiedzieli, że istnieje, nagle zniknęło.

– Mógł zachorować – powiedział Joshua niepewnie. – Nie był całkiem sobą, odkąd się zakopał pod szczeniakami trolli.

Głos Lobsanga zabrzmiał nagle z głośników:

– Nie martwcie się niepotrzebnie.

Sally drgnęła zaskoczona i roześmiała się nerwowo.

– A powinniśmy się martwić potrzebnie?

– Proszę cię, Sally, o cierpliwość. Nie było żadnej awarii. Zwraca się do was podsystem rezerwowy. W tej chwili Lobsang rekompiluje, to znaczy stara się zintegrować ogromne ilości nowych informacji. Zajmie to kilka godzin. Jednakże my, podsystemy, bez trudu wypełnimy wszystkie niezbędne funkcje. Lobsang potrzebuje czasu offline i jestem pewien, że to rozumiecie. Nic wam tutaj nie grozi. Lobsang oczekuje, że będzie mógł znów cieszyć się waszym towarzystwem mniej więcej w porze świtu.

Sally prychnęła.

– Spodziewałam się, że doda jeszcze „Życzę miłego dnia”, ale rozumiem, że nie można mieć wszystkiego. Jak myślisz, ile z tego jest prawdą?

Joshua wzruszył ramionami.

– Myślę, że wiele się uczy od trolli, i to rzeczywiście bardzo szybko.

– A teraz absorbuje ich koszmary… Czyli mamy wolny wieczór. Może zjedziemy jeszcze raz i zajrzymy do baru?

– Którego baru?

* * *

Po długiej serii pożegnalnych drinków, wszystkich darmowych, musiał zanieść Sally do statku. Ułożył ją delikatnie na łóżku w jej kabinie. Uśpiona, wyglądała młodziej. Wbrew rozsądkowi poczuł, że budzi się w nim instynkt opiekuńczy, i ucieszył się, że ona tego nie zauważy.

Nie było ani śladu Lobsanga, dźwięku jego głosu.

A trolle, jak się okazało, wyszły na własną rękę. Zapewne odbyło się to tak: Troll widzi guzik od windy; troll myśli o guziku; troll naciska guzik; żegnaj, trollu. Lobsang planował uzyskać coś więcej ze spotkania z nimi, ale okazało się, że one uzyskały od niego wszystko, co chciały.

Joshua ułożył się na sofie na pokładzie obserwacyjnym i spojrzał w gwiazdy.

O świcie, gdy wszyscy pasażerowie jeszcze spali, sterowiec wzniósł się łagodnie, nabierając wysokości, aż znalazł się ponad najwyższymi leśnymi gigantami, a potem przekroczył, znikając z cichym trzaskiem pioruna.

40

Rankiem Lobsang znów był obecny. Joshua wyczuwał go, wyczuwał, że znowu powróciła pewnego rodzaju celowość działań. I to zanim jeszcze jednostka mobilna dołączyła do niego na pokładzie obserwacyjnym, kiedy pił pierwszą tego dnia kawę. Sally najwyraźniej nadal spała.

Przekraczali spokojnie, a światy przepływały w dole. Jak zawsze, Długą Ziemię przesłaniały głównie drzewa i woda, cisza i monotonia. Joshua był zadowolony, że uwolnił się od tej trudnej do zdefiniowania dziwności Szczęśliwego Portu, ale gdy ruszyli ku zachodowi, powrócił znany narastający ucisk w głowie. Bezskutecznie starał się go ignorować.

Siedzieli obaj w milczeniu. Żaden nie wspominał o nieobecnych zaprzyjaźnionych trollach ani o offline'owym epizodzie. Joshua nie potrafił rozpoznać nastroju Lobsanga. Zastanawiał się leniwie, czy Lobsang czuje się samotny bez trolli, rozczarowany, że postanowiły odejść, może zniechęcony, gdyż jego badania pozostały niedokończone... Odczuwał pewien niepokój, gdyż Lobsang stawał się chyba bardziej niestabilny, nieprzewidywalny. Może przeciążony nowymi doświadczeniami...

Lobsang odezwał się mniej więcej po godzinie

– Myślałeś kiedyś o przyszłości, Joshuo? Dalekiej przyszłości?

– Nie. Ale założę się, że ty myślałeś.

– Rozproszenie ludzkości na Długiej Ziemi z pewnością

doprowadzi do problemów nie tylko politycznych. Przewiduję czas, kiedy ludzkość tak się rozejdzie po licznych światach, że na obu krańcach naszej hegemonii wystąpią znaczące różnice genetyczne. Może pojawi się konieczność jakiejś wymuszonej wtórnej migracji, która zagwarantuje dostateczną jednorodność ludzkości, by umożliwić zjednoczenie...

Płonący las w dole sprawił, że sterowiec zatańczył przez chwilę w burzliwych prądach wznoszących.

– Nie sądzę, żebyśmy już musieli się o to martwić, Lobsangu.

– Ale ja się martwię, Joshuo. Im więcej oglądam Długiej Ziemi, tym bardziej oszałamia mnie jej skala i tym większy budzi niepokój. Praktycznie rzecz biorąc, ludzkość spróbuje stworzyć imperium galaktyczne na jednej, wciąż się powtarzającej planecie.

Sterowiec zatrzymał się z drgnieniem. Świat w dole przesłaniała niska chmura.

Sally weszła na pokład, otulona szlafrokiem, z owiniętą ręcznikiem głową.

– Doprawdy? Czy musimy powtarzać błędy przeszłości? Czy znowu rzymskie legiony muszą maszerować przez nieskończone nowe światy?

– Dzień dobry, Sally – powiedział Lobsang. – Mam nadzieję, że odpoczęłaś.

– Najlepsza w piwie ze Szczęśliwego Portu jest jego czystość, jak w czołowych niemieckich browarach. Żadnego kaca.

– Chociaż wczoraj wyraźnie postanowiłaś poddać tę teorię destrukcyjnym testom – zauważył Joshua.

Zignorowała go.

– Dlaczego podróżowaliśmy tak wolno? I czemu stoimy?

– Podróżowaliśmy wolno, żeby pozwolić ci się wyspać, Sally – odparł Lobsang. – Ale też dlatego, że przyjąłem do wiadomości twoją krytykę. Istotnie warto badać drobne szczegóły, spowolniłem więc lot naszego latającego penisa, jak go żartobliwie określiłaś. Drobne szczegóły, takie jak relikt rozwiniętej cywilizacji wprost pod nami. Dlatego się zatrzymaliśmy.

Joshua i Sally wyjrzeli na zewnątrz. Sterowiec zmniejszył wysokość.

– Mój skaner radarowy przekazuje obrazy przez chmurę – oznajmił Lobsang, na pozór wpatrzony w pustkę. – Widzę dolinę rzeki, najwyraźniej od dawna wyschniętej. Tereny uprawne na obszarach zalewowych. Żadnych emisji elektromagnetycznych ani innych sugerujących rozwiniętą technikę. Ślady celowych konstrukcji na brzegach, w tym mostu, dawno temu zawalonego. I prostokąty na ziemi, drodzy przyjaciele, prostokąty z kamienia i cegły! Ale żadnych oznak złożonego życia. Nie mam pojęcia, kim byli budowniczowie. Ta sprawa nie ma zapewne związku z naszym zasadniczym celem, ale jestem pewien, że będę wyrazicielem powszechnej opinii, kiedy powiem, że powinniśmy wstępnie zbadać ten fenomen. Mam rację?

Joshua i Sally spojrzeli po sobie nawzajem.

– Jaką broń mamy do dyspozycji? – spytała Sally.

– Broń?

– Lepiej dmuchać na zimne.

– Jeśli chodzi ci o broń ręczną, mamy tu rozmaite noże, lekkie, ale bardzo użyteczne pistolety, kusze wystrzeliwujące pełen zakres bełtów, dopasowanych do typów metabolizmu, jakie możemy napotkać, i o sile rażenia od „trochę senny" po „natychmiastowo martwy", kodowane barwnie, z opcją Braille'a i piktogramów. Osobiście jestem dość dumny z tego sprzętu. W gondoli zamontowanych jest też kilka odmian broni do mojej dyspozycji. W razie konieczności mogę wyprodukować lekki, ale bardzo chytry czołg.

– Nie będziemy potrzebowali czołgu – prychnęła Sally. – Na dole mamy do czynienia z wymarłą cywilizacją. A wymarłe cywilizacje mogą po sobie zostawiać bardzo niemiłe niespodzianki.

Lobsang przez chwilę milczał.

– Oczywiście! – zawołał w końcu. – Masz rację! Trzeba się odpowiednio przygotować. Zaczekajcie.

Wstał i zniknął za niebieskimi drzwiami. Sally i Joshua wymienili zdziwione spojrzenia.

Po kilku minutach drzwi się otworzyły i jednostka mobilna wróciła na pokład; miała na głowie fedorę, u pasa kaburę z rewolwerem i oczywiście pejcz.

Sally wytrzeszczyła oczy.

– Lobsangu, właśnie zdałeś mój osobisty test Turinga!

– Dziękuję ci, Sally, jestem bardzo dumny.

Joshua był zdumiony.

– W te parę minut wyprodukowałeś pejcz? Splatanie rzemieni wymaga czasu. Jak to zrobiłeś?

– Wprawdzie bardzo chciałbym sprawić na tobie wrażenie osoby wszechmocnej, ale muszę wyznać, że mieliśmy już pejcz w ładunku. Proste urządzenie, prawie niewymagające obsługi. Więc jak? Ruszamy na wyprawę?

* * *

Zeszli na niemal pustynię. Joshua znalazł się w szerokiej dolinie. Na jej dnie walczyło o przetrwanie kilka potarganych drzew. Wokół doliny wznosiły się klify poryte tunelami jaskiń. Nie dostrzegł żadnych śladów zwierzęcego życia, nawet myszy. Zauważył ruiny tego zawalonego mostu i prostokątne wyżłobienia na ziemi.

Natychmiast jednak o tym zapomniał, ponieważ w głębi doliny stał budynek: jeden ogromny prostopadłościan, z powietrza może niezbyt ciekawy, ale z dołu wyglądający jak siedziba międzynarodowego koncernu mającego awersję do okien.

Ruszyli w tamtą stronę, prowadzeni przez Lobsanga w kapeluszu.

– Ogólnie biorąc – tłumaczył – rzeczywistość ma słabe wyczucie narracji, więc starożytne ruiny nie obfitują w wahadłowe ostrza, które ścinają głowy, ani kamienne płyty, które odsuwają się, by wypuścić płonące strzały. Trochę szkoda, nie? Jednakże wykryłem podręcznikowy zestaw tajemniczych symboli. Klify w dolinie zbudowane są prawdopodobnie z jasnoszarego wapienia i były intensywnie obrabiane przez nieznane istoty. Symbologia nie ma chyba związków z żadnym znanym ziemskim pismem. Tymczasem ten wielki kloc przed nami zbudowany jest z czarnych bloków, być może bazaltowych, z punktu widzenia sztuki kamieniarskiej niezbyt dobrze obrobionych. Z naszej strony nie widać żadnego wejścia, ale wydaje mi się, że z powietrza zauważyłem po przeciwnej stronie jakby nachyloną ścianę, cień... być może drogę do wnętrza. – Po czym dodał ze śmiertelną powagą: – Niezła zabawa, co?

– Tylko że jesteśmy o kilometr od tego kolosa – stwierdziła Sally. – A nie mamy twojego wzroku, Lobsangu. Miej litość nad nieszczęsnymi śmiertelnikami. Dlaczego wylądowałeś tak daleko?

– Proszę o wybaczenie, ale pomyślałem, że rozsądnie będzie zachować ostrożność.

– To jego standardowa procedura, Sally – dodał Joshua.

Szli dalej, a sterowiec płynął za nimi. Pod ścianami doliny leżały kamienne osypiska, tu i tam pomiędzy rzadkimi drzewami spotykali plamy mchu i kępy trawy, które zdołały jakoś zapuścić korzenie. Nadal jednak żadnych zwierząt, nawet samotnego ptaka na niebie. To była niegościnna okolica, w której od bardzo dawna nic się nie wydarzyło i w tej chwili nadal się nie wydarzało. Panował upał; promienie słońca przedzierały się przez chmury i odbijały od skalnych ścian, a suchy wąwóz sprawiał wrażenie słonecznego paleniska. Nie zniechęcało to Lobsanga, który maszerował przed siebie, jakby trenował na olimpiadę. Joshua jednak był zgrzany, brudny od kurzu i coraz bardziej niespokojny.

Dotarli do wielkiej budowli.

– Wielkie nieba, popatrzcie tylko! – zawołała Sally. – Z daleka człowiek nie zdaje sobie sprawy, jakie to jest ogromne!

Joshua uniósł wzrok, potem spojrzał wyżej, przyglądając się nagiej ścianie budowli. Nie był to żaden cud architektury – prawdę mówiąc, nie robił specjalnego wrażenia, co najwyżej samym swym rozmiarem. Bloki czarnej, podobnej do bazaltu skały były z grubsza dopasowane, ale różniły się rozmiarami. Nawet z dołu dało się zauważyć szczeliny i niedokładności, niektóre zostały tu czy tam naturalnie spojone czymś, co wyglądało na ptasie guano i ptasie gniazda, ale także pochodzące z bardzo dawnego czasu.

– Ładna architektura – stwierdziła Sally. – Ktoś zamówił konstrukcję „wielką, ciężką, która wytrzyma wieki", i taką dostał. No dobrze, przejdźmy do tego wejścia, uskoczymy tam przed toczącą się kamienną kulą...

– Nie. – Lobsang znieruchomiał nagle. – Zmiana planów. Wykryłem bardziej zdradliwe zagrożenie. Cała ta struktura jest radioaktywna. Promieniowanie krótkiego zasięgu, niewykrywalne na odległość... Bardzo przepraszam. Sugeruję, abyśmy w rozsądnym pośpiechu ruszyli drogą, którą tu przyszliśmy. Żadnych dyskusji. Proszę, nie marnujcie tchu, póki nie będziemy bezpieczni.

Wprawdzie nie odbiegli, ale bardzo stanowczo odmaszerowali.

– Więc co to za miejsce? – zapytał po chwili Joshua. – Jakieś składowisko odpadów?

– Zauważyłeś liczne znaki ostrzegające, że wejście do tego budynku bez specjalnego sprzętu może zabić? Nie? Ja też nie. Poziom techniczny wydaje się o wiele za niski, aby był to jakiś typ reaktora jądrowego czy podobna konstrukcja. Podejrzewam, że nie wiedzieli, z czym mają do czynienia. Może tutejsza kultura natrafiła przypadkiem na użyteczną rudę o interesujących właściwościach, może naturalny stos atomowy...

– Jak Oklo... – przypomniał sobie Joshua.

– W Gabonie, tak jest. Naturalna koncentracja uranu. Może znaleźli coś, od czego jarzyły się święte szkła. To by pokazywało działanie duchów, prawda?

– Duchów, które w końcu zabijają swoich akolitów – mruknęła Sally.

– Przed odlotem obejrzyjmy kilka jaskiń – zaproponował Lobsang. – Wybierzemy dostatecznie dalekie od świątyni, żeby były bezpieczne.

Pierwsza, do której weszli, okazała się wysoka, przestronna, chłodna... i pełna trupów.

* * *

Przez chwilę stali u wejścia tego domu kości. Widok przeraził Joshuę, a jednak wydawał się adekwatną kulminacją tego śmiertelnie rozczarowującego świata.

Weszli ostrożnie, stąpając po nagim gruncie, jeśli mogli go znaleźć. Szkielety były delikatne, często na granicy rozkruszenia. Ciała musiały tu być wrzucane, myślał Joshua, być może pospiesznie, w ostatnich dniach istnienia tego społeczeństwa, kiedy nie został już nikt, kto mógłby usunąć je w sposób właściwy, jakikolwiek właściwy sposób tu stosowano. Ale co to były za istoty? Na pierwszy rzut oka szkielety z grubsza przypominały ludzkie. Dla kogoś, kto – jak Joshua – nie był ekspertem, wyglądały na dwunogie, co poznawał po kościach nóg i wąskich biodrach. Ale nie było nic humanoidalnego w sklepionych, podobnych do hełmów czaszkach.

W sercu podziemnej hali załoga „Marka Twaina" stanęła bezradnie. Lobsang skanował i rejestrował wyryte w ścianach symbole – jego głowa obracała się powoli z cichym chrobotem i całkiem mechanicznie, bez żadnego podobieństwa do ludzkich ruchów.

– Zauważyliście? Nic nie obgryzało tych kości – odezwała się Sally. – Żadne zwierzę. Nic ich nie niepokoiło od dnia, kiedy je tutaj zrzucono.

– Nawiasem mówiąc, wysłałem drony, jak zwykle – mruknął Lobsang, nie przerywając pracy. – Nie ma żadnych śladów techniki, żadnej wyższej inteligencji. Nigdzie na tej wersji Ziemi. Tylko tutaj. Tajemnica staje się coraz głębsza.

– Może te zabójcze znaleziska, które ich tutaj ściągnęły, przed katastrofą zainspirowały szczytowy rozwój kultury. Cóż za ironia... – Sally westchnęła. – Oczywiście, istnieje też inna możliwość.

– To znaczy? – zapytał Joshua.

– Że ten stos atomowy pod świątynią wcale nie był naturalny, tylko bardzo, bardzo stary.

Joshua i Lobsang nie odpowiedzieli.

– Mimo to… cywilizacja dinozaurów? – zastanawiała się Sally.

– Niezwykłe odkrycie.

– Dinozaurów? – zdziwił się Joshua.

– Popatrz na te grzebieniaste czaszki.

– Cywilizacja zbudowana przez ewolucyjnych spadkobierców postdinozaurów – sprostował pedantycznie Lobsang. – Używajmy precyzyjnych określeń.

Joshua przyjrzał się kawałkowi kości, prawdopodobnie palca, ozdobionemu masywnym złotym, wysadzanym szafirami pierścieniem. Schylił się i podniósł go.

– Spójrzcie. To nie może być nic innego niż biżuteria. Byli tacy sami jak my, dinozaury czy nie. Byli świadomi. Używali narzędzi. Wznosili budowle… miasto, przynajmniej to jedno. I mieli sztukę: ozdoby.

– Tak – zgodził się Lobsang. – Byli tacy jak my pod pewnym kluczowym względem, a inni niż na przykład trolle. Te stworzenia, podobnie jak my, tworzyły wokół siebie środowisko kulturowe. Nasze artefakty, nasze miasta, nasze zewnętrzne skarbnice mądrości dawnych wieków… trolle nic takiego nie mają, chociaż ich pieśni stanowią może pierwszy krok w tym kierunku. Natomiast te stworzenia najwyraźniej też posiadały tę cechę.

– Nawet wyglądają na dwunogi o pozycji wyprostowanej, jak my – dodał Joshua. – Prawda?

– Może widzimy tu pewne stałe uniwersalne – odparł Lobsang. – Istota dwunoga, poruszająca się w pozycji wyprostowanej, to wygodna forma dla używania narzędzi, przy danej podstawowej budowie z czterema kończynami. Możliwe też, że dysponujące inteligencją i używające narzędzi istoty mają naturalną skłonność do gromadzenia się w czymś na podobieństwo miast. Niewykluczone, że nawet zamiłowanie do błyszczących ozdób jest cechą wspólną. A jednak wszystko to zginęło. Zatruli siebie, a teraz zatruwają nas.

Sally spojrzała na Joshuę.

– Czuję się, jakbym właśnie odkryła, że miałam brata bliźniaka, który urodził się martwy.

– Nie ma sensu siedzieć tu dłużej – uznał Lobsang. – Ten świat wymaga odpowiednio wyposażonej ekspedycji archeologicznej... w kombinezonach antyradiacyjnych. Nic tutaj się nie stanie, jesteśmy tak daleko od Podstawowej, że raczej nie spodziewam się turystów, w każdym razie nieprędko. Chodźcie, dzieci. Wracamy do domu. Nic tu dla nas nie ma.

Kiedy szli do windy, Joshua obejrzał się z goryczą.

– Wszystko to wydaje się strasznym marnotrawstwem, prawda? Wszystkie te Ziemie. Jaki mają sens bez świadomości?

– Tak już działa świat – stwierdził Lobsang. – Źle patrzysz na tę sytuację. Jaka jest szansa znalezienia świadomego życia na innych planetach? Astronomowie wykryli ich kilka tysięcy, w okolicach innych gwiazd, ale jak dotąd nic nie dało nam powodów, by przypuszczać, że ktoś tam jest. Może trudno wyewoluować inteligencje tworzące narzędzia. I może powinniśmy być wdzięczni, że tak niewiele nam zabrakło do spotkania z tymi istotami, że byliśmy tak blisko w przestrzeni prawdopodobieństwa...

– Ale jeśli te istoty były świadome, czemu spotykamy je tylko na jednym świecie? – spytała Sally. – Powinniśmy widzieć ich ślady także na sąsiednich, prawda? Przynajmniej w tej lokacji. Może, mimo że samoświadome, nie mogły przekraczać?

– Możliwe – zgodził się Lobsang. – A może naturalni kroczący zostali wypędzeni przez tych, którzy przekraczać nie mogą wcale? Wydaje się, że coś takiego dzieje się w tej chwili na Ziemi Podstawowej. Może oglądamy tu naszą własną przyszłość?

A Sally i Joshua, dwójka ukrywających się naturalnych kroczących, wymieniła znaczące spojrzenia.

ROZDZIAŁ 41

Naturalni kroczący. Jakie ładne określenie, prawda? Bo przecież wszyscy stawiamy kroki. Uczymy się to robić, kiedy matki odstawiają nas od piersi. „Och, popatrz, pierwsze kroki naszego dziecka!".

Brian Cowley, który naprawdę był niezłym showmanem, zrobił kilka przesadnie dziecięcych kroczków po scenie, tam i z powrotem, z mikrofonem w ręku, oświetlany przez punktowe reflektory w ogromnej sali konferencyjnej. To proste zagranie zyskało mu kilka aprobujących okrzyków.

Monica Jansson w cywilnym ubraniu rozejrzała się po sali, by sprawdzić, kto pokrzykuje.

– To naturalne. Chodzenie jest naturalne. Ale to, co oni nazywają kroczeniem? – Pokręcił głową. – W tym nie ma nic naturalnego. Potrzeba gadżetu, żeby to robić. A żaden gadżet nie jest potrzebny, by chodzić. Kroczenie. Przekraczanie. Nie tak to nazywam. Nie tak by to nazwał mój dziadek. Jesteśmy prostymi ludźmi, brakuje nam wykształcenia, żeby się na tym poznać, mamy inne słowa, by określić takie praktyki. Takie słowa jak „wbrew naturze". Takie słowa jak „obrzydliwość". Takie słowa jak „nieczyste".

Każde kolejne określenie wywoływało głośniejsze brawa i chór entuzjastycznych okrzyków. Jansson wiedziała, że w pewnym momencie będzie musiała do nich dołączyć, by się nie zdemaskować.

Sala była duszna, gorąca, zatłoczona i słabo oświetlona, jeśli nie liczyć sceny. Cowley pilnował, żeby występować publicznie tylko w suterenach, piwnicach i podziemnych salach, podobnych do tego umieszczonego poniżej gruntu centrum konferencyjnego – w miejscach gdzie przekraczający nie mogli się do niego przebić, nie kopiąc najpierw dziur w ziemi. Jansson zjawiła się tutaj z tajną misją, wraz z kolegami z madisońskiej policji, z Bezpieczeństwa Wewnętrznego, FBI oraz kilku innych agencji, zaalarmowanych coraz śmielszymi i niepokojącymi wystąpieniami skrajnych grup w ruchu Najpierw Ludzkość.

Zauważyła już w tłumie kilka znajomych twarzy. Jedną nawet na scenie, w rzędzie zamożnych sponsorów Cowleya – Jim Russo, którego dumna Spółka Handlowa Długiej Ziemi wciąż istniała, wciąż handlowała, ale który już kilka razy stracił fortunę, kiedy świat zmienił się bardziej, niż potrafił sobie wyobrazić. Od czasu tamtej rozmowy z Russo kilka lat temu, w sprawie wyzysku pracowników, Jansson zanotowała w pamięci, by mieć go na oku i uważać, jak reaguje na nieuniknione porażki w interesach. A reagował źle, jak się wydawało. Dziś stał tutaj, pięćdziesięcioletni, zgorzkniały po kolejnym rozczarowaniu zdradą losu, skłonny przekazać część pozostałego jeszcze majątku temu człowiekowi, Brianowi Cowleyowi, samozwańczemu rzecznikowi antykroczących. Russo nie był jedynym, który ucierpiał finansowo wskutek otwarcia Długiej Ziemi; ruchowi Najpierw Ludzkość nie brakowało wsparcia.

Cowley tymczasem przeszedł do argumentów ekonomicznych, które zyskały mu zainteresowanie mediów.

– Płacę podatki. Wy też płacicie. To element kontraktu zawartego z naszym rządem, bo to jest nasz rząd, niezależnie od tego, co próbują wam tłumaczyć, kiedy już wygodnie się ustawią w Waszyngtonie. Ale dalszy ciąg tego kontraktu mówi, że pieniądze z waszych podatków powinni wykorzystywać dla waszego dobra. Waszego i waszych rodzin, waszych dzieci i waszych rodziców, żebyście bezpiecznie mieszkali w waszych domach. Taki jest układ, przynajmniej tak mi się zawsze wydawało. Ale ja nie pracuję w Waszyngtonie. Jestem zwyczajnym człowiekiem, jak wy. – Wyciągnął rękę do publiczności. – I wiecie, co wykrył ten zwykły człowiek w sprawie waszych podatków? Powiem wam: płacą nimi za kolonistów. Płacą za tych ludzi, którzy bawią się w pionierów w jakimś nienaturalnym świecie, gdzie nie ma nawet normalnych koni, ptaków czy bydła, jakie Bóg stworzył tutaj. Posyłają im pocztę. Posyłają mierniczych. Posyłają wymyślne leki. Posyłają gliny, gdyby któryś z tych obłąkanych durniów nabrał ochoty, żeby zabić własną matkę albo płodzić dzieci z własną córką...

Jansson wiedziała, że akurat to jest nieprawda. W rozległych wykrocznych światach, bez stresów rodzących się z tłoku albo z ubóstwa, takie przestępstwa zdarzały się stosunkowo rzadko.

– Mają cały system, też utrzymywany z waszych podatków, który gwarantuje, że pieniądze, jakie ci dzielni pionierzy zostawiają tutaj, w realnym świecie, jedynym prawdziwym świecie, są inwestowane, żeby zaopatrywać ich we wszystkie zabawki, jakich zapragną. Mówię tu o tak zwanym Funduszu Pomocy Pionierom. Niektórzy z nich mają tu nawet domy, które stoją puste. Czy wiecie, ilu żyje w Ameryce ludzi bezdomnych? I po co to wszystko? Co za to dostajecie? Co dostajesz ty i ty? Z tymi innymi światami nie istnieje handel, przynajmniej poza Ziemiami 1, 2 i 3, skąd można przenosić drewno i inne surowce. Nie poprowadzi się rurociągu, żeby pompować ropę z Ziemi Gazylion do Houston. Nie da się nawet przepędzić stada bydła! Rząd federalny przez całe lata tłumaczy nam, że ekspansja na Długą Ziemię to jakiś odpowiednik pionierskich wypraw na Dziki Zachód. No więc może nie znam się na życiu w Waszyngtonie, ale znam dziedzictwo mojego kraju, wiem, ile wart jest dolar, i teraz wam mówię, że to kłamstwo. To bzdura! Pewne jak diabli, że ktoś się bogaci na tych głupotach, ale na pewno nie wy i nie ja. Już bardziej by się nam opłacał powrót na Księżyc. Przynajmniej jest to Księżyc przez Boga stworzony i można stamtąd przywieźć księżycowe skały!

Na moment zawiesił głos.

– Powiem wam tyle, że kiedy za parę dni spotkam się z prezydentem, moje główne żądanie będzie brzmiało: przestańcie wspierać kolonie na Długiej Ziemi! Jeśli kroczący pozostawili tu jakieś majątki, przejmijcie je. Jeśli są produktywni w tych bezbożnych światach, opodatkujcie ich, aż się popłaczą. Ci goście chcą być pionierami? Świetnie, niech sobie będą! Ale nie za moje pieniądze! Ani wasze!

Pomruk aprobaty był niepokojąco głośny…

Jansson zauważyła Roda Greena, zaledwie osiemnastoletniego – jego jasne włosy łatwo było rozpoznać. Rod należał do kategorii, którą policja określała jako „samych w domu" – nieprzekraczające dzieci, praktycznie porzucone przez rodziny uwiedzione romantyzmem wypraw i nowego życia na wykrocznych rubieżach. Była to cała klasa ludzi, których otwarcie Długiej Ziemi skrzywdziło o wiele głębiej niż tylko finansowo.

A teraz Rod był tutaj i chłeptał truciznę Cowleya.

Cowley tymczasem dotarł do sedna swojej przemowy. Do tego, co kluczowe, co pokrzywdzeni ludzie naprawdę chcieli usłyszeć. Do powodu, dla którego nie pozwalał nagrywać swoich wystąpień.

– Mam tu coś, na co niedawno trafiłem – oznajmił, demonstrując wycinek z gazety. – Oświadczenie któregoś z tych profesorów z uniwersytetów. Ten człowiek powiada, pozwólcie, że zacytuję: „Zdolność przekraczania reprezentuje nowy świt ludzkości, pojawienie się nowej zdolności poznawczej, porównywalnej z rozwojem języka czy tworzeniem wieloczęściowych narzędzi" bla, bla, bla. Rozumiecie, co on mówi, panie i panowie? O czym mówi? On mówi o ewolucji. Pozwólcie, że opowiem wam pewną historię. Dawno, dawno temu żył na tej planecie inny rodzaj ludzkich istot. Nazywamy ich neandertalczykami. Byli jak my, rozumiecie, nosili skórzane ubrania, wytwarzali narzędzia i palili ogniska, więcej nawet, troszczyli się o swoich chorych, a zmarłych grzebali z szacunkiem. Ale nie byli tacy sprytni jak my. Żyli na świecie przez setki tysięcy lat, ale żaden z nich nie wymyślił czegoś tak skomplikowanego jak łuk i strzały, które potrafi zrobić każdy amerykański siedmiolatek. Jednak żyli sobie ze swoimi narzędziami, polowaniami i rybołówstwem. Aż pewnego dnia zjawili się inni: nowa odmiana z płaskimi twarzami, smukłymi ciałami, zręcznymi rękami i wielkimi, wypukłymi mózgami. Ci nowi umieli robić łuki i strzały. Mogę się nawet założyć, że jakiś neandertalski profesor powiedział coś w rodzaju „Umiejętność budowy łuku i strzał to nowy świt ludzkości" bla, bla, bla. Może nawet ten neandertalski profesor namawiał Uga i Muga, żeby z każdego upolowanego mamuta oddawali działkę, by wspomagać budowanie łuków i strzał dla korzyści nowego gatunku. Wszystko świetnie się układało i wszyscy byli zadowoleni.

Spojrzał groźnie na widownię.

– I gdzie są teraz Ug i Mug? Gdzie są neandertalczycy? Powiem wam: są martwi. Martwi od trzydziestu tysięcy lat. Wymarli. A to, moi drodzy, naprawdę straszne słowo. To słowo gorsze niż śmierć, bo wymarcie oznacza, że nie żyją też wasze dzieci, że wasze wnuki i ich dzieci nigdy się nie narodzą! I wiecie, co bym poradził tym neandertalczykom? Co powinni zrobić, kiedy zjawili się ci z łukami i strzałami?

Walnął pięścią w stół.

– Powinni wznieść te swoje wielkie łapy i te brzydkie kamienne narzędzia, a potem rozwalić nowym te ich wielkie czaszki, wybić ich do ostatniego. Bo gdyby to zrobili, ich wnuki żyłyby dzisiaj!

Akcentował zdania, uderzając pięścią w otwartą dłoń.

– A teraz politycy z Waszyngtonu i profesorowie z uniwersytetów mi tłumaczą, że oto pojawił się wśród nas nowy typ człowieka, trwa nowa ewolucja, mamy supermenów między nami, zwyczajnymi gośćmi. Supermenów, których jedyna moc polega na tym, że mogą nocą wśliznąć się do sypialni waszych dzieci, a wy nawet nie będziecie tego wiedzieć. Co to za supermen, pytam? Pytam też: czy myślicie, że jestem neandertalczykiem? Że popełnię ten sam błąd co oni? Chcecie pozwolić tym mutantom przejąć Ziemię przez Boga stworzoną? Zgodzicie się wymrzeć? Ty? I ty? Albo ty?

Słuchacze poderwali się na nogi, ci na scenie również. Krzyczeli i klaskali. Jansson także klaskała, by się nie wyróżniać. Wokół dostrzegała ludzi z FBI, którzy spokojnie robili zdjęcia tłumu.

Świat znowu miał się zmienić. Takie krążyły plotki. Prędzej czy później spełnią się obietnice Korporacji Blacka, gdy ich mniej czy bardziej utajniony projekt budowy sterowców doprowadzi do gigantycznego wzrostu możliwości transportu między światami. Wtedy zacznie się wymiana handlowa na wielką skalę, a po niej ogromny wzrost gospodarczy. Ale nie nastąpi to dostatecznie szybko dla takich jak Russo czy Cowley. Jansson bała się, że zanim ludzkość doczeka się kolejnego cudu, oni zdążą narobić bardzo wiele szkód.

ROZDZIAŁ 42

Mark Twain" był jak bezpieczna przystań. Kiedy człowiek znalazł się już w powietrzu i przekraczał, wszystkie problemy zostawiał za sobą. Teraz także z ulgą porzucili Prostokąty i ruszyli ku nowym, nieznanym światom. Joshua cieszył się z tej ucieczki pomimo narastającego i złowróżbnego uścisku w głowie.

Lobsang nadal przekraczał wolno, stosunkowo dokładnie badając kolejne Ziemie. Joshua i Sally tkwili na pokładzie obserwacyjnym. Przekraczali na poziomie chmur, ale i tak zdarzyło się, że ponad ciemnozielonym światem Joshua miał wrażenie, że słyszy szuranie liści o kil – zapewne dotknięcie tytanicznych drzew na jakiejś planecie jokerze.

– Lobsang się martwi, prawda? – spytała Sally. – Niepokoi się tym, co widzieliśmy przy Prostokątach.

– Wiesz, jest buddystą. Szacunek dla wszystkich istot żywych i w ogóle. A kości nigdy nie poprawiają samopoczucia. Słonie reagują tak samo, prawda? Są świadome znaczenia kości albo jako sygnału zagrożenia, albo śmierci jednego z nich... – Wyczuł, że Sally myśli o czymś innym. – Coś się stało?

– Co to znaczy „się stało"? – Pytanie zabrzmiało oskarżycielsko.

Joshua ustąpił; nie miał ochoty na kłótnię. Wyszedł do kuchni i zajął się obieraniem ziemniaków – prezentu ze Szczęśliwego Portu, dostarczonego im w worku z jakiejś tkaniny. Całą uwagę skoncentrował na ruchach noża. Działanie zastępcze, wiedział o tym, ale i tak uspokajające, biorąc pod uwagę, co właściwie zastępowało.

Sally przyszła za nim i stanęła w drzwiach do jadalni.

– Często mnie obserwujesz, prawda?

Tak naprawdę nie było to pytanie, więc udzielił czegoś, co nie było odpowiedzią.

– Wszystkich obserwuję. Dobrze jest wiedzieć, co myślą.

– Więc o czym teraz myślę?

– Jesteś wystraszona. Prostokąty przeraziły cię chyba tak jak mnie i Lobsanga, ale przede wszystkim przeraziła cię też migracja trolli. Pewnie bardziej niż nas, bo znasz je lepiej.

Pokroił ziemniaka, schylił się i wyjął z worka następnego. Ten worek trzeba będzie zachować – ktoś w Szczęśliwym Porcie prawdopodobnie tkał go przez wiele godzin.

– Zrobię potrawkę. Małże nie mogą długo leżeć. To jeszcze jeden prezent od Szczęśliwego Portu...

– Przestań, Joshua! Zostaw te przeklęte ziemniaki! Mów do mnie!

Joshua oczyścił nóż i starannie odłożył go na miejsce – zawsze trzeba dbać o narzędzia. Potem się odwrócił.

Sally przyglądała mu się gniewnie.

– Skąd ci przyszło do głowy, że w ogóle mnie znasz? Czy ty w ogóle kogoś naprawdę znasz?

– Kilka osób. Jedną policjantkę. Moich przyjaciół z Domu. Nawet parę dzieciaków, którym pomogłem w Dniu Przekroczenia i które potem utrzymywały kontakt. I zakonnice. Zawsze warto poznać zakonnice, kiedy żyje się blisko nich. Bywają bardzo nieprzewidywalne...

– Niedobrze mi się robi od słuchania o tych twoich zakonnicach – burknęła.

Zachował spokój i powstrzymał odruch, by znów uciec do gotowania. Przeczuwał, że chwila jest ważna.

– Posłuchaj mnie – poprosił. – Wiem, że nie jestem osobą szczególnie otwartą, choć dostałbym baty od siostry Agnes za użycie takiego określenia. Ale dobrze wiem, że ludzi nie da się zastąpić. Popatrz na trolle. Owszem, są przyjazne, pomocne i nie chciałbym, żeby spotkała je jakaś krzywda. Są szczęśliwe i mógłbym im tego zazdrościć. Ale nie budują, nie tworzą, biorą świat, jaki jest. Ludzie zaczynają od świata, jaki jest, i próbują go zmienić. To właśnie czyni ich interesującymi. We wszystkich światach, nad którymi tak szybko przelatujemy, najcenniejsze, co możemy znaleźć, to istota ludzka. Tak uważam. A jeśli jesteśmy jedynymi świadomymi umysłami na Długiej Ziemi, we wszechświecie... no, to smutne i przerażające. W tej chwili widzę przed sobą inną istotę ludzką. To ty, Sally. Nie jesteś szczęśliwa, a ja chciałbym ci pomóc, jeśli zdołam. Nie musisz nic mówić. Nigdzie nam się nie spieszy. – Uśmiechnął się. – Jedzenie będzie gotowe dopiero za parę godzin. Aha, a film na dzisiaj to *Ballada o Cable'u Hogue'u*. Jak twierdzi Lobsang, jest to słodko-gorzka saga o ostatnich dniach Dzikiego Zachodu, z Jasonem Robardsem w roli głównej.

Ze wszystkich ekscentrycznych zachowań ich dwojga Sally najmocniej wykpiwała zwyczaj oglądania w trzewiach „Marka Twaina" starych filmów (Joshua był zadowolony, że nie widziała, jak przebrali się na *Blues Brothers*). Tym razem nie zareagowała. Ciszę przerywały tylko metronomiczne stuknięcia i szum ukrytych w kuchni mechanizmów.

Jesteśmy parą skażonych ludzi, razem zabłąkanych... – pomyślał Joshua.

Po chwili wrócił do pracy i skończył szykować potrawkę, dodając bekon i przyprawy. Lubił gotować. Gotowanie reagowało na staranność: jeśli człowiek robił to, co należy, wszystko dobrze wychodziło. Było czymś pewnym, a Joshua lubił rzeczy pewne. Żałował jednak, że nie wpadł mu w ręce kawałek selera.

Kiedy skończył, Sally siedziała na sofie w jadalni. Objęła rękami kolana, jakby chciała stać się jak najmniejsza.

– Może kawy? – zaproponował.

Wzruszyła ramionami. Nalał więc z dzbanka do kubków.

W światach pod nimi zapadał zmierzch; zapaliły się lampy pokładowe i jadalnię zalał miodowy blask – wyraźna poprawa.

– Moim zdaniem najlepiej martwić się drobnymi sprawami – odezwał się ostrożnie Joshua. – Sprawami, którym martwienie się może pomóc. Takimi jak przygotowanie potrawki z małży albo podanie ci kawy. A te większe... cóż, trzeba się nimi zająć, kiedy już nie ma wyjścia.

Uśmiechnęła się słabo.

– Wiesz, Joshua, jak na takiego aspołecznego dziwaka czasami jesteś niemal spostrzegawczy. Posłuchaj więc. Najbardziej chyba dręczy mnie to, że musiałam zwrócić się do was o pomoc. Właściwie do kogokolwiek. Od lat żyję całkiem samodzielnie. Podejrzewam, że tego problemu nie potrafię samodzielnie rozwiązać, ale bardzo nie chcę się do tego przyznać. I coś jeszcze, Joshuo. – Przyjrzała mu się. – Jesteś inny. Nie zaprzeczaj. Jesteś jakimś superdoładowanym kroczącym. Królem dzikiej Długiej Ziemi. Mam przeczucie, że w jakiś sposób jesteś ważny, jesteś w tym wszystkim postacią centralną. Taki jest ukryty powód, że przyszłam właśnie do ciebie.

Poczuł się głęboko zniechęcony, niemal zdradzony.

– Nie chcę być centralną postacią czegokolwiek.

– Przyzwyczajaj się. Ale to jest właśnie mój problem, rozumiesz... Kiedy byłam mała, cała Długa Ziemia była moim placem zabaw, tylko moim. Jestem zazdrosna. Bo teraz może być bardziej twoja niż moja.

Spróbował jakoś objąć to wszystko umysłem.

– Sally, może ty i ja...

I w tej właśnie chwili, najbardziej nieodpowiedniej ze wszystkich, otworzyły się drzwi i wkroczył uśmiechnięty Lobsang.

– Aha! Małże! Z bekonem, znakomicie!

Sally i Joshua zawiesili rozmowę i odwrócili się.

– Więc jesteś – rzekła Sally. – Android, który je. Znowu masz zamiar opychać się małżami?

Lobsang usiadł i dość sztucznym gestem założył nogę na nogę.

– Oczywiście, dlaczego nie? Substrat żelowy, który mieści moją inteligencję, potrzebuje składników organicznych, a czemuż by te składniki nie miały pochodzić z najlepszej kuchni?

Sally spojrzała na Joshuę.

– Ale jeżeli coś je, z pewnością musi potem…

Lobsang się uśmiechnął.

– Ta minimalna ilość odpadków, jaką wytwarzam, zostaje usunięta w formie starannie sprasowanego kompostu w biodegradowalnym opakowaniu. Dlaczego cię to bawi, Sally? Sama pytałaś. Drwiny stanowią miłą odmianę od twego zwykłego lekceważenia. A teraz czeka nas praca. Chcę, żebyście zidentyfikowali te stworzenia.

Za jego plecami odsunął się panel, odsłaniając ekran, który zamigotał i rozjaśnił się. Joshua spojrzał na znanego sobie dwunoga, chudego, brudnego, żółtawej barwy. Osobnik ściskał kij jak maczugę i patrzył na niewidocznych obserwatorów, wyraźnie źle im życząc, a może też źle o nich myśląc.

Joshua aż za dobrze pamiętał spotkanie z czymś takim.

– Nazywamy je elfami – oświadczyła Sally.

– Wiem o tym – odparł Lobsang.

– Wydaje mi się, że w niektórych koloniach mówią o nich „szarzy", zgodnie z dawną mitologią UFO. W Wysokich Megerach wszędzie się je spotyka, czasami w niższych światach również. Wobec ludzi na ogół zachowują ostrożność, ale jeśli trafią na kogoś samotnego albo rannego, mogą spróbować szczęścia. Bardzo szybcy, bardzo silni, wysoce inteligentni łowcy, którzy przy podchodzeniu ofiary wykorzystują przekraczanie.

– Wiem – mruknął Joshua. – Spotkaliśmy ich kiedyś.

– Elfy… Niezła nazwa, jeśli się chwilę zastanowić. Elfy nie zawsze były małymi słodkimi stworzonkami, prawda? Legendy północnoeuropejskie malują je jako istoty wysokie, potężne i całkowicie bezduszne. Paskudna nazwa, ale nie przeszkadza mi. Warto zadbać o ich możliwie najgorszy wizerunek. W mitologii elfy obawiają się żelaza. I pewnie nic dziwnego; żelaza można użyć, by je schwytać, uniemożliwić przekraczanie.

Joshua wrócił do kambuza, do swojej potrawki, a w tym czasie Lobsang przedstawił Sally krótkie sprawozdanie z jego starcia z dosiadającymi dzików mordercami.

Kiedy Joshua wrócił, Sally spojrzała na niego z nowym szacunkiem.

– Dobrze, że udało ci się przeżyć.

– Owszem. A to przecież miał być mój wolny dzień... Długa historia.

– Ciekawie jest mieć takich w sąsiedztwie...

– A tutaj mamy inny wariant – rzekł Lobsang.

Ekran pokazał obraz ciężarnej, wielkogłowej elfki, którą Joshua próbował ratować.

– Ten ich rodzaj nazywam lizakami – wyjaśniła Sally. – Mają wielkie mózgi, jak widzicie, ale z moich obserwacji wynika, że wcale nie są takie znowu inteligentne.

Lobsang pokiwał głową.

– To ma sens. Przekroczeniowy poród pozwolił na dramatyczne powiększenie mózgu, jednak chyba nie nastąpił jeszcze odpowiedni przyrost wydajności działania. Mają hardware, ale software musi jeszcze ewoluować.

– A tymczasem niektóre inne odmiany elfów je hodują – wtrąciła Sally. – Dla mózgów. Poważnie, jedzą te ich wielkie mózgi. Widziałam.

Przyjęli tę rewelację w milczeniu. Po chwili Lobsang westchnął.

– Czyli to jednak nie Rivendell, mimo tylu elfów i trolli. Powiesz mi, Sally, czy na Długiej Ziemi żyją też jednorożce?

– Kolacja gotowa – oznajmił Joshua. – Jedzmy, póki gorąca.

Sally odpowiedziała, kiedy usiedli już przy stole.

– Właściwie to rzeczywiście żyją tam jednorożce. Niektóre nawet niezbyt wiele kroków od Szczęśliwego Portu. Jeśli chcecie, mogę wam pokazać. Paskudne dranie, zupełnie nie takie, jakie się kręcą przy Barbie. Wielkie kawały mięcha z taranami. A do tego tak głupie, że czasem wbijają te swoje rogi w pnie drzew. Często im się to zdarza w okresie godowym...

Ekran pokazywał teraz elfy rozszarpujące jakąś padlinę, kłócące się, z pokrwawionymi ustami.

– Czemu nam to pokazujesz, Lobsangu? – zainteresowała się Sally.

– Bo to przekaz na żywo ze świata w dole, naszej ostatniej Ziemi. Nie zauważyliście, że już nie przekraczamy? Jedzcie, elfy nie ruszą się stąd do rana.

ROZDZIAŁ 43

Następny świt nadszedł później, ku zdziwieniu Joshuy. Światło dnia odsłoniło w dole pustkowie, wysuszoną równinę świata, zawierającego – jak się zdawało – bardzo mało wody, a więc i bardzo mało czegokolwiek innego.

– Niezbyt przyjemne miejsce, prawda? – Zagadnął Joshuę Lobsang na pokładzie obserwacyjnym. – Ale ma swoje ciekawostki.

– Takie jak słońce, które wschodzi za późno.

– Istotnie. A także przechodzące tędy trolle i elfy, prawie wszystkie na wschód. Dolne kamery rejestrują dobre ujęcia obu gatunków.

Pokład przechylił się lekko.

– Schodzimy na dół? – zapytał Joshua.

– Tak, i chciałbym, żeby Sally poszła z nami. Jeśli się uda, spróbuję schwytać elfa. Postaram się z nim porozumieć.

Joshua parsknął sceptycznie.

– Nie spodziewam się wiele po takim spotkaniu, ale nigdy nie wiadomo – rzekł Lobsang. – Na wszelki wypadek wyprodukowałem dla was obojga hełmy i osłony szyi. Ktokolwiek zechce udusić was od tyłu, szybko pożałuje, niezależnie od tego, czy potrafi przekraczać. Spotkamy się za pół godziny przy windzie.

Sally była już całkiem ubrana, kiedy Joshua zapukał do jej kabiny.

– Hełmy! – mruknęła niechętnie.

– To pomysł Lobsanga. Nie moja wina.

– Od lat udaje mi się przetrwać na Długiej Ziemi bez opieki takich jak Lobsang. Dobrze już, dobrze, pamiętam, że jestem tu pasażerką. Wiesz, co on planuje?

– Myślę, że chce złapać elfa.

Prychnęła pogardliwie.

* * *

Lobsang zatrzymał sterowiec nad grupą zwietrzałych skał. Otaczała je pustynia rdzawego pyłu. Była to dziwna Ziemia, nawet według norm większości jokerów. Joshua czuł się ociężały, jakby miał kości pokryte ołowiem, a jego standardowy plecak okazał się ciężkim brzemieniem. Powietrze było gęste, ale dziwnie mało odświeżające, i oddychał z wysiłkiem. Wiatr dmuchał bezustannie i wył głucho. Na jałowej równinie nie zauważyli ani śladu traw czy innej roślinności – nic prócz zielono-fioletowego meszku, jakby kraina zapomniała się rano ogolić.

Od czasu do czasu Joshua dostrzegał migotanie, które wyczuwał raczej, niż widział. Ktoś tu przekracza, uznał, a potem przekracza znowu tak szybko, że właściwie wcale go tu nie ma...

– Co to za miejsce, Lobsangu? – spytała Sally. – Sprawia wrażenie cmentarza.

– To istotnie cmentarz – zgodził się Lobsang. – Ale taki, w którym nie ma nawet kości. – Stanął nieruchomo niczym posąg w chmurach unoszonego wiatrem pyłu. – Spójrzcie na niebo, trochę z lewej strony. Co widzicie?

Joshua zmrużył oczy, ale po chwili zrezygnował.

– Nie wiem, czego powinienem szukać.

– Czegoś zauważalnego przez swoją nieobecność. Gdybyś stał teraz w tym samym punkcie na Ziemi Podstawowej, w tej chwili widziałbyś na niebie blady księżyc. Ta Ziemia nie ma wartego uwagi księżyca. Tylko parę niewidocznych gołym okiem orbitujących skał.

Lobsang stwierdził, że spodziewał się takiej ewentualności. Katastrofalne zderzenie, które stworzyło Księżyc na Ziemi

Podstawowej i większości jej wykrocznych sióstr, tutaj najwyraźniej nie nastąpiło. Bezksiężycowa Ziemia stała się w efekcie bardziej masywna i dlatego odczuwali wyższą grawitację. Nachylenie osi było inne i niestabilne, a świat wirował szybciej, powodując inny cykl dnia i nocy oraz wiatr, który bezustannie szorował skaliste, martwe kontynenty. Nie było to miejsce do życia: brak pływów doprowadził do stagnacji wód oceanów, nie powstały żyzne strefy pływowe, które na Ziemi Podstawowej tak mocno się przyczyniły do ewolucji złożonych organizmów.

– Tyle ogólnej teorii – tłumaczył Lobsang. – Dodatkowo podejrzewam, że ten świat nie dostał swojej działki wody podczas wielkiego namakania pod koniec okresu kreacji Układu Słonecznego, kiedy komety spadały jak grad. Być może ma to jakiś związek z tym zderzeniem, które stworzyło Księżyc, czy też jego brakiem. To smutne, ale planeta miała pecha; prawdopodobnie nawet nasz Mars lepiej sobie radzi.

Były jednak pewne rekompensaty. Kiedy Joshua osłonił oczy od słońca, zobaczył jasną wstęgę przecinającą niebo i ostrą jak brzytwa. Ta Ziemia miała zatem system pierścieni... jak Saturn. Wspaniały widok z kosmosu... prawdopodobnie.

– W tej chwili czekamy na trolla – powiedział Lobsang. – Od piętnastu minut ultradźwiękowo wzywam pomocy w ich języku, a także emituję trollowe feromony, całkiem łatwe do syntezy.

– To wyjaśnia, czemu mnie bolą zęby – mruknęła Sally. – I czemu miałam wrażenie, że ktoś się ostatnio nie mył. Musimy tutaj tkwić? Powietrze jest paskudne i śmierdzi.

Miała rację co do smrodu, uznał Joshua. Świat pachniał jak stary dom na tym gorszym końcu ulicy, gdzie rodzice nie pozwalają zaglądać – dom zamknięty i zabity gwoździami, odkąd umarł jego ostatni mieszkaniec. To go odstręczało nawet bardziej niż świat wymarłych niby-gadów. Owszem, mieszkańcy Prostokątów wymarli, ale przynajmniej kiedyś żyli, mieli szansę...

Może jednak ludzie potrafiliby ożywić ten pusty świat? Czemu nie? Joshua lubił naprawiać, a to miejsce wymagało wielu napraw.

O czymś takim można by kiedyś opowiadać wnukom. Na pewno w Obłoku Oorta nie brakuje lodowych komet, a całkiem nieduży statek kosmiczny mógłby tak się ustawić, żeby odpowiednio którąś popchnąć i ściągnąć tutaj trochę wody. A kiedy ma się wodę, to jest się w domu, jak to mówią... Ale to mrzonka. Ludzkość zaczęła się wycofywać ze wszystkich projektów bardziej ambitnych niż elektroniczna eksploracja kosmosu, zanim jeszcze otworzyła się Długa Ziemia, w odległości krótkiego spaceru oferująca miriady zdatnych do kolonizacji światów.

Z zamyślenia wyrwał go głos Lobsanga.

– Trolle w drodze. To nie trwało długo. Oczywiście, przekraczają stadami, więc należy się spodziewać znacznej ich liczby. Z góry ostrzegam: zamierzam im zaśpiewać. Jeśli chcecie, możecie się przyłączyć.

Odchrząknął teatralnie.

Nie tylko jednostka mobilna zaczęła śpiewać. Głos Lobsanga runął jak fala, grzmiąc ze wszystkich głośników sterowca.

Naprzód idź aż po drogi swej kres,
Naprzód idź aż po kres.
Choćby daleki był,
Sercu nie zbraknie sił,
Naprzód idź po jej kres...

Wzbudziły się echa; być może po raz pierwszy w tym martwym świecie skały odbijały ludzki głos... Albo prawie ludzki, pomyślał Joshua.

Choć zmęczonyś, znużony, niech podróż trwa,
Aż w dom doprowadzą cię bogi,
Gdzie miłość twa wyśniona tak,
Czeka cię na końcu twej drogi...

Zaszokowana Sally wytrzeszczyła oczy.

– Joshuo... Proszę, powiedz, że nie przepalił sobie obwodów! Co on śpiewa, do diabła?

Joshua szeptem streścił jej historię szeregowego Percy'ego Blakeneya i jego rosyjskich przyjaciół w obcej Francji. Wydawała się jeszcze bardziej zdumiona.

Ale trolle przybyły. Pod koniec piosenki otaczały już Lobsanga i śpiewały chórem.

– Dobre są, prawda? Pamięć grupowa, i to z przytupem! A teraz wytrzymajcie jeszcze chwilę, spróbuję się dowiedzieć, co je niepokoi.

Trolle tłoczyły się wokół Lobsanga jak duże włochate dzieci wokół Świętego Mikołaja w supermarkecie. Sally wycofała się, co przyniosło jej niejaką ulgę. Trolle zawsze bardzo się starały, by nie nadepnąć człowieka, ale po jakimś czasie ich zapach – choć nie całkiem odrażający – mógł zwyczajnie zawładnąć ludzkimi zatokami.

Z drugiej strony jednak ten świat nie nadawał się na spacery dla zabicia czasu. Po prostu niczego tu nie było. Joshua przyklęknął i podważył przypadkową kępkę zielonkawego mchu. Pod spodem znalazł parę małych chrząszczy – nie były nawet ciekawie opalizujące, tylko brunatne jak błoto. Opuścił mech z powrotem.

– A wiesz, gdybyś tak nasiusiał na tę kępkę, zrobiłbyś chrząszczom przysługę – zauważyła Sally. – Poważnie! Nie będę patrzeć. Ten kawałek gleby uzyskałby więcej składników odżywczych, niż miał okazję oglądać już od bardzo dawna. Przepraszam, czy to było obraźliwe?

– Nie, tylko trochę absurdalne.

– Absurdalne? – Sally parsknęła śmiechem. – Lobsang śpiewa Harry'ego Laudera na pustynnym świecie, a teraz otaczają go trolle. Słowo „absurdalne" jakoś nie wydaje się wystarczające, nie sądzisz? Aha, plomby przestały mi tak mocno brzęczeć. Trolle odchodzą, widzisz?

Joshua widział. Wyglądało to, jakby niewidzialna ręka zdejmowała figury z szachownicy, ale najpierw brała królowe i pionki, potem gońce i wieże, a na końcu skoczki i królów.

– Matki odchodzą pierwsze – wyjaśniła Sally. – Bo spuszczą solidne lanie każdemu, kto zagrozi młodym. Osobniki starsze pośrodku, a samce ostatnie, zamykając kolumnę. Elfy atakują od tyłu, rozumiesz, więc trzeba pilnować pleców.

Po chwili zniknęły już wszystkie, pozostawiając po sobie jedynie niewielką poprawę jakości powietrza.

Lobsang podszedł rozkołysanym krokiem.

– Jak on to robi? – zdziwiła się Sally. – Chodzi teraz jak John Travolta.

– Nie słyszałaś, jak pokłady produkcyjne pracują dzień i noc? On się bez końca ulepsza, bez końca przebudowuje. Mniej więcej tak jak ty byś chodziła na siłownię.

– Nigdy w życiu nie byłam na siłowni, mój panie. Kiedy człowiek żyje samotnie na Długiej Ziemi, to jest albo w formie, albo martwy. – Uśmiechnęła się. – Chociaż chciałabym mieć takie nogi.

– Twoje nogi są bez zarzutu – zapewnił Joshua i natychmiast tego pożałował.

Sally roześmiała się tylko.

– Joshuo, przyjemnie było cię poznać, jesteś dobrym towarzyszem, można na tobie polegać i w ogóle, nawet jeśli czasem zachowujesz się dziwacznie. Pewnego dnia możemy zostać przyjaciółmi – dodała już łagodniejszym tonem. – Ale proszę cię, daruj sobie komentarze na temat moich nóg. Praktycznie ich nie widziałeś, jako że prawie cały czas znajdują się w grubych, odpornych na rozdarcia spodniach polowych. A nieładnie jest się domyślać. Zgoda?

Joshua z ulgą powitał Lobsanga, który zbliżył się z uśmiechem.

– Przyznam, że jestem dosyć z siebie zadowolony.

– Czyli sytuacja bez zmian – mruknęła Sally.

– Nie złapaliśmy elfa – przypomniał Joshua.

– Och, to już niekonieczne. Osiągnąłem swój cel. W Szczęśliwym Porcie opanowałem elementy systemu komunikacji trolli. Ale ta osiadła populacja niewiele mogła mi powiedzieć o siłach wymuszających migrację. Dzikie trolle wyjaśniły mi więcej, o wiele więcej. Ani słowa, Sally! Odpowiem na wasze pytania, ale teraz wracamy na pokład. Przed nami wciąż daleka droga, może na same krańce Długiej Ziemi. Przyznajcie, będzie zabawnie.

ROZDZIAŁ 44

Na pokładzie obserwacyjnym panowała cisza. Joshua był sam. Gdy tylko wrócili na pokład, Lobsang natychmiast zniknął za niebieskimi drzwiami, a Sally w swojej kabinie.

I nagle „Mark Twain" zaczął przekraczać jak stepujący tancerz na amfetaminie. Joshua wyjrzał. Na zewnątrz migotały stroboskopowo nieba, morfowały pejzaże, rzeki wiły się jak węże, a światy jokerów pojawiały się i gasły jak żarówki lamp błyskowych. Na statku wszystko, co mogło trzeszczeć, trzeszczało jak dawny herbaciany kliper płynący wokół przylądka Horn. Samo przekraczanie Joshua odczuwał jak wewnętrzny dygot, jak padający grad. Oceniał, że mijają wiele światów w każdej sekundzie.

Sally weszła na pokład wściekła.

– Co on wyprawia, do diabła?

Joshua nie umiał odpowiedzieć. Ale znów zaczął się niepokoić dziwnym niezrównoważeniem i impulsywnością Lobsanga.

Tymczasem Lobsangowa jednostka mobilna wysunęła się przez niebieskie drzwi.

– Drodzy przyjaciele, bardzo mnie martwi, że was wystraszyłem. Zależy mi na kontynuacji misji. Mówiłem już, że wiele się dowiedziałem od trolli.

– Wiesz, co ich niepokoi? – spytała Sally.

– Wiem więcej, to na pewno. Krótko mówiąc, trolle, a prawdopodobnie również elfy i inne typy humanoidów rzeczywiście przed czymś uciekają. Jednak nie przed czymś fizycznym. Chodzi o coś, co wnika im do głów, że tak powiem. Potwierdza to informacje, jakie uzyskałem od trolli ze Szczęśliwego Portu. Uczucie jest jak fala bólu, atak migreny, i zalewa światy od zachodu na wschód. Zdarzały się samobójstwa. Różne osobniki rzucały się z urwisk, by nie cierpieć tej udręki.

Joshua i Sally spojrzeli na siebie nawzajem.

– Migrenowy potwór? – rzuciła Sally. – To jakiś *Star Trek* czy co?

Lobsang zrobił zdziwioną minę.

– Chodzi ci o oryginalną serię czy...

– Przecież to wariactwo. Joshuo, czy jest tu jakieś ręczne sterowanie?

– Nie wiem. Wiem za to, że Lobsang ma doskonały słuch.

– W tej kwestii Joshua ma rację, Sally.

– Czy trolle rozumieją, co nadchodzi? Czy któryś z nich cokolwiek widział?

– O ile mogłem to ustalić, nie. Ale wyobrażają sobie, że to coś ogromnego fizycznie. Dla nich to połączenie czegoś realnego i abstrakcyjnego. Jak zbliżający się pożar lasu, być może. Ściana bólu.

Skargi ze struktury „Marka Twaina" zaczynały Joshuę niepokoić. Nie miał pojęcia, jaką maksymalną bezpieczną szybkość przekraczania mogą osiągnąć. A rzucać się w tym tempie w całkiem nieznane światy, w stronę nieznanego zagrożenia, wydawało mu się nierozsądne – delikatnie mówiąc. Liczby na ziemiometrach migotały coraz większe, coraz bliższe granicy dwóch milionów.

Ale Lobsang mówił i mówił, na pozór nie dbając o takie sprawy.

– Pora nie jest właściwa, żeby przekazywać wam dwojgu moje przemyślenia. Powiem tylko, że jest jasne, iż mamy tu do czynienia z autentycznym zjawiskiem metapsychicznym. Oto moja hipoteza: ludzie podobnie emitują w jakiś sposób swoje człowieczeństwo. Ale od dawna ewoluujemy na planecie całkowicie zalanej ludzkimi myślami, więc nawet tego nie zauważamy.

– Dopóki nie zniknie – dodał Joshua.

Sally spojrzała na niego z zaciekawieniem.

– Otóż moim zdaniem – ciągnął Lobsang – dawno temu takie stworzenia jak elfy i trolle, być może też inne ich odmiany, niekiedy pojawiały się na Ziemi Podstawowej i niewykluczone, że pozostawały na niej jakiś czas. Stało się to źródłem mnóstwa legend i mitów. Jednak działo się tak w okresie, kiedy populacja ludzka była stosunkowo nieliczna. Teraz planeta jest zasypana ludźmi po kolana, a dla istot, które na ogół przebywają w bezdusznym spokoju lasów i prerii, musi to być uczucie, jakby wszystkie imprezy nastolatków odbywały się równocześnie. Dlatego ostatnio trzymają się z dala od Podstawowej. Jednakże przekraczające gatunki, migrujące od zachodu, uciekają przed czymś, co nieodparcie spycha je w naszą stronę. I są schwytane między młotem i kowadłem. Czasami wpadają w panikę. Joshua i ja widzieliśmy, co się wtedy dzieje. Nawet trolle, gdy są pobudzone, mogą zrobić krzywdę, a pamiętasz chyba, Joshuo, Kościół Ofiar Kosmicznego Przekrętu.

Joshua zerknął na Sally. Spodziewał się od niej jedynie sceptycyzmu, ale zdziwiony odkrył, że siedzi zamyślona.

– O czym myślisz, Sally? – zapytał.

– To trochę naciągane. Jednak… Widzisz, jestem podobna do ciebie. Wracam do miasta, kiedy muszę, ale jestem tam nerwowa jak kot z długim ogonem w pokoju pełnym foteli na biegunach. Nie mogę się doczekać, żeby się wynieść, wrócić na puste światy. Tam czuję się swobodnie.

– Ale nie uciekasz, prawda? I gdzie indziej tego nie zauważysz, tak jak ryby nie zauważają wody.

Zaskakujące, lecz Sally się uśmiechnęła.

– To jak zen. Prawie jak Lobsang. – Przyjrzała mu się z uwagą. – A jak jest u ciebie?

Ona wie, pomyślał. Wie o mnie wszystko. A mimo to zawahał się, nim odpowiedział.

Aż wreszcie zaczął mówić na pędzącym sterowcu. Opowiadał o swoich wewnętrznych odczuciach bardziej swobodnie niż komukolwiek innemu, nie wyłączając siostry Agnes ani Moniki Jansson z policji.

Powiedział o tym dziwnym ucisku w głowie, jaki odczuwał za każdym razem, kiedy wracał na Podstawową. O niechęci, która w końcu zmieniła się we wstręt fizyczny.

– To coś w umyśle. Jak gdyby... no wiesz, kiedy jako dzieciak musiałem iść na imprezę, gdzie wszyscy inni jakoś pasowali, tylko ja nie... I w efekcie człowiek fizycznie nie był w stanie zrobić kolejnego kroku, jakby go odpychało jakieś pole magnetyczne.

Sally wzruszyła ramionami.

– Rzadko chodziłam na imprezy.

– A ty jesteś aspołeczny, Joshuo – dodał Lobsang. – Więc o co konkretnie ci chodzi?

– Już mówię. Cokolwiek to znaczy, cokolwiek jest powodem, jednak odczuwam coś podobnego również tutaj. Na statku. Ucisk, który utrudnia dalszą podróż. – Joshua przymknął oczy. – Staje się coraz silniejszy, im dalej docieramy na zachód. Teraz też go czuję. To jakby wewnętrzny wstręt. Mogę go wytrzymać, kiedy stoimy, ale trudniej go znieść, gdy przekraczamy. I jest coraz gorzej.

– Coś na dalekim zachodzie cię odpycha? – upewnił się Lobsang.

– Tak.

– Czemu wcześniej mi nie powiedziałeś? – spytała gniewnie Sally. – Pozwoliłeś, żebym paplała o czułych punktach, o rodzinnych sekretach... Otworzyłam się przed tobą – mówiła, niemal warcząc ze złości. – A ty przez cały czas ukrywałeś coś takiego?

Jak miał zareagować? Nie powiedział, bo człowiek nie ujawnia własnych słabości ani w Domu, ani w większości miejsc, gdzie potem musi przetrwać.

– Teraz ci mówię.

Uspokoiła się z wysiłkiem.

– No dobrze – westchnęła. – Wierzę ci. Czyli to realne. Teraz przyznaję: jestem oficjalnie wystraszona.

Lobsang za to był podniecony.

– Teraz widzicie, czemu tak mi zależy, żeby doprowadzić do spotkania? Ścigamy tajemnicę! Tajemnicę z samych krańców Długiej Ziemi!

Joshua nie zwracał na niego uwagi. Patrzył na Sally.

– Oboje jesteśmy wystraszeni. Ale zmierzymy się z tym, prawda? Nie uciekniesz. Zwierzęta uciekają. Trolle muszą uciekać. Ale my idziemy dalej, żeby zobaczyć, co nas przeraża, i żeby to pokonać. Tak się zachowują istoty ludzkie.

– Tak. Dopóki to nas nie zabije.

– Rzeczywiście, może się tak zdarzyć. – Wstał. – Zrobię kawę.

* * *

Później Joshua doszedł do wniosku, że powinien bardziej uważać, zwłaszcza w tych końcowych minutach, przez ostatnie kilkaset światów, gdzie spokojną powierzchnię zieleni w dole zakłócały wybite w ziemi kratery podobne do śladów stóp olbrzyma. Powinien zachować czujność mimo narastającego ucisku w głowie. Powinien podnieść alarm.

Powinien zatrzymać lot na długo przed tym, nim sterowiec wpadł w Szczelinę.

ROZDZIAŁ 45

Nagle Joshua spadał. Uniósł się w powietrze, nad podłogę. Nadal widział dookoła pokład obserwacyjny, jego konstrukcję i wielkie okna, ale lśniące ekrany na ścianach gasły jeden po drugim. Na zewnątrz zobaczył kadłub sterowca z uszkodzoną powłoką – rozerwane srebrzyste kawałki tkaniny spływały ze szkieletu ramy.

Poza nimi było tylko słońce rozjarzone na tle czerni. Znajdowało się w tym samym miejscu co poprzednio, ale z zewnętrznego świata pozostało tylko ono. Cała reszta – błękitne niebo i zielony świat – była niczym sceniczne dekoracje, które zerwano nagle, odsłaniając ciemność.

Zaraz jednak nawet słońce przepłynęło wolno na prawo. Być może gondola zaczynała wirować.

Lobsang milczał. Jednostka mobilna wciąż stała na pokładzie, ale nieruchoma jak posąg, jakby wyłączona. Kotka wisiała w powietrzu i przebierała łapkami z wyrazem pozornej trwogi na syntetycznym pyszczku. Joshua czuł na ramieniu dłoń Sally szybującej w powietrzu z włosami unoszącymi się wokół jej głowy niczym u astronautów na stacji kosmicznej.

Pokład trzeszczał. Joshui się zdawało, że słyszy syk uciekającego powietrza. Próbował uspokoić myśli. Płuca bolały, kiedy usiłował odetchnąć.

A potem wróciła grawitacja i rozwinęło się błękitne niebo.

Wszyscy spadli na podłogę, która przez moment była ścianą. Czajnik z wodą zakręcił się po pokładzie, budząc pozorne przerażenie Shi-mi, która poderwała się na łapy i uciekła do szafki. W górze, w dole i dookoła rozbrzmiewała symfonia porzucającej swoje towarzystwo zaawansowanej technologii.

– Trafiliśmy na jokera jokerów – stwierdził Joshua.

A potem mdłości skręciły mu żołądek i zwymiotował. Wyprostował się zakłopotany.

– Nigdy jeszcze nie miałem nudności przy przekraczaniu.

– Nie sądzę, żeby to był efekt przekraczania. – Sally rozmasowała brzuch. – To raczej nieważkość. I potem nagły powrót ciążenia. To było jak spadanie.

– Tak. I naprawdę się zdarzyło, prawda?

– Chyba tak. Znaleźliśmy Szczelinę. Szczelinę w Długiej Ziemi.

Gondola wyprostowała się wolno, ale zaraz pogasły lampy, pozostawiając tylko światło dnia. Joshua słyszał szum wirujących metalowych elementów, które stopniowo przestawały wirować. To go zaniepokoiło.

Lobsang wrócił nagle do życia, a w każdym razie jego twarz, jego głowa, choć reszta ciała pozostała nieruchoma.

– *Chak pa!*

Sally zerknęła na Joshuę.

– Co on powiedział?

– Tybetańskie przekleństwo. Albo może klingońskie.

Lobsang wydawał się dziwnie pogodny.

– Ojoj, jestem czerwony ze wstydu! Że tak powiem. No cóż, błądzenie jest rzeczą ludzką. Nikt nie jest ranny?

– W co nas wpakowałeś, Lobsangu? – spytała Sally.

– Wpakowałem nas w nic, Sally, czyste nic. W próżnię. Szybko przekroczyliśmy z powrotem, lecz wydaje się, że „Mark Twain" solidnie ucierpiał. Niektóre systemy nie działają... Na szczęście pojemniki z gazem są całe, niestety, wyłączyły się niektóre z moich systemów osobistych. Sprawdzam jeszcze, ale nie wygląda to dobrze.

Sally była wściekła.

– Jak ci się udało trafić w próżnię na Ziemi?

Lobsang westchnął.

– Przekroczyliśmy w miejsce, gdzie nie ma żadnej Ziemi. Absolutna próżnia, przestrzeń międzyplanetarna. W pewnym momencie była tam Ziemia, jak podejrzewam, ale zapewne jakaś katastrofa ją zniszczyła. Zderzenie, prawdopodobnie. Wielkie; takie, przy którym zabójca dinozaurów wyglądałby jak strzał z pistoletu na wodę do słonia. Nawet Wielki Grzmot, impakt księżycowy, byłby przy nim drobiazgiem.

– I mówisz, że przewidywałeś coś takiego?

– Jako możliwość teoretyczną.

– A mimo to gnałeś przed siebie na ślepo? Oszalałeś?

Lobsang odchrząknął. Coraz lepiej mu to wychodzi, zauważył odruchowo Joshua.

– Tak, przewidywałem to. Przestudiowałem wszystkie prawdopodobne zdarzenia, opierając się na perturbacjach historii Ziemi, i podjąłem rozsądne środki ostrożności. Wśród nich znalazł się moduł automatycznego cofania, który najwyraźniej zadziałał niemal perfekcyjnie. Jednak pozostawił nas z całym morzem problemów.

– Utknęliśmy tutaj?

– Jesteśmy w stosunkowo bezpiecznym miejscu, Sally. Oddychamy doskonałym powietrzem. Ten świat, choć sąsiadujący ze Szczeliną, wydaje się całkiem zdrowy. Jednakże moja jednostka mobilna jest w znacznej części niesprawna. Nie mam dostępu do funkcji autonaprawczych. Zapewniam wszakże, że nie wszystko jest stracone. Na Niskich Ziemiach program budowy sterowców, jaki podjęła Korporacja Blacka, wciąż jest kontynuowany. „Mark Trine" został już pewnie ukończony i z pełną prędkością dotrze do nas w ciągu kilku dni.

Zapalały się kolejne lampy. Joshua zaczął sprzątać pokład. Z pozoru, nie licząc mebli i części zastawy, wszystko wydawało się w zasadzie sprawne. Obawiał się jednak zniszczeń za Lobsangowymi niebieskimi drzwiami.

– Jest pewna sprawa – rzekł. – Operatorzy „Trine'a", zakładając nawet, że jest już zdolny do lotu, nie mają pojęcia o naszej sytuacji. Prawda, Lobsangu?

– Czyli utknęliśmy tutaj – stwierdziła Sally dość spokojnie.

– Czyżbyś się martwiła, Sally? – zapytał jedwabistym głosem Lobsang. – Co z tymi słynnymi czułymi punktami? A co ty myślisz, Joshuo?

Joshua się zawahał.

– Moim zdaniem ogólny obraz się nie zmienił. Nadal musimy zbadać migrenowego potwora. Mówiłeś, że zbiorniki gazu są całe. Więc możesz przekraczać?

– Tak. Ale nie mogę się przemieszczać geograficznie, a energia jest ograniczona. Powierzchnie ogniw słonecznych są chyba całe, ale duża część infrastruktury... Problem stanowi też, poza możliwym pęknięciem pojemników gazu albo przewodów, wrzenie substancji smarowniczych...

Joshua pokiwał głową.

– Świetnie. Więc kroczmy naprzód. Lećmy dalej.

– Przez Szczelinę? – zaprotestowała Sally.

– Czemu nie? Wiemy, że trolle i elfy uciekały tędy. Przynajmniej część to przeżyła. Muszą jakoś pokonywać Szczelinę... No wiecie, na dwa kroki. Przekraczanie nie wymaga czasu. – Uśmiechnął się. – Wrócimy do atmosfery, zanim oczy nam eksplodują i ścikną po twarzy.

– Bardzo obrazowa wizja...

Ale Lobsang uśmiechnął się z satysfakcją.

– Cieszę się, że uważałeś na *2001*, Joshuo.

– Dotarliśmy już tak daleko... Głosuję za tym, żeby kontynuować, choćbyśmy w efekcie musieli to robić na piechotę. – Wziął Sally za rękę. – Gotowa?

– Chyba żartujesz? Teraz?

– Zanim sami siebie przekonamy, by zrezygnować. Podwójne przekroczenie, Lobsangu, jeśli można...

Joshua nigdy nie potrafił rozsądnie poukładać wspomnień z tego, co nastąpiło. Czy naprawdę poczuł kąsający mróz kosmosu?

Czy naprawdę słyszał szum wichru pomiędzy galaktykami? Nic nie wydawało się realne. Przynajmniej dopóki nie spojrzał w zachmurzone niebo i nie usłyszał bębnienia deszczu o okna gondoli.

Dali sobie jeden dzień, by odzyskać siły i jak najlepiej połatać sterowiec.

A potem „Mark Twain" ruszył dalej, wciąż na zachód, choć ostrożniej, z połową dawnej szybkości rejsowej, czyli jeden świat co kilka sekund i tylko w dzień.

Po dwudziestu czy trzydziestu krokach przestali widzieć kratery, którymi usiane były światy wokół Szczeliny – być może pozostawione w przyległych rzeczywistościach ślady po bliskim przelocie obiektu będącego jej przyczyną. Dotarli już poza Ziemię dwa miliony. Światy były teraz nudne i jednolite. W tych dalekich cieniach Ameryki wciąż dryfowali nad wybrzeżem Pacyfiku i trzymali się tego regionu, by unikać niebezpieczeństw puszczy, a tym bardziej otwartego oceanu. Dla Joshuy był to pas światów nieciekawych, bez kolorowych kwiatów, owadów ani ptaków, z roślinnością zdominowaną przez wielkie jak drzewa paprocie. Jednak przy brzegu widywali czasem niezwykłe stworzenia drapieżne: zwinnych dwunogich biegaczy z wielkimi, sierpowatymi szponami u obu łap. Zanurzały je w wodzie, by wygarniać wielkie ryby i rzucać je daleko na plażę.

Mijał dzień za dniem i charakter światów zaczął się zmieniać. Puszcza cofnęła się od morza, zostawiając pojedyncze drzewa i pasy niskich krzewów. Morze także było inne, zdaniem Joshuy coraz bardziej zielone. Spokojniejsze, całkiem jakby woda była gęściejsza, oleista.

Nie rozmawiali ze sobą wiele. Żaden z ekspresów do kawy nie działał, mimo ich eksperymentalnej inteligencji, a to spowodowało, że nastrój Sally pogarszał się coraz bardziej.

Joshua zaś z coraz większym trudem znosił przekraczanie.

Sally poklepała go po ramieniu.

– Coraz bliżej tej imprezy nastolatków, co?

Nie lubił, kiedy inni widzieli jego słabości.

– Coś w tym rodzaju. Niczego nie czujesz?

– Nie. A chciałabym. Mówiłam ci już, Joshuo, że jestem zazdrosna. Wyraźnie masz prawdziwy talent.

Tego wieczora starali się odprężyć. Sterowiec nadal przekraczał ostrożnie. Lobsang zaskoczył Joshuę, gdyż zaczął mówić o podboju kosmosu.

– Zastanawiałem się… Pomyślcie, jakie możliwości daje Szczelina.

Ponieważ w kuchni prawie nic nie działało, Joshua starał się złożyć grilla z zepsutych elementów różnego sprzętu.

– Możliwości czego?

– Podróży kosmicznych! Możesz zwyczajnie włożyć skafander i przekroczyć w kosmos. Niepotrzebny jest cały ten wysiłek, żeby za pomocą rakiet wydostać się z ziemskiej studni grawitacyjnej. Prawdopodobnie znajdziesz się na orbicie okołosłonecznej, tak jak Ziemia. A kiedy stworzysz już jakąś infrastrukturę w samej Szczelinie, możesz stamtąd popłynąć dalej. W ten sposób o wiele łatwiej dotrzesz na przykład na Marsa.

Lobsang urwał na moment.

– Widzisz, zawsze byłem entuzjastą kosmosu. Już w Tybecie. Zainwestowałem nawet trochę pieniędzy w Ośrodek Kosmiczny Kennedy'ego, gdzie obecnie przestali nawet dbać o rakiety w muzeum. Nasza żałosna garstka orbitalnych fabryk mikrograwitacyjnych daje iluzję, że ludzkość nadal eksploruje kosmos. Jednak marzenie o nim się rozwiało, zniknęło, zanim jeszcze otworzyła się Długa Ziemia. O ile wiemy, nigdzie indziej we wszechświecie istota ludzka nie zdoła przetrwać bez osłony. A teraz, kiedy dostępne są nam miliony Ziemi, kto zechce lecieć w tę zimną, palącą pustkę, w skafandrze lekko pachnącym uryną? Moglibyśmy tam być i wnioskować o przyjęcie do federacji galaktycznej, zamiast wycinać i wypalać sobie drogę przez nieskończone kopie jednej i tej samej planety.

– Przecież sam prowadzisz to wycinanie i wypalanie, Lobsangu – zauważyła Sally.

– A niby czemu nie mogę robić jednego i drugiego? Nie rozumiecie, że jeśli zdołamy wykorzystać Szczelinę, może jednak znajdziemy sposób, by zrobić wszystko? Ze Szczeliny Układ Słoneczny otwiera się jak ostryga Kilpatrick. Nie zapomnij tej rozmowy, Joshuo. Kiedy wrócisz na Podstawową, zgłoś przejęcie na własność Ziemi po obu stronach Szczeliny, zanim się zacznie gorączka i zanim ludzkość się przekona, że jednak istnieje coś takiego jak darmowy lunch. Pomyśl, co można będzie tam znaleźć! Nie tylko nowe planety naszego Układu Słonecznego! Przecież wszechświat, który stworzył Długą Ziemię, stworzył też pewnie Długiego Marsa. Pomyśl o tym.

Joshua spróbował o tym pomyśleć i poczuł zawrót głowy. Skupił się więc na dokończeniu grilla. Piekarniki w kambuzie nie działały, zamierzał jednak upiec większą część tego, co – gdyby byli na Ziemi – nazwałby pewnie jeleniem, a co było efektem szybkiego polowania Sally.

Bez ostrzeżenia statek przestał przekraczać.

A Joshua usłyszał...

Nie głos. Coś wkręcało mu się w mózg – wrażenie było czyste i wyraźne, nie sugerowało niczego innego niż samo swoje istnienie.

Niczego innego niż to, że do niego wołało.

– Słyszysz coś, Lobsangu? – zdołał zapytać. – W częstotliwościach radiowych.

– Oczywiście, że słyszę. A jak myślisz, dlaczego wstrzymałem przekraczanie? Coś nadaje koherentny sygnał w szerokim zakresie częstotliwości. Wydaje się, że próbuje używać języka trolli. Skupię się teraz na dekodowaniu, więc wybaczcie...

Sally spoglądała to na jednego, to na drugiego.

– Co się dzieje? Czy jestem tu jedyną osobą, która nic nie słyszy? Czy ten sygnał dochodzi od tego czegoś pod nami?

– Jakiego czegoś? – Joshua wyjrzał przez okno kambuza na ocean w dole.

– Tego czegoś...

– Lobsangu! – zawołał Joshua. – Czy działa twoja kamera na lewej burcie?

ROZDZIAŁ 46

Joshua i Sally zjechali po linie ratunkowej – po zablokowaniu wyciągarki była to jedyna droga na ziemię.

Na dole Joshua wspiął się na skałę, żeby się rozejrzeć. Pod bez-słonecznym, zachmurzonym niebem na błotnistej plaży pluskały zielone fale gęstego oceanu. W głębi lądu naga równina ciągnęła się aż ku fałdom wzgórz w oddali. Ale na południu zauważył ogromny krater, całkiem jak Krater Meteorytowy w Arizonie. Wtem wyfrunę-ło z niego stworzenie podobne do pterozaura, absolutnie bezgłośnie przeleciało Joshui nad głową i dalej, ponad tutejszą wersję Pacyfiku. Na tle ciemniejącego nieba jego sylwetka przypominała bombowiec niosący ładunki jądrowe nad Moskwę.

Coś poruszało się w tej odległej wersji Pacyfiku. Coś gigan-tycznego, jakby żywa wyspa. Ból głowy Joshui zniknął. Bez śladu. Uczucie, które zawsze nazywał Ciszą, nigdy jeszcze nie wydawało się tak głębokie.

Z małego głośniczka w jego plecaku popiskiwał głos Lobsanga.

– Znowu jesteśmy na tutejszym odpowiedniku wybrzeża Pacy-fiku w stanie Waszyngton. Moje sondy powietrzne są niedostępne, więc pole widzenia mam ograniczone. Wydaje się, że obiekt ma trzydzieści siedem kilometrów długości i około ośmiu szerokości. To jakieś stworzenie, Joshuo. Bez wyraźnego odpowiednika na Podsta-wowej. Wzdłuż jego boku zauważyłem kilka wyrostków zmieniających kształt i wielkość. Można pomyśleć, że to wystawa techniki: widzę coś, co przypomina anteny, teleskopy, ale instrumenty przekształcają się jedne w drugie, to niesamowite... Dostrzegam też pewien ruch wzdłuż ciała jako całości. Nie potrafię ocenić zagrożenia. Nie wyobrażam sobie, żeby coś takiego zdolne było do gwałtownych poruszeń, ale równie dobrze może nagle wytworzyć skrzydła i pofrunąć...

Jednostajne zmarszczki przesuwały się po górnej powierzchni obiektu. Była lekko biaława, lekko przejrzysta... Ruch wpływał jakoś na Joshuę – wrażenie zdawało się trafiać do świadomości mimo braku jakiejkolwiek sensownej ścieżki.

– Sally, widziałaś już kiedyś coś podobnego?

– A jak myślisz? – parsknęła gniewnie.

– Właśnie uścisnęliśmy sobie dłonie – oznajmił Lobsang.
– Handshake za nami.

– O czym ty gadasz? – zirytowała się Sally.

– O protokołach komunikacyjnych. Nawiązaliśmy kontakt... To ewidentnie zadziwiająca inteligencja, co poznałem natychmiast po samej teorioinformacyjnej złożoności jej komunikatów. Jak dotąd dowiedziałem się jednego. Jej imię...

– Ma imię?

– Jej imię to Pierwsza Osoba Pojedyncza i zanim zaczniesz na mnie krzyczeć, Sally, dodam, że wiem o tym, ponieważ sama mi powiedziała w dwudziestu sześciu ziemskich językach. W tym, co stwierdzam z dumą, po tybetańsku. Przesyłam jej informacje, a ona szybko się uczy; ściągnęła już dużą część banków pamięci statku. Uważam, że jest nieszkodliwa.

– Co takiego?! – warknęła Sally. – Coś żywego i rozmiarów niedużego jeziora tak naprawdę nie może być nieszkodliwe. Po co istnieje? A przede wszystkim co je?

Joshua zsunął z ramion oba pakiety i ułożył je na ziemi. Uświadomił sobie, że nie słyszy nic – żadnych zwierzęcych krzyków, nawet dalekich porykiwań latających pterozaurów. Jedynie cichy, oleisty chlupot drobnych fal na brzegu. I Ciszę. Coś, co słyszał przez całe swoje życie, w przerwach między pobytami wśród ludzi. Potężne myśli, jakby echa ogromnego spiżowego gongu.

I oto znalazła się tutaj, przed nim.

Ponad dwa miliony światów od Ziemi poczuł się nagle, jakby wrócił do domu.

Podszedł do oceanu.

– Joshua! – zawołała Sally. – Spokojnie! Nie wiesz, z czym mamy do czynienia!

Zrzucił buty i ściągnął skarpety. Boso ruszył naprzód, aż woda sięgnęła mu kostek. Wyczuwał sól i słodki zapach gnijących wodorostów. Woda była ciepła, lepka i gęsta, niemal jak syrop. Roiła się życiem, maleńkimi stworzonkami: białymi, niebieskimi i zielonymi, ruchliwymi. Niektóre przypominały meduzy z pulsującymi dzwonami i powiewającymi czułkami. Ale były tam również inne, podobne do ryb z wielkimi, obcymi oczami albo do krabów z dziwnie sprawnymi szczypcami.

A trochę dalej – ta istota. Joshua wszedł głębiej, kierując się ku gigantycznej krawędzi. Głos Lobsanga popiskiwał mu w uszach, ale nie zwracał na to uwagi. Boki Pierwszej Osoby Pojedynczej były lekko przejrzyste, jak szkło marnej jakości. Jeśli zmrużył oczy, mógł zobaczyć, co jest wewnątrz. A wewnątrz było… wszystko. Ryby. Zwierzęta. Troll? Zanurzony w kleistej cieczy, owinięty w jakieś podobne do wodorostów liście, miał zamknięte oczy. Wyglądał bardziej jak śpiący niż martwy. Spokojny.

Joshua podszedł do tego mętnego kadłuba i dotknął go czubkiem palca. Nastąpiła lekka reakcja, nic bolesnego.

– Witaj, Joshuo – odezwał się głos w jego głowie.

A potem informacje wlały mu się do mózgu, jakby się nagle obudził.

ROZDZIAŁ 47

Kiedyś, dawno temu, w świecie tak bliskim jak cień:
Całkiem inna wersja Ameryki Północnej obejmowała wielkie śródziemne słone morze. To morze roiło się od mikrobów. A całe to życie służyło jednemu ogromnemu organizmowi.

I na tym świecie, pod zachmurzonym niebem, całość tego wzburzonego morza trzeszczała jedną myślą.

Ja…

A po tej myśli napłynęła kolejna.

W jakim celu?

ROZDZIAŁ 48

To historyczna chwila – paplał Lobsang. – Pierwszy kontakt! Spełnione marzenie miliona lat! Wiem, co to takiego... Shalmirane... Nie czytałeś *Miasta i gwiazd*? To pewien rodzaj superorganizmu.

– Oto jest obcy! – oświadczyła złośliwie Sally. – Co teraz? Będziesz mu zadawał matematyczne zagadki, jak Carl Sagan i ci ludzie od SETI?

Joshua zignorował ich oboje. Zwrócił się bezpośrednio do Pierwszej Osoby Pojedynczej.

– Nie powiedziałem ci, jak mam na imię.

– Nie musiałeś. Jesteś Joshua. Ja jestem Pierwsza Osoba Pojedyncza.

Głos w głowie brzmiał jak jego własny.

Pod przejrzystą skórą widział wiele stworzeń. Rozpoznał ryby, ptaki oraz – co uświadomił sobie dopiero po chwili – bardzo wyraźnego słonia, który poruszał się wolno przez to, co go tam otaczało, na wpół idąc, na wpół płynąc z zamkniętymi oczami. I jeszcze trolle, elfy i inne humanoidy.

Nadchodził przypływ. Bardzo ostrożnie, żeby nie urazić istoty ani jej nie wystraszyć, Joshua zaczął się cofać.

– Pierwsza Osoba Pojedyncza... po co istnieje?

– Pierwsza Osoba Pojedyncza jest obserwatorem światów.

– Dobrze mówisz po angielsku...

Była to niemądra odzywka, ale o czym właściwie należy rozmawiać z szerokim na osiem kilometrów ślimakiem? Siostra Agnes by wiedziała, pomyślał.

Odpowiedź przyszła natychmiast.

– Pierwsza Osoba Pojedyncza nie wie, co znaczy „siostra Agnes". Czy możesz zdefiniować dla niej „zakonnicę"?

Joshua na pustej plaży rozdziawił usta.

Pierwsza Osoba Pojedyncza mówiła:

– Odniesienia, tak. Zakonnica to dwunóg płci żeńskiej, który powstrzymuje się od prokreacji, by służyć potrzebom innych osobników gatunku. Porównanie z owadami eusocjalnymi – może? Mrówki i pszczoły... Więcej. Także: porusza się wielkimi wehikułami, napędzanymi w ostatecznym rachunku pozostałościami pradawnych drzew. Więcej. Poświęca się kontemplacji duchowości. Powyższe zostaje uznane za tymczasowy opis, do zakończenia dalszych badań istotnych szczegółów... Ja też mogłabym uchodzić za zakonnicę według niektórych definicji. Postrzegam świat światów w ich aspekcie całościowym. Wydaje mi się, że rozumiem, co oznacza drżeć z zachwytu... Powinieneś wrócić na brzeg.

Wzbierająca woda sięgała już Joshui do kolan. Wycofał się na plażę.

Sally przyglądała mu się zdumiona.

– Rozmawiałeś z tym?

– Z nią. Nie z tym. Tak myślę. Słyszałem własny głos zadający mi pytania. Chyba wie, co myślę... a raczej wie, co wiem. Nie mam pojęcia, czym jest, ale chyba chce się uczyć. – Westchnął. – W tej chwili jestem tak jakby przytłoczony zachwytem.

– Wracajcie na pokład! – zawołał z plecaka głos Lobsanga. – Pora na naradę!

Kiedy szli do „Marka Twaina", nad głowami przeleciały im kolejne pterozaury – chude sylwetki na niebie.

* * *

Bez wyciągarki wspinaczka po linie do gondoli była męcząca. Pocieszyło ich odkrycie, że na wszystkich pokładach znowu działa oświetlenie. Funkcjonował też ogrzewacz wody, więc mieli kawę, przynajmniej rozpuszczalną.

Oczywiście Sally natychmiast chciała zacząć rozmowę. Jednak Joshua i Lobsang przegłosowali ją i postanowili odłożyć dyskusję do czasu zrobienia kawy.

Potem Joshua spróbował przekazać, co wyczuł z historii Pierwszej Osoby Pojedynczej.

– Była samotna w swoim świecie.

– Jedyna ocalała – domyśliła się Sally.

– Nie, to nie to. Pojawiła się jedna. Tak wyewoluowała. Zawsze była sama.

Lobsang przepytał go dokładnie i stopniowo poskładali w całość jeśli już nie prawdę, to opowieść.

Na Ziemi Pierwszej Osoby Pojedynczej, spekulował Lobsang, podobnie jak na wielu innych Ziemiach, wczesne etapy życia to długie eony walki o przetrwanie między na wpół uformowanymi organizmami, które nie odkryły jeszcze, jak wykorzystywać DNA do przechowywania informacji genetycznej, i sprawującymi dość słabą kontrolę nad białkami, z których zbudowane są wszystkie żywe istoty. W płytkich oceanach roiły się miliardy miliardów komórek, jednak nie były dostatecznie skomplikowane, by stać je było na współzawodnictwo między sobą. Zamiast tego współpracowały. Dowolna użyteczna innowacja przeskakiwała z komórki do komórki. Całkiem jakby wszystko w tym globalnym oceanie działało jako jeden megaorganizm.

– Z czasem – mówił Lobsang – na większości światów, a z pewnością na Ziemi Podstawowej, złożoność i zorganizowanie osiągnęły etap, w którym indywidualne komórki mogły przetrwać bez pomocy. Wtedy na ogół startuje konkurencja. Wielkie królestwa życia zaczynają się oddzielać, tlen wypływa do atmosfery jako produkt

324

odpadowy organizmów, które nauczyły się wykorzystywać energię światła słonecznego. Zaczyna się długa, powolna wspinaczka do organizmów wielokomórkowych. Era globalnej współpracy dobiega końca, nie pozostawiając po sobie żadnych śladów oprócz enigmatycznych markerów w kodzie genetycznym.

– Na większości światów – zgodziła się Sally. – Ale nie na świecie Pierwszej Osoby Pojedynczej.

– Nie. Prawdę mówiąc, jej świat musiał być naprawdę niezwykłym jokerem. Wzrastająca złożoność uruchomiła całkiem podobny pęd ewolucyjny, ale jedność globalnego organizmu nie została utracona. Rzeczywiście dotarliśmy do bardzo dalekich gałęzi drzewa ewentualności. Ten twór...

– Ona, Lobsangu – poprawił go Joshua.

– Ona. Tak, rodzaj żeński jest całkiem odpowiedni, bo wydaje się wręcz ciężarna pozornie zdrowymi żywymi organizmami. No więc ona była raczej jak biosfera pozwalająca na dojrzewanie niż jak typowe stworzenie w rodzaju człowieka. Rosła złożoność, musiały się pojawić ośrodki kontrolne. By rozrastać się bardziej, dla struktury informacyjnej konieczne było skonstruowanie zawartej w sobie własnej kopii, aby całość stała się samorefleksyjna. To znaczy świadoma.

Sally zmarszczyła brwi, próbując za nim nadążyć.

– Czego mogłoby chcieć takie stworzenie?

– To akurat wiem – rzekł Joshua. – Towarzystwa. Była samotna. Chociaż nie zdawała sobie z tego sprawy, dopóki nie spotkała trolli.

– Aha...

Joshua zdał sobie sprawę, że nigdy się nie dowiedzą, w jaki sposób stado trolli trafiło do tego dalekiego świata. Musiały przejść przez Szczelinę, były może w szoku, niektóre pewnie ucierpiały wskutek pobytu w próżni.

Przymknął oczy i skoncentrował się, próbując sobie przypominać.

– Fascynował ją prosty fakt – powiedział. – To, że było ich więcej niż jeden. To, jak patrzyły na siebie, jak pracowały razem... Każdy z nich akceptował obecność innych. Nie były samotne jak ona.

Miały siebie nawzajem. Zapragnęła tego samego, tej jedynej rzeczy na świecie, której jej brakowało... Potem troll podszedł do wody...

Miał wizję, jakby sen na jawie: troll kuca niewinnie, chwyta kraby w płytkiej wodzie... a potem wzbiera garb fali, obejmuje go...

– Zabiła go – stwierdziła Sally, kiedy to opisał.

– Tak. Nie zamierzała, ale taki był rezultat. Trolle uciekły. Może później znalazła innego, może noworodka... Przestudiowała go...

– I nauczyła się przekraczać – dokończył Lobsang.

– Tak. Zajęło jej to bardzo dużo czasu. Ten obiekt, który widzieliśmy, nie jest całą nią; kiedyś wypełniała sobą ocean. To coś w morzu tutaj jest... jej wyrazem. Esencją. Formą na tyle zwartą, by mogła przekraczać.

– Więc podążyła za trollami na wschód wzdłuż łańcucha światów...

– Tak – potwierdził Lobsang. – Powoli, ale pewnie zbliżając się do Ziemi Podstawowej. Bez wątpienia to ona jest przyczyną stampede trolli i być może innych form życia. Rozważam hipotezę, że na preświadome gatunki wywiera ten sam efekt co wielka koncentracja ludzi. Wyobraźcie sobie grom jej myśli...

– Oto więc mamy wreszcie migrenowego potwora – stwierdziła Sally. – Nic dziwnego, że trolle uciekają.

– Chce je tylko poznać, objąć... Nie ma złych zamiarów – zapewnił Joshua.

– Mówisz o niej tak, jakby była niemal ludzka...

– Takie miałem uczucie.

– Ale to tylko fragment całości – oświadczył Lobsang. – Chodzi o coś więcej. Ta świadomość, którą spotkaliśmy, jest tylko... nasieniem. Emisariuszem zintegrowanej biosfery, z której pochodzi. Absorpcja wszystkich miejscowych form życia, nawet rozwiniętych ssaków, takich jak trolle, to tylko etap pośredni. Jej celem jest... musi być... transformacja biosfer kolejnych Ziem w kopie jej własnej. Zniewolenie ich w całości. Poświęcenie wszystkich zasobów jednemu celowi, to znaczy jej świadomości. Nie jest to zjawisko wrogie czy w jakikolwiek sposób złe. Nie występuje tu żaden czarny charakter. Pierwsza Osoba Pojedyncza jest po prostu ekspresją innego typu świadomości. Innego modelu, jeśli wolicie. Ale...

Sally poszarzała na twarzy.

– Ale dla podobnych do nas oznacza unicestwienie. Na każdej Ziemi, do której dotrze, niesie ostateczny koniec indywidualności.

– I koniec ewolucji – zgodził się ponuro Lobsang. – W pewnym sensie wręcz koniec świata. Jednego świata po drugim, kiedy powoli przemieszcza się wzdłuż ich łańcucha.

– Jest niszczycielem światów – stwierdziła Sally. – Pożeraczem dusz. Jeśli trolle wyczuły coś takiego, nic dziwnego, że są przerażone.

– Oczywiście mamy tu interesującą kwestię: dlaczego jeszcze nie dotarła do zamieszkanych światów? – zastanowił się Lobsang. – Dlaczego do tej pory nie pochłonęła Ziemi, nie zniszczyła jej ciekawością i miłością?

Joshua zmarszczył czoło.

– Szczelina. To nie może być przypadek, że spotkaliśmy ją tak blisko Szczeliny.

– Tak – zgodził się Lobsang. – Nie potrafi przekroczyć Szczeliny. W każdym razie jeszcze nie. Gdyby nie Szczelina, pewnie by już trafiła na ludzi.

– My mogliśmy pokonać Szczelinę. Trolle ją pokonują. Ona też pewnie się nauczy. Są również czułe punkty. A jeśli potrafi je wykorzystać... Wielki Boże! To jak zaraza pochłaniająca Długą Ziemię, jeden świat po drugim.

– Nie – oświadczył stanowczo Lobsang. – To nie zaraza, nie złośliwy wirus czy bakteria. To świadoma jednostka. I w tym, jak sądzę, leży nadzieja. Joshuo, jak do ciebie przemawiała? Usłyszałeś w głowie własny głos, tak? Nie wygląda to na telepatię, rodzaj komunikacji, na który nie znalazłem jeszcze żadnego dowodu. Tutaj mamy coś nowego. Spytała cię, co to jest zakonnica! Jeśli wolno mi zaryzykować hipotezę, sięgnęła do informacji, jaka znalazła się w wierzchniej warstwie twojej świadomości. Myślałeś o siostrze Agnes, prawda? Jako inżynierowi trudno mi w to uwierzyć. Ale jako buddysta uznaję, że istnieje więcej sposobów myślenia o wszechświecie, niż możemy sobie wyobrazić.

– Mam szczerą nadzieję, że nie zaczniemy teraz rozmawiać o religii – wtrąciła Sally ostro.

– Otwórz swój umysł, Sally. To jedynie inna struktura dla rozumienia wszechświata. Kolejne narzędzie.

– A czym w tym wszystkim staje się Joshua? Wybrańcem?

Oboje spojrzeli na Joshuę.

– W pewnym sensie – przyznał z wahaniem. – W każdym razie ona chyba mnie rozpoznała. Jeśli nawet nie czekała na mnie.

Sally skrzywiła się, wyraźnie zazdrosna.

– Dlaczego akurat ty?

– Może z powodu cudownych okoliczności narodzin naszego bohatera – wyjaśnił łagodnie Lobsang. – W pierwszych momentach życia, Joshuo, kiedy byłeś zupełnie sam w obcym świecie, twój płacz odbijał się echem w całej Długiej Ziemi. Czy może twoja samotność. Ty i Pierwsza Osoba Pojedyncza, podobnie samotna, utworzyliście rodzaj dipolu.

To zaskoczyło Joshuę. Nie po raz pierwszy pożałował, że nie ma przy nim siostry Agnes, żeby wszystko z nią omówić.

– Dlatego mnie zabrałeś, Lobsangu? Raz po raz się przekonuję, że przewidziałeś wszystko, co nas spotyka. Wiedziałeś, że coś takiego nastąpi?

– Wiedziałem, że jesteś wyjątkowy, Joshuo. Jedyny w swoim rodzaju. Tak, rzeczywiście pomyślałem, że ten twój aspekt może być... użyteczny. Choć przyznaję, nie miałem pojęcia, w jaki sposób.

Joshua odwrócił głowę. Był wściekły na Lobsanga i na cały wszechświat, że go tak wyróżnił.

– To oczywiste – rzekł Lobsang – że musimy dowiedzieć się więcej o Pierwszej Osobie Pojedynczej.

– Zgadza się – przyznała Sally. – Musimy też znaleźć jakiś sposób, żeby przestała straszyć trolle. Nie wspominając już o pochłanianiu Ziemi Podstawowej.

– Jutro znowu się z nią zobaczymy. Sugeruję, żebyśmy porządnie się wyspali i przygotowali na następne spotkanie z nieznanym. Teraz, kiedy Joshua nawiązał już wstępny kontakt, ja poprowadzę.

– Aha! Nieznane spotka się z nieznośnym! Ja tam idę spać!

Sally odeszła zagniewana.

– Strasznie jest nerwowa – zauważył Joshua.

– Przecież wiesz, czemu się złości – odparł spokojnie Lobsang. – Zostałeś wybrany. Ona nie. Prawdopodobnie nigdy ci tego nie wybaczy.

* * *

Dla Joshuy była to niezwykła noc. Co chwilę się budził, przekonany, że ktoś wymawia jego imię – ktoś rozpaczliwie samotny, choć nie miał pojęcia, skąd to wie. Zasypiał i zaraz cały cykl powtarzał się od początku. Trwało to aż do świtu.

Rankiem w milczeniu zebrali się ponownie na pokładzie obserwacyjnym. Sally także miała podkrążone oczy, a Lobsang, w swym poważnie ubranym i pospiesznie naprawionym wcieleniu mobilnym, wydawał się nietypowo milczący. Joshua zastanawiał się, jak minęła im noc.

Pierwszą niespodzianką okazało się odkrycie, że Pierwszej Osoby Pojedynczej nie ma już tam, gdzie była wczoraj. Zauważyli ją kilometr od brzegu; płynęła tak wolno, że prawie nie było widać fali. Pierwsza Osoba Pojedyncza wyraźnie nie lubiła pośpiechu, choć z drugiej strony należało pamiętać, że to, co nie lubi pośpiechu, jest dwa razy większe od Manhattanu...

Nie było żadnej dyskusji o tym, czy należy za nią podążyć. Wszyscy uznali za oczywiste, że muszą. Jednak „Mark Twain", wciąż zdolny do przekraczania ze świata do świata, nie miał już możliwości poruszania się po tym konkretnym.

– Lobsangu, masz rezerwową jednostkę podwodną? Znam twoje podejście do zapasów. Wiatr praktycznie nie wieje, a lin mamy więcej niż namiot cyrkowy. Nasza wielka przyjaciółka na dole nie pędzi w wyścigowym tempie. Może twoja jednostka mogłaby nas poholować?

Udało się, ale ledwo, ledwo. Zawieszony w powietrzu „Mark Twain" stawiał silny opór. Sally zauważyła, że przypomina „Titanica" holowanego przez motorówkę – ale była to motorówka zaprojektowana przez Lobsanga i zbudowana przez Korporację Blacka. Tylko dlatego plan się powiódł.

Sterownia zwykle była prywatnym sanktuarium Lobsanga. Dziś stała się domem otwartym i we troje obserwowali ledwie widoczny kilwater Pierwszej Osoby Pojedynczej. Większa jej część znajdowała się już pod wodą.

– Niebiosa tylko wiedzą, jaki ma system napędu – mruknął Lobsang. – A skoro już o tym mowa, tylko niebiosa mogą próbować zgadnąć, czemu morze wokół niej nagle zaroiło się od ryb.

Joshua widział, że woda aż jaśnieje od płetw, były nawet delfiny kręcące salta w powietrzu – Pierwsza Osoba Pojedyncza podróżowała w otoczeniu gwardii honorowej. Przyzwyczaił się do widoku pełnych życia rzek na innych światach; wobec braku ludzkości morza wszędzie wydawały się zatłoczone jak Grand Banks przy Nowej Fundlandii, gdzie podobno kiedyś człowiek mógł chodzić po wodzie, tyle w niej było dorszy. Ludzie, którzy nie opuszczali Ziemi Podstawowej, nie wiedzieli nawet, co tracą. Ale prawdopodobnie nawet nad Grand Banks w najlepszym okresie ryby nie pływały tak gęsto jak w tych wodach za podróżniczką.

Lobsang był w świetnym nastroju.

– Wspaniały widok, prawda? Widzicie te delfiny? Lepsze niż numery Busby'ego Berkeleya!

– Kim, u licha, jest Busby Berkeley? – zdziwiła się Sally.

Nawet Joshua znał odpowiedź na to pytanie.

– Jeśli znowu zaczniecie gadać o starych filmach… – ostrzegła Sally.

Lobsang odchrząknął.

– Słuchajcie, czy wczoraj w nocy czuliście coś niezwykłego?

Joshua i Sally wymienili spojrzenia.

– Pytasz, odpowiedz pierwszy, Lobsangu. O czym mówisz?

– W moim przypadku nastąpiła próba czegoś, co odebrałem jako hakowanie. Co jest poważnym wyzwaniem. Goście z Korporacji Blacka próby zhakowania mnie traktowali jak sport i rzeczywiście dbali o moją formę. Mimo to coś podjęło wysiłek. Wierzę jednak, że bez złych zamiarów. Niczego nie skasowano, niczego nie zmieniono, choć sądzę, że uzyskano dostęp do niektórych banków pamięci, które zostały skopiowane.

– Takie jak...? – zainteresowała się Sally.

– Informacje o trollach. O przekraczaniu. Zdaje się to potwierdzać historię, jaką ci przekazała, Joshuo. Ale to nadal tylko wstępna hipoteza. Dla mnie to jakby usiłowanie odzyskania wspomnień.

– Czym to było: zwidzeniem? Półsennym marzeniem?* – odezwała się Sally.

Spojrzeli na nią zdumieni. Zaczerwieniła się.

– No co? – rzuciła wyzywająco. – Że znam Keatsa? Mnóstwo ludzi zna Keatsa, mój dziadek często recytował Keatsa. Chociaż zawsze psuł efekt, dodając, że lubi Keatsa, ale nie znosi kitu.

– Ja też znam Keatsa – uspokoił ją Joshua. – Podobnie jak siostra Georgina. Musisz ją poznać. I też przeżyłem półsenne marzenie. Znowu wyczułem samotność.

– Ja również – przyznała Sally. – Ale w moim przypadku było to uczucie cudowne. Jakby powitanie.

– Na tyle serdeczne, że miałabyś ochotę skoczyć do wody i zatracić swoją tożsamość? – zapytał Lobsang. – Nawiasem mówiąc, zbliżamy się. Mam wrażenie, że ona czeka, byśmy ją dogonili, a ja osobiście bardzo chcę ją dogonić.

– Bardzo przepraszam – wtrąciła Sally. – Nie mam zamiaru lądować na tym pływającym stworze ani stać się kolejnym eksponatem w jakimś wewnętrznym zoo.

– Na szczęście, Sally, zamierzam być jedyną osobą, która stanie na Pierwszej Osobie Pojedynczej. A w każdym razie stanie ta oto

* John Keats, *Oda do słowika*, przełożył Stanisław Barańczak.

jednostka mobilna. Chcę porozumieć się z nią w pełni, zanim znowu podejmie swoją krokową wyprawę. Mam zamiar ją przekonać, żeby zrezygnowała.

Joshua się zamyślił.

– A jeśli nie zawróci? Można ją powstrzymać?

– Co sugerujesz? – zirytował się Lobsang. – Jak chciałbyś z nią walczyć? Poza niszczeniem każdego świata, w którym mogłaby żyć, przekraczaniem wzdłuż Długiej Ziemi z bombowcami strategicznymi... – Skrzywił się pogardliwie. – Oboje myślicie w sposób tak ograniczony... Dostrzegacie tylko zagrożenie. Może ma to jakiś związek z waszą biologiczną słabością. Posłuchajcie mnie uważnie: ona chce się od nas uczyć. Ale my też tak wiele możemy nauczyć się od niej. Co wie ta, której postrzeganie obejmuje skale czasu i przestrzeni całkowicie przekraczające ludzką percepcję? – Jego sztuczny głos brzmiał spokojnie, a jednak wydawał się pełen zachwytu. – Słyszałeś o partycypacyjnym wszechświecie, Joshuo?

– Partycypacyjne brednie.

– To posłuchaj. Świadomość kształtuje rzeczywistość. To jest główny przekaz mechaniki kwantowej. Uczestniczyliśmy w kreacji Ziemi Podstawowej, naszego wyjątkowego pasma, naszego jokera. Teraz poznaliśmy już inne umysły: elfów i trolli, i Pierwszej Osoby Pojedynczej. Wydaje się, że miały jakiś udział w splataniu Długiej Ziemi, tej subtelnej i cudownej kolekcji, multiwersum stworzonego przez wspólnotę świadomości, do której dopiero teraz zaczynamy się włączać. Tę wiedzę musimy przekazać na Podstawową, Joshua. Wszelkie wariacje geologii i geografii czy kolekcje egzotycznych zwierząt nie są już ważne. Chodzi teraz o rzecz fundamentalną dla naszego zrozumienia rzeczywistości, dla tego, czym jesteśmy. I jeśli zdołam się porozumieć z Pierwszą Osobą Pojedynczą, której świadomość wszechświata przewyższa wszystko, do czego sami jesteśmy zdolni... No, w każdym razie o tym zamierzam podyskutować z naszą tłustą przyjaciółką. I jeszcze wytłumaczyć jej, jakie zagrożenie stanowi, choć nieświadomie.

– Czekaj... – rzekł Joshua po chwili namysłu. – Chcesz tam zejść? Naprawdę chcesz zejść na tego stwora...

– Ponieważ wszystkie stworzenia zanurzone we wnętrzu wydają się całkowicie zdrowe i zachowują możliwość ruchu, nie uważam tego za ryzykowne. W dodatku trzeba pamiętać, że mnie i tylko mnie z naszej trójki można bez żalu poświęcić, przynajmniej we wcieleniu mojej jednostki mobilnej. Jednakże wcześniej dokonam pełnego downloadu. Ja, Lobsang, całkowicie zaangażuję się w to połączenie.

– Nie planujesz powrotu, tak?

– Nie, Joshuo. Podejrzewam, że to połączenie musi być długoterminowe, może nawet nieodwracalne. Mimo to muszę tak postąpić.

Joshua się zjeżył.

– Wiem, że miałeś całą masę ukrytych motywów, by zaangażować mnie na tę wyprawę. Świetnie. Ale formalnie przyjąłem na siebie podstawowy obowiązek, by bezpiecznie doprowadzić cię do domu. Mówiłeś, że jestem twoim ostatnim zabezpieczeniem.

– Szanuję twoją prawość, Joshuo. Zwalniam cię z umowy. Zarejestruję odpowiedni załącznik w katalogu statku.

– To nie wystarczy...

– Już zrobione.

– Och, darujmy sobie ten machistowski konkurs honoru – wtrąciła cynicznie Sally. – Przecież wszędzie masz kopie zapasowe, Lobsangu. Czyli tak naprawdę niczego nie ryzykujesz, prawda?

– Nie mam zamiaru zdradzać ci wszystkich moich małych sekretów. Ale gdybym został obezwładniony albo zginął, iteracje mojej pamięci znajdziecie w różnych bankach aktualizowane co milisekundę. Ostateczna „czarna skrzynka", jak byście ją nazwali, znajduje się w brzuchu gondoli, osłonięta pancerzem ze stopu, przy którym, mam wrażenie, adamantium przypomina plastelinę. Jestem przekonany, że pozostanie nienaruszona nawet w przypadku uderzenia meteorytu o skali katastrofy totalnej.

Sally parsknęła śmiechem.

– Ale jaki byłby sens przetrwania kolizji, która usunie całe życie na planecie? Kto miałby cię znowu podłączyć?

– Istnieje duże prawdopodobieństwo, że po odpowiednim czasie na planecie znowu rozwinie się inteligentne życie i wyewoluuje do etapu, kiedy będzie zdolne przywrócić moje działanie. Mogę zaczekać. Mam co czytać.

Joshua uznał, że Sally wygląda najśliczniej – jeśli w ogóle można użyć takiego terminu wobec Sally – kiedy wpada we wściekłość. I po raz pierwszy odniósł wrażenie, że Lobsang umyślnie stara się ją drażnić.

Kolejny test Turinga zdany pomyślnie.

– Dobrze, Lobsangu – powiedział. – Przypuśćmy, że ci się uda i skłonisz ją, by przestała pożerać światy. Co wtedy?

– Wtedy razem będziemy dalej prowadzili poszukiwania prawdy ukrytej we wszechświecie.

– To brzmi nieludzko – stwierdziła Sally.

– Wręcz przeciwnie, Sally, to krańcowo ludzki cel.

Pierwsza Osoba Pojedyncza się zbliżała. Łyżkokształtne obiekty, podobne do cielesnych anten, wyrastały na całej jej długości, a małe kraby zabierały się na przejażdżkę – podobnie jak grupa morskich ptaków, być może na te kraby polujących.

– No cóż… – Lobsang westchnął. – Reszta należy do was. Jesteście niezbędni, żeby doprowadzić sterowiec na Podstawową. Skontaktujcie się z Seleną Jones z transEarth. Będzie wiedziała, co zrobić z bankami pamięci na pokładzie, jak je zsynchronizować z moją kopią, pozostawioną na Podstawowej… Sam widzisz, Joshuo, w pewnym sensie jednak doprowadzisz mnie do domu. Pozdrówcie ode mnie Selenę. Zawsze mi się wydawało, że postrzega mnie jako substytut ojca, nawet jeśli formalnie jest moją opiekunką… Wiecie, nie jestem jeszcze pełnoletni.

– Zaczekaj! – zawołała Sally. – Przecież bez ciebie „Mark Twain" straci świadomość! Jak może nas gdziekolwiek zabrać?

– Szczegóły, Sally. Pozostawiam to jako ćwiczenie dla was. A teraz wybaczcie, muszę złapać tajemniczy pływający zbiorowy organizm. Aha, jeszcze jedno: zaopiekujcie się Shi-mi…

I zniknął za swoimi niebieskimi drzwiami po raz ostatni.

ROZDZIAŁ 49

Kiedy odszedł na to swoje niezwykłe bliskie spotkanie, pozostała załoga „Marka Twaina" obserwowała kilwater podróżniczki, dopóki nie zniknęła – na długo przed osiągnięciem horyzontu. Gwardia honorowa zwierząt, ptaków i ryb odpłynęła, odleciała i zanurkowała w głębiny.

Przedstawienie dobiegło końca. Cyrk wyjechał. Czar został złamany. A Joshua miał wrażenie, jakby coś zniknęło z tego świata.

Patrzył na Sally i odczuwał to samo oszołomienie, jakie widział na jej twarzy.

– Pierwsza Osoba Pojedyncza mnie przerażała. Zdarzały się też chwile, kiedy Lobsang mnie przerażał, choć z innych powodów. Kiedy pomyślę o ich dwojgu razem, czym mogą się stać…

Wzruszyła ramionami.

– Zrobiliśmy, co można, żeby ocalić trolle.

– I ludzkość – przypomniał jej delikatnie.

– Więc co zrobimy teraz?

– Proponuję, żeby zjeść lunch. – Skierował się do kambuza.

Po kilku minutach Sally ściskała kubek kawy, jakby to była lina ratunkowa.

– Zauważyłeś? Podróżniczka przekracza pod wodą. To coś nowego.

Joshua kiwnął głową. Tak lepiej, pomyślał. Zacznijmy od prostych kwestii, nie dajmy się oszołomić tajemnicom kosmosu. Albo nawet problemowi, w jaki sposób dostać się do domu – choć pewne pomysły przychodziły mu już do głowy.

– Wiesz, niektóre z tych stworzeń w jej korpusie, choć musiały pochodzić z bardzo dalekich światów, wyglądały całkiem znajomo. Na przykład jedno było bardzo podobne do kangura! Kamery pracowały cały czas. Później możemy przejrzeć nagrania. Biolodzy będą mieli swój dzień...

Od drzwi zabrzmiał cichy dźwięk. Joshua obejrzał się i zobaczył Shi-mi. Była wyjątkowo elegancką kotką, nieważne, mechaniczną czy nie.

I przemówiła...

– Liczba myszy i myszopodobnych gryzoni umieszczonych w wiwarium w celu ponownego wypuszczenia, kiedy sięgniemy gruntu: dziewięćdziesiąt trzy. Liczba poranionych: zero. Przysłowie mówi, że z mężnym sercem mysz może pokonać słonia, ale nie na tym statku.

Kotka spojrzała na nich wyczekująco. Głos miała cichy, żeński – ludzki, ale jakoś sugerujący kota.

– Rany! – jęknęła Sally.

– Bądź uprzejma – mruknął Joshua. – Dziękuję, Shi-mi.

Kot cierpliwie czekał na dalsze reakcje.

– Nie wiedziałem, że umiesz mówić – spróbował Joshua.

– Wcześniej nie było potrzeby. Raporty składałam Lobsangowi przez łącze bezpośrednie. Te bzdury, które mówimy, są niczym piana na wodzie; czyny to krople złota.

Sally skierowała wzrok nieco na ukos – doświadczenie podpowiedziało Joshui, że to znak ostrzegawczy.

– Skąd pochodzi to przysłowie?

– Z Tybetu – odparła Shi-mi.

– Nie jesteś przypadkiem jakimś awatarem Lobsanga? Miałam nadzieję, że się go pozbyliśmy.

Kotka uniosła głowę, przerywając lizanie łapy.

– Nie. Choć także jestem osobowością na podkładzie żelowym. Zaprojektowaną do luźnych rozmów, przysłów, chwytania

gryzoni i przypadkowych pogawędek z trzydziestojednoprocento-
wym wychyleniem w stronę cynizmu. Oczywiście jestem prototy-
pem, ale wkrótce stanę się jedną z nowej linii zwierząt domowych
oferowanych przez Korporację Blacka. Powiadomcie o tym przyjaciół. A teraz proszę o wybaczenie, moja praca nie jest jeszcze zakoń-
czona.

Wyszła. Sally wyglądała na mocno zirytowaną.

– Już myślałam, że ten wasz „Titanic" nie może być śmieszniej-
szy… Czy nadal jesteśmy nad oceanem?

Joshua zerknął przez najbliższy iluminator.

– Tak.

– Powinniśmy zawrócić. Dolecieć do brzegu.

– Już zawróciliśmy. Ustawiłem kierunek, jak tylko opuściliśmy
Lobsanga na dół. Od pół godziny zbliżamy się do brzegu.

– Jesteś pewien, że ten pływający robot ma dość energii, żeby
nas doholować do lądu? – upewniła się Sally, w widoczny sposób
zdenerwowana.

– Sally, „Marka Twaina" zaprojektował Lobsang. Jednostka
wodna ma dość energii na rejs dookoła świata. On zawsze dba
o rezerwy dla swoich rezerw. Coś nie tak?

– Skoro już pytasz, to nie jestem fanką wody. Zwłaszcza takiej,
w której nie widać dna. Postarajmy się zawsze mieć pod kilem parę
drzew, co?

– Przecież pierwszy raz się spotkaliśmy przy wodzie!

– To był brzeg morza! Płycizny! W dodatku jesteśmy na Długiej
Ziemi i nigdy nie wiadomo, co może się pod tobą wynurzyć.

– Domyślam się, że nie zatrzymałaś się na dłużej na tym wodnym świecie, który z Lobsangiem mijaliśmy. W oceanie żyła jakaś
bestia, która…

– Kiedy dotarłam do tego świata, przekraczałam ze wzgórza;
spadłam do wody z dwóch metrów, przepłynęłam do miejsca,
o którym wiedziałam, że mogę stamtąd wrócić, i przekroczyłam
znowu, tuż przed tym, jak te szczęki się na mnie zatrzasnęły.
Nie zauważyłam, do czego były przyczepione. Widzisz, moim

zdaniem nasi przodkowie włożyli masę pracy, żeby wyjść z oceanów na ląd, i wydaje mi się, że nie powinniśmy tak lekceważyć ich wysiłku.

Uśmiechnął się, szykując jedzenie.

– Słuchaj, Joshuo, proponuję, żebyśmy wrócili do Szczęśliwego Portu. Co ty na to? Nagle ogarnął mnie nastrój na spotykanie innych ludzi. Oj... Musimy zabrać „Marka Twaina", prawda? Ze wszystkim, co zostało z Lobsanga. Nie wspominając już o kocie. Znajdziemy jakiś sposób, żeby przemieścić „Marka Twaina" w poziomie, choćbyśmy mieli ciągnąć go własnoręcznie, ale bez Lobsanga jak zdołamy z nim przekroczyć?

– Mam pewien pomysł – zapewnił Joshua. – Ale może poczekać. Jeszcze kawy?

* * *

Pozostałą część dnia spędzili, jakby to była niedziela, a raczej tak, jak powinno się spędzać niedziele. Człowiek potrzebuje czasu, żeby w jego mózgu osiadły poruszające i skomplikowane koncepcje: powoli, nie niszcząc tego, co było tam wcześniej. Joshua uświadomił sobie, że dotyczyło to nawet Lobsanga.

Następnego popołudnia pozwolił, by Sally doprowadziła ich do miejsca, w którym odkryła czuły punkt – skrót mający ich doprowadzić do Szczęśliwego Portu. Znajdował się tylko kawałek od brzegu.

Opuścili się na ziemię. „Mark Twain" unosił się w górze tam, gdzie doholowała go jednostka pływająca. Z Joshuą i Sally łączyły go długie liny, których końce trzymali w rękach.

Stojąc nad wodą, nawet Joshua dostrzegł lekkie migotanie – znaleziony przez Sally czuły punkt.

– Czuję się jak dziecko z balonem w dłoni – wyznała Sally, ściskając linkę.

– Jestem przekonany, że to się uda – zapewnił ją Joshua.

– Czyli co?

– Pomyśl: kiedy przekraczasz, możesz zabrać ze sobą wszystko, co niesiesz, zgadza się? Kiedy Lobsang przebywał na pokładzie, w pewnym sensie był tym sterowcem, więc mógł przekraczać. Teraz my trzymamy „Marka Twaina", który ma wprawdzie sporą masę, ale technicznie nic nie waży. Zgadza się? Czyli jeśli teraz przekroczymy, możemy go przenieść. Prawda?

Patrzyła na niego zdziwiona.

– To jest ta twoja teoria?

– Najlepsza, na jaką mnie stać.

– Jeśli wszechświat nie złapie twojego dowcipu, może nam powyrywać ręce z barków.

– Jest tylko jeden sposób, żeby się przekonać. Jesteś gotowa?

Zawahała się.

– Nie będzie ci przeszkadzało, jeśli chwycimy się za ręce? Mogą być problemy, gdyby coś nas rozdzieliło w czasie przejścia.

– Fakt. – Ujął jej dłoń. – No dobra, Sally. Rób swoje.

Zdawało się, że na moment utraciła koncentrację, jakby nie była już świadoma jego osoby. Wąchała powietrze, mierzyła wzrokiem światło, poruszała się dziwnie, jakby w tai-chi, z gracją, próbując i sprawdzając – albo może jakby z różdżką szukała wody.

Przekroczyli. Wrażenie było mocniejsze niż zwykle. Nastąpiło przelotne uczucie spadania, niczym na basenowej zjeżdżalni, a potem chłodu, jak gdyby proces pochłaniał energię. Pojawili się na innym brzegu, w innym świecie – ponurym i zimnym. A zatem czułe punkty nie prowadzą do celu bezpośrednio... Nie znaleźli się też w tym samym miejscu geograficznie – Joshua od razu to zauważył. Dziwniej i dziwniej.

Sally znowu odwróciła się w jedną, potem w drugą stronę, sprawdzając...

Potrzebowali czterech kroków, ale w końcu zobaczyli przed sobą Szczęśliwy Port, a „Mark Twain" nadal unosił się nad ich głowami.

* * *

Miejscowi, choć zdziwieni, ucieszyli się z ponownego spotkania. Wszyscy byli przyjaźni. Szczerze przyjaźni. Bo to przecież Szczęśliwy Port, prawda? Oczywiście, że są przyjaźni. Ścieżki nadal wydawały się czyste, perfekcyjnie pozamiatane. Mężczyźni, kobiety, dzieci i trolle szczęśliwie żyli obok siebie.

Joshua znowu poczuł niepokój – to nieokreślone uczucie, kiedy wszystko wydaje się tak idealne, że właściwie mogło zatoczyć krąg wokół wszechświata i powrócić z drugiej strony, przekształcone w coś złowrogiego. Prawdę mówiąc, od poprzedniej wizyty zdążył zapomnieć, jak uporczywe było to wrażenie. I to nawet pomijając wszechobecny smród trolli.

Jako coś oczywistego zaproponowano obojgu noclegi w jednym z domków w centrum miasteczka. Po szybkiej wymianie spojrzeń postanowili jednak przespać się na „Marku Twainie". Kilka upartych trollowych szczeniąt wspięło się za nimi po cumach. Joshua przygotował kolację ze smakowitych świeżych produktów – miejscowi, jak poprzednio, okazali się zadziwiająco szczodrzy w darach z żywności i napojów.

Po kolacji, kiedy znowu truli się rozpuszczalną kawą – na poranionym „Marku Twainie" tylko taka była dostępna – wśród wylegujących się na pokładzie obserwacyjnym trolli, odezwała się Sally:

– No dalej, Joshua, mów, o co ci chodzi. Ja też przyglądam się ludziom. I widzę twoją minę. Co ci się nie podoba?

– To samo co i tobie, podejrzewam. Jest tu coś niewłaściwego…

– Nie, nie chodzi o niewłaściwe. Coś się nie zgadza, fakt. Byłam tu już wiele razy, ale mocniej to sobie uświadamiam, kiedy ty chodzisz taki nadąsany. Oczywiście to, co odbieramy jako niewłaściwe, może być efektem wyjątkowości tego miejsca. Tylko że…

– No mów. Bo chcesz mi coś powiedzieć, prawda?

– Widziałeś tu jakichś niewidomych, Joshuo?

– Niewidomych?

– Spotyka się tu ludzi w okularach, starsi potrzebują ich do czytania. Ale nikt nie jest ślepy. Sprawdziłam kiedyś zapisy w magistracie. Są tam zapiski o ludziach, którym brakowało palca u ręki czy nogi, ale zaraz się okazuje, że to wskutek nieuwagi przy rąbaniu drewna. Jednak nikt z poważnym kalectwem jakoś do Szczęśliwego Portu nie trafił.

Joshua się zastanowił.

– Oni tutaj nie są doskonali. Widziałem na przykład, jak się upijają w barach.

– O tak, umieją się bawić, nie ma wątpliwości. Ale co ciekawe, każdy z nich wie, kiedy zabawę skończyć, a możesz mi wierzyć, to dość rzadki talent. I nie ma tu żadnych sił policyjnych, zauważyłeś? Według danych z magistratu nigdy nie zdarzył się atak o podłożu seksualnym na kobietę, mężczyznę ani dziecko. Nigdy. Nie było kłótni o ziemię, której by nie rozstrzygnięto drogą negocjacji. Przyjrzałeś się dzieciom? Wszyscy dorośli zachowują się tak, jakby wszystkie dzieci były ich dziećmi, a dzieci – jakby wszyscy dorośli byli ich rodzicami. Wszystko tutaj jest tak przyzwoite, rozsądne i sympatyczne, że człowiek ma ochotę wrzeszczeć, a potem sam siebie przeklinać za to, że wrzeszczał.

Sally pogłaskała małego trolla, którego mruczenie zawstydziłoby każdego kota; wyrażało czyste płynne zadowolenie.

Co skłoniło Joshuę, by wreszcie to powiedział:

– Wszystko przez trolle! Nie ma innej możliwości! Ludzie i trolle żyjący obok siebie. Tutaj i nigdzie więcej, w każdym razie nic o tym nie wiemy. Dlatego nie przypomina to żadnej innej ludzkiej społeczności.

Przyjrzała mu się.

– Oboje wiemy, że umysły kształtują umysły, tak? Tyle się już nauczyliśmy. Zbyt wielu ludzi i trolle uciekają. Ale jeśli ludzi jest akurat tyle, ile trzeba, trolle trzymają się w pobliżu. A ludziom zapewne nie przeszkadza dowolnie wiele trolli. Szczęśliwy Port jest jak miła, ciepła kąpiel miłych, ciepłych uczuć.

– Ale nie ma niepełnosprawnych. Nie ma ludzi dostatecznie pokręconych, żeby dokonywali aktów przemocy. Nikogo, kto by tutaj nie pasował.

– Może nie są tu dopuszczani, niekoniecznie świadomie. Odsiani. To dość złowieszcza myśl, nie sądzisz?

Joshua sądził.

– Ale w jaki sposób? Przecież nie ma oddziałów stojących dookoła z maczugami, żeby nie dopuszczać niegodnych.

– Nie. – Sally odchyliła głowę i przymknęła oczy w namyśle. – Raczej nie mamy do czynienia z przypadkiem świadomego odrzucania niektórych, przynajmniej nie przez miejscowych. Więc jak to się dzieje? Nigdy nie zauważyłam znaku, by Szczęśliwy Port miał jakiegoś projektanta, kontrolera. Może sam jakoś decyduje, kto tutaj dociera? Ale jak to możliwe?

– I w jakim celu?

– Żeby mieć cel, musisz mieć umysł, Joshuo.

– Żaden umysł nie kieruje ewolucją – odparł Joshua, wspominając lekcje u siostry Georginy w Domu. – Ani celu, ani planu, ani przeznaczenia. A jednak stanowi proces, który formuje żywe istoty.

– Sądzisz, że Szczęśliwy Port stanowi jakąś analogię procesu ewolucji?

Popatrzył na nią w zadumie.

– Ty mi powiedz. Znasz ten świat już od bardzo dawna...

– Bywałam tu jeszcze jako dziecko, z rodzicami. Po prostu odkąd spotkałam was obu, pytania, jakie zawsze przychodziły mi do głowy, bardziej zaczęły mnie dręczyć. Tak sądzę. Pewnie powinnam nosić bransoletkę z napisem „Co pomyślałby Lobsang?".

Joshua zaśmiał się krótko.

– Wiesz, to miejsce wydawało się prawdziwym rajskim ogrodem, ale bez węża – mówiła dalej Sally. – Zawsze się zastanawiałam, gdzie ten wąż się ukrył. Moja rodzina przyjaźniła się z tutejszymi mieszkańcami. Ja nigdy nie chciałam tu zostać. Nie miałam poczucia, że tutaj pasuję. Nigdy nie ośmieliłabym się nazwać tego miejsca domem, bo mogłabym w jakiś sposób sama być wężem.

Joshua usiłował zrozumieć, co wyraża jej twarz.

– Przykro mi.

Chyba nie były to właściwe słowa. Sally odwróciła wzrok.

– Naprawdę wierzę, że to miejsce jest ważne, Joshuo. Dla nas wszystkich. Czyli całej ludzkości. Jest przecież wyjątkowe. Ale co się stanie, kiedy zaczną tu docierać koloniści? Chodzi mi o tych zwyczajnych, o czoło fali, z ich łopatami i kilofami, spiżowymi karabinami, ich damskimi bokserami i oszustami? Jak Szczęśliwy Port zdoła przetrwać? Ile trolli będzie zastrzelonych, zadźganych, zmienionych w niewolników?

– Może ten, kto kieruje eksperymentem, zacznie się bronić?

Zadrżała.

– Zaczynamy myśleć jak Lobsang. Wynieśmy się stąd do jakiegoś normalnego miejsca. Potrzebuję urlopu…

ROZDZIAŁ 50

Dzień później, na dalekim świecie, o ciepłym zmierzchu, Helen Green zbierała grzyby. Spacerowała po skrawku wyżej położonego terenu, o parę kilometrów od Restartu.

Usłyszała za sobą szum, jakby tchnienie, poczuła na skórze muśnięcie wiatru. Odwróciła się.

Na trawie pojawił się mężczyzna, szczupły i smagły. Kobieta stała u jego boku i wyglądała, jakby tam było jej miejsce. Przekraczający goście nie byli zjawiskiem niezwykłym, rzadko jednak wydawali się tak zagubieni jak tych dwoje. I rzadko kiedy byli tacy brudni. Ze szronem lśniącym na ich kurtkach.

A już naprawdę niewielu zjawiało się z wiszącym im nad głowami ogromnym sterowcem. Helen zastanowiła się, czy nie powinna pobiec i sprowadzić tu kogoś.

Mężczyzna osłonił oczy od słońca.

– Kim jesteś?

– Nazywam się Helen Green – odparła.

– Ach, ta blogerka z Madison? Miałem nadzieję, że się kiedyś spotkamy.

– A ty kim jesteś? – zapytała podejrzliwie. – Chyba nie kolejnym poborcą podatków, co? Ostatniego wypędziliśmy z miasta.

– Nie, nie. Nazywam się Joshua Valienté.

– Ten Joshua Valienté...? – Ku swemu przerażeniu poczuła, że się rumieni.

Towarzysząca Joshui kobieta westchnęła.

– Panie, daj mi siłę – rzuciła z miażdżącą ironią.

* * *

Zdaniem Joshuy Helen Green wyglądała na dziewczynę przed dwudziestką. Jasne włosy ściągnęła w praktyczny koński ogon, by nie opadały jej na twarz; w ręku trzymała kosz z jakimiś grzybami. Miała na sobie koszulę, luźne spodnie z miękkiej skóry i mokasyny. Nie wtopiłaby się w tłum przechodniów na Podstawowej, ale też nie była eksponatem muzealnym z ery kolonialnej, reprodukcją czasów pionierów. Helen Green była nowym zjawiskiem na tym świecie czy światach. I całkiem ładniutkim.

Nie mieli kłopotów ze znalezieniem noclegu w Restarcie, kiedy już się okazało, że nie są przestępcami i bandytami, albo – co gorsza – reprezentantami rządu federalnego z Podstawowej, który ostatnio stał się tak wrogi kolonistom. Podczas spędzonego tu czasu Joshua przekonał się, że miejscowi przyjmowali chętnie nawet włóczęgów, jak ich nazywali, grupę dość zaniedbanych z wyglądu ludzi, którzy wędrowali przez Długą Ziemię, wyraźnie nie mając zamiaru kiedykolwiek się osiedlić, a zatem niewiele mogąc Restartowi zaoferować. Ale tutaj każdy nowy gość z nową historią do opowiedzenia był przyjaźnie witany, choćby zatrzymywał się tylko na krótko – byle tylko w rewanżu za gościnę obrobił kawałek pola albo narąbał drewna.

Wieczorem Joshua i Sally siedzieli przy ognisku, samotni, pod ciemnym korpusem „Marka Twaina".

– Podoba mi się tutaj – stwierdził Joshua. – To dobrzy ludzie. Rozsądni. Robią to, co powinni.

Tak uważał, ponieważ był tym, kim był – i z tym się godził. Lubił, kiedy ludzie robią to, co powinni, na przykład metodycznie i planowo budują tę społeczność. Mógłbym tu zamieszkać, pomyślał. I sam się trochę tym zdziwił.

Ale Sally prychnęła z irytacją.

– Nie. To przestarzały styl życia, a raczej jego imitacja. Nie musimy już uprawiać ziemi, żeby wykarmić wielkie masy ludzkie. Bo nie mamy do dyspozycji tylko jednej Ziemi, mamy ich nieskończenie wiele i mogą wykarmić nieskończenie wielu mieszkańców. Ci włóczędzy lepiej to rozumieją. Oni są przyszłością, a nie ta twoja zauroczona fanka, Helen Green. Wiesz co? Mam propozycję, żebyśmy zostali tu jakiś tydzień, pomogli przy zbiorach, odebrali zapłatę w zapasach jedzenia. Co ty na to? Później ruszymy w stronę domu.

– I co potem? – spytał Joshua, nieco zakłopotany. – Możemy oddać Lobsanga, a raczej to, co z niego zostało, do transEarth. Nie wspominając o jego kocie. Ale potem... Będę chciał znowu wyruszyć, Sally. Z Lobsangiem albo bez. Widzisz, tutaj jest wszystko. Przez wszystkie te lata od Dnia Przekroczenia ledwie zadrapaliśmy powierzchnię Długiej Ziemi. Myślałem, że dobrze ją poznałem, ale przed tą wyprawą nigdy nie widziałem trolla, nie słyszałem o Szczęśliwym Porcie... Kto wie, co jeszcze można tu znaleźć?

Spojrzała na niego z ukosa.

– Czyżbyś sugerował, młody człowieku, że możemy znowu wędrować razem?

Jeszcze nigdy w życiu nikomu czegoś takiego nie sugerował. Chyba że starał się kogoś ratować. Spróbował uniknąć odpowiedzi.

– Na przykład Szczelina. Długi Mars! Kto wie? Zastanawiałem się nad tym. Jeśli przekroczy się dostatecznie daleko, może uda się znaleźć Marsa zdatnego do zamieszkania.

– Zaczynasz się ślinić...

– Wiesz, czytałem sporo fantastyki. Ale owszem, najpierw wracajmy do domu. Wydaje się, że już czas. Sprawdzimy, co się dzieje w Madison. Przekonamy się, jak sobie radzą ludzie. Wiesz, Sally, bardzo bym chciał cię przedstawić siostrze Agnes.

– I siostrze Georginie – dodała z uśmiechem. – Mogłybyśmy porozmawiać o Keatsie.

– A potem, kiedy Lobsang dwa zero uruchomi „Marka Trine'a", zamierzam być na pokładzie, choćbym miał lecieć na gapę, ukryty w legowisku tego przeklętego kota.

Sally milczała dłuższą chwilę.

– Wiesz, kiedy byliśmy dziećmi i szaleliśmy po lesie jak stado dzikusów, moja mama mawiała: Wszystko ładnie i pięknie, dopóki ktoś nie straci oka. Czasem mam wrażenie, że jeśli tak beztrosko będziemy korzystać z tej cudownej zabawki multiwersum, prędzej czy później czyjaś wielka stopa opadnie z góry, żeby nas rozdeptać. Chociaż pewnie będziesz mógł popatrzeć w górę i zobaczyć, czyja to stopa.

– A to by było ciekawe – przyznał.

* * *

Kiedy przygotowali się do odlotu, odszukali Helen Green. Była pierwszą osobą, która powitała ich tutaj, mniej więcej uprzejmie, więc teraz chcieli się z nią pożegnać.

Helen znaleźli przy jej codziennych zajęciach – z plikiem zaczytanych książek pod pachą, spokojną, kompetentną, uprzejmą, radzącą sobie z życiem sto tysięcy Ziemi od miejsca, gdzie przyszła na świat. Wydawała się trochę skrępowana, jak zwykle w towarzystwie Joshuy. Ale odgarnęła włosy z czoła i uśmiechnęła się.

– Przykro mi, że musicie już lecieć. A gdzie się wybieracie na Podstawowej?

– Do Madison – odparł Joshua. – Ty też stamtąd pochodzisz, prawda? Pamiętam z twojego bloga. Wciąż mamy tam przyjaciół, krewnych...

Helen zmarszczyła czoło.

– Madison? Nie słyszeliście?

ROZDZIAŁ 51

Dla Moniki Jansson zły dzień Madison zaczął się w chwili, kiedy zadzwonił Clichy i musiała wyjść ze swojego seminarium na Uniwersytecie Wisconsin, poświęconego demograficznym efektom Długiej Ziemi. Inni delegaci patrzyli na nią z wyrzutem – oprócz tych nielicznych, którzy wiedzieli, że jest policjantką.

– Jack? Co jest? Lepiej, żeby coś ważnego...

– Zamknij się i słuchaj, Upiorze. Mamy bombę.

– Bombę?

– Atomową. Gdzieś w centrum Madison. Uważamy, że jest ukryta gdzieś na Capitol Square.

Centrum konferencyjne znajdowało się w sporej odległości na północny wschód od centrum. Biegła już do samochodu, trochę zdyszana – bywały sytuacje, kiedy wyraźnie czuła każdy rok ze swych ponad czterdziestu lat.

Zawyła syrena alarmowa.

– Atomówka? Jak, u diabła...

– Jakiś ładunek walizkowy. Nadajemy ostrzeżenia. Słuchaj, co masz robić. Sprowadź ludzi pod dach. Rozumiesz? Jak się da, to pod ziemię. Powiedz, że zbliża się tornado. Jeśli to wybuchnie, to poza punktem zero można ograniczyć liczbę ofiar promieniowania do minimum, o ile... Do cholery, Jansson, czy to trzasnęły drzwiczki twojego wozu?

– Trafiłeś, szefie.

– Powiedz, że wyjeżdżasz z miasta.

– Nie mogę, sir.

Ludzie wybiegali już z biurowców, sklepów i domów na słoneczny jesienny dzień. Wyglądali na zagubionych. Niektórzy odruchowo chowali się w budynkach – Wisconsin przeżyło kilka bliskich spotkań z tornadami i ludzie wiedzieli, że należy słuchać ostrzeżeń. Jeszcze kilka minut, a wszystkie drogi zablokują ci, którzy wbrew oficjalnym zaleceniom spróbują opuścić miasto.

Wcisnęła gaz, póki trasa była jeszcze w miarę pusta; włączyła syrenę i z rykiem silnika pognała na południowy zachód, w stronę Kapitolu.

– Do diabła, poruczniku!

– Sir, wie pan równie dobrze jak ja, że odpowiedzialna jest jakaś skrajna grupa w typie Najpierw Ludzkość. A to moja sprawa. Jeśli dotrę na miejsce, może coś zauważę. Przycisnę któregoś ze zwykłych podejrzanych. Rozbroję ładunek.

– Albo usmażysz ten swój smętny lesbijski tyłek!

– Nie, sir. – Poklepała się po biodrze. – Mam swój kroker.

Mimo warkotu silnika słyszała kolejne syreny. Zaczęła odbierać wiadomości docierające przez różne systemy: połączenia z numeru alarmowego na jej cywilny telefon, e-maile na tablecie, groźne radiowe przekazy Systemu Ostrzegania o Zagrożeniach. Ale to wszystko nie wystarczy, uświadomiła sobie nagle.

– Niech pan słucha, szefie. Musimy zmienić plany.

– Co ty wygadujesz?

– Wygląda na to, że wszyscy reagują standardowo. A trzeba kazać ludziom przekroczyć, sir. Wszystko jedno, na wschód czy zachód, byle zniknąć z Madison Zero.

– Wiesz tak samo dobrze jak ja, że nie wszyscy mogą przekraczać. Nie licząc nawet fobików, są przecież starcy, dzieci, obłożnie chorzy, pacjenci w szpitalach…

– Więc niech sobie nawzajem pomagają. Jeśli możesz przekroczyć, zrób to. Ale zabierz ze sobą kogoś, kto nie może. Weź go na ręce, na plecy… A potem wróć i przekrocz znowu. I znowu…

Milczał przez chwilę.

– Przemyślałaś to sobie, Upiorze, co?

– Dlatego powierzyłeś mi tę robotę, Jack, tyle lat temu.

– Jesteś szalona. – Chwila przerwy. – Zrobię to, jeśli natychmiast zawrócisz.

– Nie ma szans, sir.

– Zwalniam cię, Upiorze.

– Przyjmuję do wiadomości, sir. Ale zostaję na linii.

Wjechała w East Washington i w perspektywie ulicy zobaczyła lśniący bielą Kapitol. Ludzie kręcili się dookoła, wchodzili i wychodzili z biur i sklepów. Niektórzy machali rękami, próbując ją zatrzymać – wyglądali na zdenerwowanych i pewnie chcieli się poskarżyć na hałas syren, które wyły i wyły bez żadnej widocznej przyczyny. Samochód przed nią miał cenną starą tablicę rejestracyjną w barwach drużyny Green Bay Packers. Na murach widziała plakaty Briana Cowleya, posępnego, wskazującego palcem – rozprzestrzeniały się jak wirus.

Trudno było uwierzyć, że w ciągu minut wszystko to zmieni się w chmurę radioaktywnego pyłu. Jednak przez samochodowe radio słyszała już przeplatane standardowymi obwieszczeniami, pospiesznie wydawane instrukcje, by przekroczyć. Przekrocz i pomóż. Przekrocz i pomóż…

Uśmiechnęła się. Chwytliwy slogan.

Odezwał się Clichy i przekazał kolejne informacje. Jedyne ostrzeżenie, jakie dotarło do policji, pochodziło od chłopaka, który w stanie szoku zjawił się na komisariacie w Milwaukee. Piętnastolatek. Trzymał się tych z Najpierw Ludzkość z powodów towarzyskich, żeby spotykać dziewczyny. Ale okłamywał ich – był naturalnym kroczącym. Kiedy tamci to odkryli, zabrali go do lekarza, człowieka z policyjnej listy podejrzanych. Facet otworzył mu czaszkę, wsunął elektrodę i wypalił ośrodki, które uważano za powiązane ze zdolnością przekraczania. Nie wiadomo, czy w efekcie chłopak nadal mógł przekraczać, ale z pewnością stracił wzrok. Dlatego zgłosił się na posterunek i wyśpiewał, co jego kumple zaplanowali w Madison.

– Dzieciak wie tyle, że Najpierwsi dorwali coś, co nazywali „walizkową atomówką". No więc... czytam w tej chwili informacje... jedyne takie urządzenie, do którego produkcji przyznały się Stany Zjednoczone, to W54. SADM, co oznacza Special Atomic Demolition Munition, z mocą około sześciu kiloton, jedna trzecia Hiroszimy. Jest też możliwość, że zdobyli urządzenie rosyjskie, takie jak RA-115. Uważaj teraz, Upiorze: uznaje się, że dawny Związek Radziecki rozrzucił parę takich zestawów po Stanach Zjednoczonych. Na wszelki wypadek, rozumiesz.

Dotarła na Capitol Square. Zwykle odbywały się tu rozmaite pokazy sztuki czy targi dla farmerów, teraz poszerzone o stoiska z egzotycznymi produktami dziesiątków światów. Niekiedy organizowano też taki czy inny protest. Dzisiaj na placu tłoczyli się gliniarze, typy z Bezpieczeństwa Wewnętrznego i agenci FBI, niektórzy w promieniotwórczo-biologiczno-chemicznych kombinezonach ochronnych, jakby to mogło w czymś pomóc. Były też ich pojazdy, łącznie z latającymi w górze helikopterami. Najdzielniejsi z dzielnych pędzą w stronę bomby, pomyślała.

Jadąc dookoła, spojrzała w głąb State Street, prostą linią ze wschodu na zachód łączącej plac z głównym uniwersyteckim kampusem. Ulica pełna była gwarnych restauracji, kawiarenek i sklepów – mimo wywołanych przez Długą Ziemię recesji i wyludnienia nadal stanowiła bijące serce miasta. Dzisiaj wieczorem roiło się tu od studentów i spacerowiczów. Niektórzy wyraźnie się spieszyli, szukając schronienia, inni jednak spokojnie popijali kawę i patrzyli w swoje telefony i laptopy. Niektórzy się śmiali, choć nawet Jansson, na tle bezustannego wycia syren, wyraźnie słyszała potężny głos z policyjnego megafonu, nakazujący wszystkim, by weszli do budynków albo przekroczyli.

– Ludzie nie wierzą, szefie.

– Co ty powiesz...

Wyskoczyła z wozu i przecisnęła się przez tłum do wzgórza Kapitolu, machając odznaką każdemu, kto stanął jej na drodze. Odbijające się od betonowych ścian wycie syren ogłuszało i irytowało. Czterema szerokimi ciągami schodów z budynku wylewali się ludzie: członkowie władz stanowych, lobbyści, prawnicy, wszyscy w eleganckich ciemnych garniturach. U stóp jednych ze schodów czekała różnobarwna grupa cywilów, pilnowana przez luźny pierścień uzbrojonych policjantów i funkcjonariuszy Bezpieczeństwa Wewnętrznego. Ci ludzie, jak się okazało, byli na placu, kiedy nadeszło ostrzeżenie; zostali natychmiast zatrzymani, skonfiskowano im krokery, a także telefony komórkowe i broń, jeśli ją mieli. Jansson, stojąc za linią strażników, szukała wzrokiem znajomych twarzy wśród niechętnego, wystraszonego zbiorowiska turystów, interesantów, jakichś przedsiębiorców... Niektórzy nosili bransoletki z napisem „Dumny, że przekraczam", które demonstrowali policjantom, jakby chcieli powiedzieć: Patrzcie! Nie należę do Najpierw Ludzkość!

A w niewielkiej odległości od grupy siedział Rod Green.

Usiadła przy nim. Miał osiemnaście lat, jak wiedziała, ale nie wyglądał na tyle. Nosił dżinsy, ciemną kurtkę, krótko ścięte jasne włosy. Wyglądał jak zwykły student. Ale dostrzegła linie zmarszczek wokół jego ust, wokół oczu – linie urazy, nienawiści...

– Ty to zrobiłeś. Prawda, Rod? – Musiała krzyczeć, by ją usłyszał mimo syren. – No dalej, chłopcze, przecież mnie znasz! Od lat mam cię na oku!

Przyjrzał się jej.

– To panią nazywają Upiorną?

– Trafiłeś. To twoja sprawka?

– Pomogłem.

– Komu? Jak?

Wzruszył ramionami.

– Przyniosłem to na plac w dużym plecaku. Dostarczyłem na miejsce, ale nie wiem, gdzie jest ukryte. Nie wiem, jak jest uzbrojone. Ani jak to rozbroić.

Szlag, szlag!

– To konieczne, Rod? Czy ci wszyscy ludzie muszą zginąć, żebyś mógł się odegrać na mamusi?

Prychnął niechętnie.

– Ta suka jest bezpieczna.

Zaszokował Jansson. Może nie wiedział, że jego matka, Tilda Lang Green, która wyruszyła kolonizować jakąś daleką Ziemię, zmarła na raka. Nie było czasu, żeby teraz mu o tym mówić.

– Czy w ogóle uważasz, że coś wam z tego przyjdzie? Wiem, wbiliście sobie do głowy, że Madison to jakiś ośrodek przekroczeniowy. Ale nie usuniesz Długiej Ziemi. Choćbyś nawet zrównał z ziemią całe Wisconsin, ludzie będą dalej przekraczać z każdego...

– Wiem o tej bombie tylko jedno.

Chwyciła go za ramiona.

– Co takiego? Powiedz, Rod!

– Wiem kiedy. – Spojrzał na zegarek. – Dwie minuty czterdzieści pięć sekund. Czterdzieści cztery. Czterdzieści trzy...

Jansson poderwała się na nogi.

– Słyszeliście?! – krzyknęła do policjantów. – Meldujcie, gdzie trzeba. I usuńcie stąd tych ludzi. Ich krokery... Na miłość boską, oddajcie im krokery!

Nie musiała powtarzać dwa razy. Aresztanci poderwali się, przerażeni podsłuchanymi słowami Roda. Jansson jednak pozostała przy chłopcu.

– Dla mnie to już koniec – powiedział. – Nie mogę przekraczać. Dlatego tutaj przyszedłem. Jakoś wydawało się to właściwe.

– Właściwe jak diabli!

Bez ostrzeżenia złapała go, chwytając pod łopatkami i kolanami, jak dziecko, i z wysiłkiem podniosła z ziemi. Był dla niej za ciężki, więc natychmiast się przewróciła, ale przełączyła kroker, zanim oboje dotknęli gruntu.

Wylądowała na plecach, wśród zielonej trawy. Nad głową miała błękitne niebo, całkiem jak dzisiejsze na Podstawowej. Syreny zamilkły. Nad Jansson wyrastały ramy rusztowań, które wzniesiono tutaj, na Zachodniej 1, by łączyły się z Kapitolem.

Przygniatający ją Rod dostał konwulsji, zwymiotował na nią i piana wystąpiła mu na usta. Sanitariuszka w pomarańczowym kombinezonie odciągnęła go na bok.

– Jest fobikiem – wyjaśniła Jansson. – Potrzebuje…
– Wiem, proszę pani.

Sanitariuszka wyjęła z torby strzykawkę i wbiła mu igłę w szyję. Konwulsje ustały. Rod spojrzał Jansson prosto w oczy.

– Dwie minuty – powiedział bardzo wyraźnie i stracił przytomność.

* * *

Dwie minuty. Wiadomość obiegła Madison Zero i jego młodsze bliźniaki na wschodzie i zachodzie, i cały obserwujący świat.

Zaczęło się przekraczanie.

Rodzice przenosili dzieci i wracali po rodziców albo starszych sąsiadów. W domach opieki niektórzy oszołomieni staruszkowie przekraczali po raz pierwszy w życiu, z krokerem przyczepionym do ciała przez pielęgniarkę. W szkołach nauczyciele przenosili uczniów, a starsze dzieci przenosiły młodsze. W szpitalach personel i chodzący pacjenci znajdowali sposoby, by unieść i przekroczyć z nawet najcięższymi unieruchomionymi pacjentami, łącznie z tymi w śpiączce i noworodkami w inkubatorach. Potem wracali po kolejnych, potem zaczekali, aż chirurdzy szybko zabezpieczą przerwane operacje, i przenieśli także operowanych. W całym Madison większa część ludzkości, która potrafiła przekraczać, pomagała mniejszości, która nie potrafiła. Nawet ekstremalne przypadki fobików, takie jak Rod Green, nietolerujące ani jednego kroku, trafiały pod opiekę sanitariuszy, a ci robili wszystko, by ustabilizować ich stan, zanim będzie można usunąć ich ze strefy zagrożenia i przenieść z powrotem na Podstawową.

W Madison Zachodnim 1 Monica Jansson widziała rezultaty tych działań. Kamery TV obserwowały cały teren, a bezpilotowy samolot przekazywał obrazy z góry. Jansson czuła się trochę dziwnie, będąc bezpieczna w takiej kryzysowej sytuacji, ale medycy odebrali jej kroker i nic więcej nie mogła już zrobić. Ktoś nawet przyniósł jej kubek kawy.

Z powietrza dobrze było widać jeziora na Zachodniej 1, przesmyk, charakterystyczne ukształtowanie terenu niczym mapę regionu bliźniaczego do Podstawowej – bliźniaczego, ale jeszcze dwadzieścia lat temu całkiem niezamieszkanego. Madison Zachodnie 1 było już dostrzegalne na tym świecie – plamy wykarczowanego lasu i osuszonych mokradeł, trakty dostatecznie szerokie i utwardzone, by nazwać je drogami, grupki budynków i dym unoszący się znad tartaków i kuźni. Ale dzisiaj tutejsi mieszkańcy robili, co mogli, by przyjąć jakoś i zaopiekować się przybywającymi uciekinierami z Podstawowej.

Bo przybywali. Jansson widziała, jak się pojawiają, pojedynczo albo w niewielkich grupach. Niektórzy materializowali się w jeziorach, przekraczając ze swoich łódek i desek. Łodzie wiosłowe mknęły po błękitnych wodach w stronę każdej machającej plamki.

Na lądzie, kiedy przekraczały kolejne grupy, Jansson widziała, jak na zielonym dywanie Zachodniej 1 pojawia się jakby mapa miasta z Podstawowej. Tam studenci uniwersytetu – wielokolorowa plama znaczyła lokalizację kampusu rozciągającego się na południe od brzegu Mendoty. Były szpitale – Świętej Marii i Meriter – oraz kliniki uniwersyteckie: niewielkie prostokąty skupionych blisko lekarzy, pielęgniarek i pacjentów. Szkoły: nauczyciele i uczniowie tam, gdzie powinny być klasy. Na brzegu Monony pojawili się zebrani w centrum konferencyjnym: ludzie w garniturach jak stado pingwinów. Obszar wokół Kapitolu także zaczął się wypełniać: romboidalny kształt placu, turyści i goście lokali wzdłuż State i King Street, pracownicy biur i mieszkańcy East i West Washington Avenue. To rzeczywiście była mapa Madison, uświadomiła sobie Jansson – mapa zbudowana z ludzi, po usunięciu wszystkich budynków.

Spojrzała jeszcze na Allied Drive, gdzie grupa zakonnic przekroczyła z Domu do sąsiedniej rzeczywistości, z bezbronnymi dziećmi pod opieką.

W ostatniej sekundzie zobaczyła – na obrazie przekazywanym z poziomu gruntu – że tam, gdzie stały wieżowce w centrum, ludzie zaczęli się pojawiać w powietrzu. Wielu w garniturach. Przekraczali z wyższych pięter, bo nie mieli już czasu, żeby przebiec do wind albo do schodów, czy też zrobić cokolwiek innego. Powstawały trójwymiarowe widma skazanych budynków zbudowane z ludzi, którzy przez jeden moment zdawali się wisieć w powietrzu, nim runęli ku ziemi.

Gdzieś niedaleko zatrzeszczał licznik Geigera.

ROZDZIAŁ 52

Joshua i Sally szybko przekraczali przez ostatnie Madison: Zachodnie 10, 9, 8... Joshuy nie interesowały te zatłoczone światy; chciał jak najszybciej wrócić do domu. 6, 5, 4... Na jednej z Niskich Ziem zatrzymali się, by przelecieć w poziomie z Humptulips do Madison. Napędzali sterowiec jedynym silnikiem, jaki zdołał naprawić Franklin Tallyman, młody geniusz z Restartu. 3, 2, 1... Na ostatnich światach mijali bariery i jakiś system znaków ostrzegawczych, ale spieszyli naprzód...

Zero.

Madison zniknęło.

Joshua był wstrząśnięty. Oddychał ciężko.

Ktoś stanął przed nimi: jakiś typ w kombinezonie, nie, kobieta, jak się zorientował Joshua, kiedy przez zakurzony wizjer zobaczył jej twarz.

– Jesteśmy tutaj, żeby pomagać przekraczającym – powiedziała. Słowa dobiegały z głośnika. – Musicie stąd odejść. Natychmiast wracajcie.

Wystraszeni i oszołomieni, trzymając się za ręce, Joshua i Sally przekroczyli na Zachodnią 1, zabierając ze sobą sterowiec. Tutaj, w jasnym słońcu, kolejna młoda kobieta w mundurze Federalnej Agencji Zarządzania Kryzysowego podeszła do nich z notatnikiem i tabletem. Spojrzała na sterowiec i z niedowierzaniem pokręciła głową.

– Musicie przejść przez dekontaminację – oznajmiła z wyrzutem. – Przecież ustawiamy ostrzeżenia na sąsiednich światach. No ale nie da się wyłapać wszystkich. Nie martwcie się, nie naruszyliście żadnego prawa. Potrzebne mi są wasze nazwiska i numery ubezpieczenia...

Stuknęła palcem w ekran tabletu.

Joshua rozglądał się dookoła. W porównaniu z jego poprzednią wizytą tutejsze Madison było mocno zatłoczone. Miasteczka namiotów, szpitale polowe, stołówki... Obóz uchodźców.

– Oto jesteśmy w krainie obfitości – rzekła z goryczą Sally. – Wszystko, czego ktokolwiek mógłby zapragnąć, jest tutaj, przemnożone miliony razy. A mimo to ktoś postanowił wszcząć wojnę. Cóż za stworzeniem jest człowiek...

– Ale przecież nie możesz wszcząć wojny, jeśli nikt na nią nie przyjdzie – odparł Joshua. – Słuchaj, muszę się dostać do Domu. Albo w miejsce, gdzie powinien być Dom...

Zadzwonił telefon wiszący u paska kobiety w mundurze. Spojrzała na ekran, zdziwiła się i spojrzała na Joshuę.

– Czy pan Joshua Valienté?

– Tak.

– To do pana. – I nim wręczyła mu telefon, rzuciła do mikrofonu: – Proszę mówić, panie Lobsangu.

PODZIĘKOWANIA

Jako miejsce akcji tej powieści postanowiliśmy wykorzystać Madison w stanie Wisconsin, ponieważ kiedy pracowaliśmy nad nią, przyszło nam do głowy, że w lipcu 2011 tam właśnie będzie się odbywać drugi Północnoamerykański Konwent Świata Dysku. A zatem możemy wiele rzeczy sprawdzić i zbadać za półdarmo, jak mawiamy my, autorzy. Konwent stał się czymś w rodzaju masowych warsztatów poświęconych Długiej Ziemi. Jesteśmy wdzięczni wszystkim uczestnikom tej dyskusji, doprawdy zbyt licznym, by dołączyć tutaj ich listę. Jednak szczególne podziękowania należą się dr. Christopherowi Pagelowi, właścicielowi Szpitala dla Zwierząt w Madison, oraz jego żonie, Juliet Pagel. Poświęcili nierozsądnie długi czas, by autorom pokazać Madison zarówno dawne, jak współczesne, od Arboretum po Willy Street, a na dodatek zechcieli przejrzeć szkic tej książki, co było dla nas niezwykle pomocne. Dziękujemy Wam, madisończycy, i w tym miejscu przepraszamy za to, co zrobiliśmy z waszym pięknym miastem. Oczywiście za wszelkie błędy i niedokładności odpowiedzialni jesteśmy tylko my.

Dziękujemy również Charlesowi Mansonowi, bibliotekarzowi Działu Tybetańskiego w Bodleian Library w Oksfordzie, który pomógł nam zbudować świat Lobsanga.

T.P.
S.B.
Grudzień 2011, Ziemia Podstawowa